12

# ΠΛΑΤΩΝΟΣ ΦΑΙΔΩΝ.

---

# PLATO'S PHAEDO.

Cambridge:

PRINTED BY C. J. CLAY, M.A.

AT THE UNIVERSITY PRESS.

# ΠΛΑΤΩΝΟΣ ΦΑΙΔΩΝ.

# PLATO'S PHAEDO,

WITH NOTES CRITICAL AND EXEGETICAL,
AND AN ANALYSIS.

BY

WILHELM WAGNER, PH.D

Boston :
JOHN ALLYN, PUBLISHER,
1882.

DEDICATED TO

MY VERY DEAR FRIEND

E. R. HORTON.

# PREFACE.

THE present edition is intended as a companion volume
to the edition of the Apology and Crito published last
year. It is almost unnecessary to observe that the
Editor has availed himself of the labours of former
commentators and critics, and especially of those of Wyt-
tenbach, Heindorf and Stallbaum : Professor Geddes'
excellent edition of the Phaedo has been used in the
headings prefixed in the notes to the various parts of
the dialogue and serving as an analysis of it ; in the
notes themselves, Professor Geddes' commentary has
been used very sparingly. On the whole, the present
edition enters especially into the critical and gramma-
tical explanation of the Phaedo, and does not profess
to exhaust the philosophical thought of the work, least
of all to collect the doctrines and tenets of later phi-
losophers and thinkers on the subjects treated by Plato
—for which purpose Professor Geddes' edition is of the
highest value. Riddell's admirable Digest of Platonic
Idioms has been appealed to wherever there was an
opportunity of doing so. The grammars of Jelf and

Donaldson (especially the first) are quoted for grammatical references; sometimes also Krüger's *Griechische Sprachlehre* has been referred to : a work which deserves to be better known in England.

All lovers of Plato will thank Mr I. Bywater for the accurate collation of the Bodleian ms. appended to this edition. The Editor hopes soon to be able to supplement this by a new collation of the Tübingen ms., which he considers next in importance to the Bodleian, though its readings do not appear in Bekker's edition.

Conjectural emendations have been very rarely admitted into the text, but all the readings proposed by Cobet and most of the changes made by Hirschig will be found mentioned in the notes.


LONDON, *March*, 1870.

# ΦΑΙΔΩΝ

[ἢ περὶ ψυχῆς, ἠθικός.]

ΤΑ ΤΟΥ ΔΙΑΛΟΓΟΥ ΠΡΟΣΩΠΑ.
ΕΧΕΚΡΑΤΗΣ, ΦΑΙΔΩΝ, ΑΠΟΛΛΟΔΩΡΟΣ, ΣΩΚΡΑΤΗΣ,
ΚΕΒΗΣ, ΣΙΜΜΙΑΣ, ΚΡΙΤΩΝ,
Ο ΤΩΝ ΕΝΔΕΚΑ ΥΠΗΡΕΤΗΣ.

57 I. Αὐτός, ὦ Φαίδων, παρεγένου Σωκράτει ἐκείνῃ τῇ ἡμέρᾳ, ᾗ τὸ φάρμακον ἔπιεν ἐν τῷ δεσμωτηρίῳ, ἢ ἄλλου του ἤκουσας;

ΦΑΙΔ. Αὐτός, ὦ Ἐχέκρατες.

ΕΧ. Τί οὖν δή ἐστιν ἄττα εἶπεν ὁ ἀνὴρ πρὸ τοῦ 5 θανάτου; καὶ πῶς ἐτελεύτα; ἡδέως γὰρ ἂν ἐγὼ ἀκούσαιμι. καὶ γὰρ οὔτε τῶν πολιτῶν Φλιασίων οὐδεὶς πάνυ τι ἐπιχωριάζει τὰ νῦν Ἀθήναζε, οὔτε τις ξένος

B ἀφῖκται χρόνου συχνοῦ ἐκεῖθεν, ὅστις ἂν ἡμῖν σαφές τι ἀγγεῖλαι οἷός τ᾽ ἦν περὶ τούτων, πλήν γε δὴ ὅτι 10 φάρμακον πιὼν ἀποθάνοι· τῶν δὲ ἄλλων οὐδὲν εἶχε φράζειν.

58 ΦΑΙΔ. Οὐδὲ τὰ περὶ τῆς δίκης ἄρα ἐπύθεσθε ὃν τρόπον ἐγένετο;

ΕΧ. Ναί, ταῦτα μὲν ἡμῖν ἤγγειλέ τις, καὶ ἐθαυ- 15 μάζομέν γε ὅτι πάλαι γενομένης αὐτῆς πολλῷ ὕστερον φαίνεται ἀποθανών. τί οὖν ἦν τοῦτο, ὦ Φαίδων;

6 ἐγώ om. Bekk. Stallb., add. Bodl. with several other mss.

ΦΑΙΔ. Τύχη τις αὐτῷ, ὦ Ἐχέκρατες, συνέβη· ἔτυχε γὰρ τῇ προτεραίᾳ τῆς δίκης ἡ πρύμνα ἐστεμμένη τοῦ πλοίου ὃ εἰς Δῆλον Ἀθηναῖοι πέμπουσιν.

ΕΧ. Τοῦτο δὲ δὴ τί ἐστιν;

5 ΦΑΙΔ. Τοῦτό ἐστι τὸ πλοῖον, ὥς φασιν Ἀθηναῖοι, B ἐν ᾧ Θησεύς ποτε εἰς Κρήτην τοὺς δὶς ἑπτὰ ἐκείνους ᾤχετο ἄγων καὶ ἔσωσέ τε καὶ αὐτὸς ἐσώθη. τῷ οὖν Ἀπόλλωνι εὔξαντο, ὡς λέγεται, τότε, εἰ σωθεῖεν, ἑκάστου ἔτους θεωρίαν ἀπάξειν εἰς Δῆλον· ἣν δὴ ἀεὶ καὶ 10 νῦν ἔτι ἐξ ἐκείνου κατ' ἐνιαυτὸν τῷ θεῷ πέμπουσιν. ἐπειδὰν οὖν ἄρξωνται τῆς θεωρίας, νόμος ἐστὶν αὐτοῖς ἐν τῷ χρόνῳ τούτῳ καθαρεύειν τὴν πόλιν καὶ δημοσίᾳ μηδένα ἀποκτιννύναι, πρὶν ἂν εἰς Δῆλον ἀφίκηται τὸ πλοῖον καὶ πάλιν δεῦρο· τοῦτο δ' ἐνίοτε ἐν πολλῷ 15 χρόνῳ γίγνεται, ὅταν τύχωσιν ἄνεμοι ἀπολαβόντες C αὐτούς. ἀρχὴ δ' ἐστὶ τῆς θεωρίας, ἐπειδὰν ὁ ἱερεὺς τοῦ Ἀπόλλωνος στέψῃ τὴν πρύμναν τοῦ πλοίου· τοῦτο δ' ἔτυχεν, ὥσπερ λέγω, τῇ προτεραίᾳ τῆς δίκης γεγονός. διὰ ταῦτα καὶ πολὺς χρόνος ἐγένετο τῷ Σωκράτει 20 ἐν τῷ δεσμωτηρίῳ ὁ μεταξὺ τῆς δίκης τε καὶ τοῦ θανάτου.

II. ΕΧ. Τί δὲ δὴ τὰ περὶ αὐτὸν τὸν θάνατον, ὦ Φαίδων; τίνα ἦν τὰ λεχθέντα καὶ πραχθέντα, καὶ τίνες οἱ παραγενόμενοι τῶν ἐπιτηδείων τῷ ἀνδρί; ἢ 25 οὐκ εἴων οἱ ἄρχοντες παρεῖναι, ἀλλ' ἔρημος ἐτελεύτα φίλων;

ΦΑΙΔ. Οὐδαμῶς, ἀλλὰ παρῆσάν τινες καὶ πολλοί D γε.

ΕΧ. Ταῦτα δὴ πάντα προθυμήθητι ὡς σαφέστατα 30 ἡμῖν ἀπαγγεῖλαι, εἰ μή τίς σοι ἀσχολία τυγχάνει οὖσα.

13 Δῆλόν τε Bekk. Stallb., but τε om. Bodl. and other mss.
23 τίνα Bodl. τί the other mss. Bekk.

ΦΑΙΔ. Ἀλλὰ σχολάζω γε καὶ πειράσομαι ὑμῖν
διηγήσασθαι· καὶ γὰρ τὸ μεμνῆσθαι Σωκράτους καὶ
αὐτὸν λέγοντα καὶ ἄλλου ἀκούοντα ἔμοιγε ἀεὶ πάντων
ἥδιστον.

ΕΧ. Ἀλλὰ μήν, ὦ Φαίδων, καὶ τοὺς ἀκουσομέ- 5
νους γε τοιούτους ἑτέρους ἔχεις· ἀλλὰ πειρῶ ὡς ἂν
δύνῃ ἀκριβέστατα διελθεῖν πάντα.

E    ΦΑΙΔ. Καὶ μὴν ἔγωγε θαυμάσια ἔπαθον παραγε-
νόμενος. οὔτε γὰρ ὡς θανάτῳ παρόντα με ἀνδρὸς
ἐπιτηδείου ἔλεος εἰσῄει· εὐδαίμων γάρ μοι ἀνὴρ ἐφαί- 10
νετο, ὦ Ἐχέκρατες, καὶ τοῦ τρόπου καὶ τῶν λόγων, ὡς
ἀδεῶς καὶ γενναίως ἐτελεύτα, ὥστε μοι ἐκεῖνον παρί-
στασθαι μηδ᾽ εἰς Ἅιδου ἰόντα ἄνευ θείας μοίρας ἰέναι,
59 ἀλλὰ κἀκεῖσε ἀφικόμενον εὖ πράξειν, εἴπερ τις πώποτε
καὶ ἄλλος. διὰ δὴ ταῦτα οὐδὲν πάνυ μοι ἐλεεινὸν 15
εἰσῄει, ὡς εἰκὸς ἂν δόξειεν εἶναι παρόντι πένθει· οὔτε
αὖ ἡδονὴ ὡς ἐν φιλοσοφίᾳ ἡμῶν ὄντων, ὥσπερ εἰώ-
θειμεν· καὶ γὰρ οἱ λόγοι τοιοῦτοί τινες ἦσαν· ἀλλ᾽
ἀτεχνῶς ἄτοπόν τί μοι πάθος παρῆν καί τις ἀήθης
κρᾶσις ἀπό τε τῆς ἡδονῆς συγκεκραμένη ὁμοῦ καὶ ἀπὸ 20
τῆς λύπης, ἐνθυμουμένῳ ὅτι αὐτίκα ἐκεῖνος ἔμελλε
τελευτᾶν. καὶ πάντες οἱ παρόντες σχεδόν τι οὕτω
διεκείμεθα, ὁτὲ μὲν γελῶντες, ἐνίοτε δὲ δακρύοντες, εἷς
B  δὲ ἡμῶν καὶ διαφερόντως, Ἀπολλόδωρος. οἶσθα γάρ
που τὸν ἄνδρα καὶ τὸν τρόπον αὐτοῦ. 25

ΕΧ. Πῶς γὰρ οὔ;

ΦΑΙΔ. Ἐκεῖνός τε τοίνυν παντάπασιν οὕτως εἶχε,
καὶ αὐτὸς ἔγωγε ἐτεταράγμην καὶ οἱ ἄλλοι.

ΕΧ. Ἔτυχον δέ, ὦ Φαίδων, τίνες παραγενόμενοι;

1 σχολάζω τε Bekk. γε is in the Bodl. and most good mss.
10 ἀνὴρ Bodl. Herm. ὁ ἀνὴρ other mss. ἀνήρ Bekk. Stallb.
12 ὥστ᾽ ἐμοὶ Bekk. ὥστ᾽ ἔμοιγ᾽ Stallb. ὥστε μοι Bodl. and most mss.
20 ἀπὸ τῆς λύπης Bodl. Herm. Stallb. ἀπὸ om. other mss. Bekk.

ΦΑΙΔ.　Οὗτός τε δὴ ὁ Ἀπολλόδωρος τῶν ἐπιχω-
ρίων παρῆν καὶ ὁ Κριτόβουλος καὶ ὁ πατὴρ αὐτοῦ
Κρίτων, καὶ ἔτι Ἑρμογένης καὶ Ἐπιγένης καὶ Αἰσχί-
νης καὶ Ἀντισθένης· ἦν δὲ καὶ Κτήσιππος ὁ Παιανιεὺς
5 καὶ Μενέξενος καὶ ἄλλοι τινὲς τῶν ἐπιχωρίων· Πλάτων
δέ, οἶμαι, ἠσθένει.

ΕΧ.　Ξένοι δέ τινες παρῆσαν;　　　　　　　　　　C

ΦΑΙΔ.　Ναί, Σιμμίας τέ γε ὁ Θηβαῖος καὶ Κέβης
καὶ Φαιδωνίδης, καὶ Μεγαρόθεν Εὐκλείδης τε καὶ Τερ-
10 ψίων.

ΕΧ.　Τί δέ; Ἀρίστιππος καὶ Κλεόμβροτος παρε-
γένοντο;

ΦΑΙΔ.　Οὐ δῆτα· ἐν Αἰγίνῃ γὰρ ἐλέγοντο εἶναι.

ΕΧ.　Ἄλλος δέ τις παρῆν;

15 ΦΑΙΔ.　Σχεδόν τι οἶμαι τούτους παραγενέσθαι.

ΕΧ.　Τί οὖν δή; τίνες, φής, ἦσαν οἱ λόγοι;

III.　ΦΑΙΔ.　Ἐγώ σοι ἐξ ἀρχῆς πάντα πειρά-
σομαι διηγήσασθαι. ἀεὶ γὰρ δὴ καὶ τὰς πρόσθεν D
ἡμέρας εἰώθειμεν φοιτᾶν καὶ ἐγὼ καὶ οἱ ἄλλοι παρὰ
20 τὸν Σωκράτη, συλλεγόμενοι ἕωθεν εἰς τὸ δικαστήριον,
ἐν ᾧ καὶ δίκη ἐγένετο· πλησίον γὰρ ἦν τοῦ δεσμωτηρίου.
περιεμένομεν οὖν ἑκάστοτε, ἕως ἀνοιχθείη τὸ δεσμω-
τήριον, διατρίβοντες μετ' ἀλλήλων· ἀνεῴγετο γὰρ οὐ
πρῴ· ἐπειδὴ δὲ ἀνοιχθείη, εἰσῇμεν παρὰ τὸν Σωκράτη

2 ὁ Κριτόβουλος Bodl. Herm. Stallb. ὁ om. Bekk.　3 Κρίτων
om. several mss., bracketed by Herm.　9 Φαιδώνδης Bekk. Φαι-
δωνίδης Bodl. pr. m.　11 Τί δαί Bekk. with only one ms.—οὐ παρε-
γένοντο cj. Cobet Var. Lect. p. 286 'et sana ratio docet et Graecae
linguae ingenium emendandum esse οὐ π.; nam qui ita quaerit
Echecrates miratur eos non nominari inter eos qui Socrati mori-
turo adfuissent, et οὐ δῆτα melius respondebitur, si οὐ praecesserit.
quam vetus hoc mendum in Platonis codicibus inoleverit, ap-
paret ex Demetrii libello περὶ ἑρμηνείας § 238 Goell. : sed vera
scriptura antiquius nihil est.'　23 ἀνεῴγνυτο Bekk. ἀνεῴγετο Bodl.
and most mss. εἰσῄειμεν most mss. including the Bodl. εἰσῆμεν
Bekk. Stallb.

καὶ τὰ πολλὰ διημερεύομεν μετ᾽ αὐτοῦ. καὶ δὴ καὶ
τότε πρωϊαίτερον ξυνελέγημεν. τῇ γὰρ προτεραίᾳ
Ε ἡμέρᾳ ἐπειδὴ ἐξήλθομεν ἐκ τοῦ δεσμωτηρίου ἑσπέρας,
ἐπυθόμεθα ὅτι τὸ πλοῖον ἐκ Δήλου ἀφιγμένον εἴη.
παρηγγείλαμεν οὖν ἀλλήλοις ἥκειν ὡς πρωϊαίτατα εἰς 5
τὸ εἰωθός. καὶ ἥκομεν, καὶ ἡμῖν ἐξελθὼν ὁ θυρωρός,
ὅσπερ εἰώθει ὑπακούειν, εἶπε περιμένειν καὶ μὴ πρότε-
ρον παριέναι, ἕως ἂν αὐτὸς κελεύσῃ· λύουσι γάρ, ἔφη,
οἱ ἔνδεκα Σωκράτη καὶ παραγγέλλουσιν ὅπως ἂν τῇδε
τῇ ἡμέρᾳ τελευτήσῃ. οὐ πολὺν δ᾽ οὖν χρόνον ἐπι- 10
σχὼν ἧκε καὶ ἐκέλευσεν ἡμᾶς εἰσιέναι. εἰσιόντες οὖν
60 κατελαμβάνομεν τὸν μὲν Σωκράτη ἄρτι λελυμένον,
τὴν δὲ Ξανθίππην, γιγνώσκεις γάρ, ἔχουσάν τε τὸ
παιδίον αὐτοῦ καὶ παρακαθημένην. ὡς οὖν εἶδεν ἡμᾶς
ἡ Ξανθίππη, ἀνευφήμησέ τε καὶ τοιαῦτ᾽ ἄττα εἶπεν, 15
οἷα δὴ εἰώθασιν αἱ γυναῖκες, ὅτι ὦ Σώκρατες, ὕστατον
δή σε προσεροῦσι νῦν οἱ ἐπιτήδειοι καὶ σὺ τούτους.
καὶ ὁ Σωκράτης βλέψας εἰς τὸν Κρίτωνα, ὦ Κρίτων,
ἔφη, ἀπαγέτω τις ταύτην οἴκαδε. καὶ ἐκείνην μὲν
Β ἀπῆγόν τινες τῶν τοῦ Κρίτωνος βοῶσάν τε καὶ κοπτο- 20
μένην· ὁ δὲ Σωκράτης ἀνακαθιζόμενος ἐπὶ τὴν κλίνην
συνέκαμψέ τε τὸ σκέλος καὶ ἐξέτριψε τῇ χειρί, καὶ
τρίβων ἅμα, ὡς ἄτοπον, ἔφη, ὦ ἄνδρες, ἔοικέ τι εἶναι
τοῦτο, ὃ καλοῦσιν οἱ ἄνθρωποι ἡδύ· ὡς θαυμασίως
πέφυκε πρὸς τὸ δοκοῦν ἐναντίον εἶναι, τὸ λυπηρόν, τῷ 25
ἅμα μὲν αὐτῷ μὴ ἐθέλειν παραγίγνεσθαι τῷ ἀνθρώπῳ,

---

3 ἡμέρᾳ bracketed by Herm. without cause: see the exeg. comm.
7 εἶπε περιμένειν Bodl. Bekk. Stallb. ἐπιμένειν Herm. with the old
editions.    11 ἐκέλευσεν Bodl. p. m.  ἐκέλευεν Bodl. corr. (Herm.).
εἰσελθόντες Bekk. Bodl. corr.  εἰσιόντες Herm. Bodl. pr. m.    19 ἀπα-
γαγέτω Bekk. with only one ms.  ταύτην Bekk. Stallb.  αὐτὴν only
the Bodl. (Herm.).    21 ἐπὶ Bekk. Stallb. with mss.  εἰς Bodl.
Herm.    22 ἐξέτριψε all good mss.  ἔτριψε the old editions and
Cobet Var. Lect. p. 120.

ἐὰν δέ τις διώκῃ τὸ ἕτερον καὶ λαμβάνῃ, σχεδόν τι
ἀναγκάζεσθαι λαμβάνειν καὶ τὸ ἕτερον, ὥσπερ ἐκ μιᾶς
κορυφῆς συνημμένω δύ ὄντε. καί μοι δοκεῖ, ἔφη, εἰ C
ἐνενόησεν αὐτὰ Αἴσωπος, μῦθον ἂν συνθεῖναι, ὡς ὁ
5 θεὸς βουλόμενος αὐτὰ διαλλάξαι πολεμοῦντα, ἐπειδὴ
οὐκ ἠδύνατο, ξυνῆψεν εἰς ταὐτὸν αὐτοῖς τὰς κορυφάς,
καὶ διὰ ταῦτα ᾧ ἂν τὸ ἕτερον παραγένηται ἐπακο-
λουθεῖ ὕστερον καὶ τὸ ἕτερον. ὥσπερ οὖν καὶ αὐτῷ μοι
ἔοικεν, ἐπειδὴ ὑπὸ τοῦ δεσμοῦ ἦν ἐν τῷ σκέλει [πρότερον]
10 τὸ ἀλγεινόν, ἥκειν δὴ φαίνεται ἐπακολουθοῦν τὸ ἡδύ.

IV. Ὁ οὖν Κέβης ὑπολαβὼν Νὴ τὸν Δία, ὦ
Σώκρατες, ἔφη, εὖ γ᾽ ἐποίησας ἀναμνήσας με. περὶ
γάρ τοι τῶν ποιημάτων ὧν πεποίηκας ἐντείνας τοὺς
τοῦ Αἰσώπου λόγους καὶ τὸ εἰς τὸν Ἀπόλλω προοίμιον
15 καὶ ἄλλοι τινές με ἤδη ἤροντο, ἀτὰρ καὶ Εὐηνὸς D
πρώην, ὅ,τι ποτὲ διανοηθείς, ἐπειδὴ δεῦρο ἦλθες, ἐποίη-
σας αὐτά, πρότερον οὐδὲν πώποτε ποιήσας. εἰ οὖν τί
σοι μέλει τοῦ ἔχειν ἐμὲ Εὐήνῳ ἀποκρίνασθαι, ὅταν με
αὖθις ἐρωτᾷ, εὖ οἶδα γὰρ ὅτι ἐρήσεται, εἰπέ, τί χρή με
20 λέγειν. Λέγε τοίνυν, ἔφη, αὐτῷ, ὦ Κέβης, τἀληθῆ,
ὅτι οὐκ ἐκείνῳ βουλόμενος οὐδὲ τοῖς ποιήμασιν αὐτοῦ
ἀντίτεχνος εἶναι ἐποίησα ταῦτα· ᾔδειν γὰρ ὡς οὐ ῥᾴδιον
εἴη· ἀλλ᾽ ἐνυπνίων τινῶν ἀποπειρώμενος τί λέγοι, καὶ Ε
ἀφοσιούμενος εἰ ἄρα πολλάκις ταύτην τὴν μουσικήν
25 μοι ἐπιτάττοι ποιεῖν. ἦν γὰρ δὴ ἄττα τοιάδε· πολ-
λάκις μοι φοιτῶν τὸ αὐτὸ ἐνύπνιον ἐν τῷ παρελθόντι
βίῳ, ἄλλοτ᾽ ἐν ἄλλῃ ὄψει φαινόμενον, τὰ αὐτὰ δὲ
λέγον, ὦ Σώκρατες, ἔφη, μουσικὴν ποίει καὶ ἐργάζου.

---

2 ἀεὶ λαμβάνειν Bekk. Stallb., om. Bodl. Δ, Herm.   6 αὐτοῖς
Bodl. and four other mss. Stallb. Herm.   αὐτῶν Bekk.   8 αὐτῷ
μοι all mss. with the exception of one. αὐτῷ ἐμοί Bekk.   9
πρότερον om. most mss. including the Bodl., bracketed by Herm.
19 ἐρωτᾷ Bodl. p. m.   ἔρηται Bekk. Bodl. corr.   23 λέγοι Bekk.

καὶ ἐγὼ ἔν γε τῷ πρόσθεν χρόνῳ ὅπερ ἔπραττον τοῦτο
61 ὑπελάμβανον αὐτό μοι παρακελεύεσθαί τε καὶ ἐπικε-
λεύειν, ὥσπερ οἱ τοῖς θέουσι διακελευόμενοι, καὶ ἐμοὶ
οὕτω τὸ ἐνύπνιον ὅπερ ἔπραττον τοῦτο ἐπικελεύειν,
μουσικὴν ποιεῖν, ὡς φιλοσοφίας μὲν οὔσης μεγίστης 5
μουσικῆς, ἐμοῦ δὲ τοῦτο πράττοντος· νῦν δ' ἐπειδὴ ἥ
τε δίκη ἐγένετο καὶ ἡ τοῦ θεοῦ ἑορτὴ διεκώλυέ με
ἀποθνήσκειν, ἔδοξε χρῆναι, εἰ ἄρα πολλάκις μοι προσ-
τάττοι τὸ ἐνύπνιον ταύτην τὴν δημώδη μουσικὴν
ποιεῖν, μὴ ἀπειθῆσαι αὐτῷ, ἀλλὰ ποιεῖν. ἀσφαλέστε- 10
Β ρον γὰρ εἶναι μὴ ἀπιέναι πρὶν ἀφοσιώσασθαι ποιή-
σαντα ποιήματα καὶ πειθόμενον τῷ ἐνυπνίῳ. οὕτω δὴ
πρῶτον μὲν εἰς τὸν θεὸν ἐποίησα, οὗ ἦν ἡ παροῦσα
θυσία· μετὰ δὲ τὸν θεόν, ἐννοήσας ὅτι τὸν ποιητὴν
δέοι, εἴπερ μέλλοι ποιητὴς εἶναι, ποιεῖν μύθους, ἀλλ' 15
οὐ λόγους, καὶ αὐτὸς οὐκ ἦ μυθολογικός, διὰ ταῦτα δὴ
οὓς προχείρους εἶχον καὶ ἠπιστάμην μύθους τοὺς
Αἰσώπου, τούτους ἐποίησα, οἷς πρώτοις ἐνέτυχον.

V. Ταῦτα οὖν, ὦ Κέβης, Εὐηνῷ φράζε, καὶ ἐρρῶ-
σθαι καί, ἂν σωφρονῇ, ἐμὲ διώκειν ὡς τάχιστα. ἄπει- 20
C μι δέ, ὡς ἔοικε, τήμερον· κελεύουσι γὰρ Ἀθηναῖοι.
καὶ ὁ Σιμμίας, Οἷον παρακελεύει, ἔφη, τοῦτο, ὦ
Σώκρατες, Εὐηνῷ; πολλὰ γὰρ ἤδη ἐντετύχηκα τῷ
ἀνδρί· σχεδὸν οὖν ἐξ ὧν ἐγὼ ᾔσθημαι οὐδ' ὁπωστιοῦν
σοι ἑκὼν εἶναι πείσεται. Τί δαί; ἦ δ' ὅς· οὐ φιλόσο- 25
φος Εὐηνός; Ἔμοιγε δοκεῖ, ἔφη ὁ Σιμμίας. Ἐθελήσει
τοίνυν, ἔφη, καὶ Εὐηνὸς καὶ πᾶς ὅτῳ ἀξίως τούτου τοῦ
πράγματος μέτεστιν. οὐ μέντοι γ' ἴσως βιάσεται
αὐτόν· οὐ γάρ φασι θεμιτὸν εἶναι. καὶ ἅμα λέγων

λέγειν Bodl. with λέγει in the margin.   12 καὶ πειθόμενον Bodl. and
one other ms. καὶ om. Bekk. Stallb. and perhaps it should be
omitted in spite of the authority of the Bodl.   15 μέλλοι Bodl. μέλλει
Bekk. Stallb.   18 τούτους Bodl. and most mss. τούτων Bekk.   20 ὡς

8     ΠΛΑΤΩΝΟΣ

ταῦτα καθῆκε τὰ σκέλη [ἀπὸ τῆς κλίνης] ἐπὶ τὴν D
γῆν, καὶ καθεζόμενος οὕτως ἤδη τὰ λοιπὰ διελέγετο.
ἤρετο οὖν αὐτὸν ὁ Κέβης· Πῶς τοῦτο λέγεις, ὦ
Σώκρατες, τὸ μὴ θεμιτὸν εἶναι ἑαυτὸν βιάζεσθαι,
5 ἐθέλειν δ᾽ ἂν τῷ ἀποθνήσκοντι τὸν φιλόσοφον ἕπε-
σθαι; Τί δέ, ὦ Κέβης; οὐκ ἀκηκόατε σύ τε καὶ Σιμ-
μίας περὶ τῶν τοιούτων Φιλολάῳ συγγεγονότες; Οὐδέν
γε σαφῶς, ὦ Σώκρατες. Ἀλλὰ μὴν κἀγὼ ἐξ ἀκοῆς
περὶ αὐτῶν λέγω· ἃ μὲν οὖν τυγχάνω ἀκηκοώς, φθόνος
10 οὐδεὶς λέγειν. καὶ γὰρ ἴσως καὶ μάλιστα πρέπει E
μέλλοντα ἐκεῖσε ἀποδημεῖν διασκοπεῖν τε καὶ μυθολο-
γεῖν περὶ τῆς ἀποδημίας τῆς ἐκεῖ, ποίαν τινὰ αὐτὴν
οἰόμεθα εἶναι· τί γὰρ ἄν τις καὶ ποιοῖ ἄλλο ἐν τῷ
μέχρι ἡλίου δυσμῶν χρόνῳ;
15    VI.  Κατὰ τί δὴ οὖν ποτε οὔ φασι θεμιτὸν εἶναι
αὐτὸν ἑαυτὸν ἀποκτιννύναι, ὦ Σώκρατες; ἤδη γὰρ
ἔγωγε, ὅπερ νῦν δὴ σὺ ἤρου, καὶ Φιλολάου ἤκουσα,
ὅτε παρ᾽ ἡμῖν διῃτᾶτο, ἤδη δὲ καὶ ἄλλων τινῶν, ὡς οὐ
δέοι τοῦτο ποιεῖν· σαφὲς δὲ περὶ αὐτῶν οὐδενὸς πώ-
20 ποτε οὐδὲν ἀκήκοα. Ἀλλὰ προθυμεῖσθαι χρή, ἔφη· 62
τάχα γὰρ ἂν καὶ ἀκούσαις. ἴσως μέντοι θαυμαστόν
σοι φανεῖται, εἰ τοῦτο μόνον τῶν ἄλλων ἁπάντων
ἁπλοῦν ἐστι καὶ οὐδέποτε τυγχάνει τῷ ἀνθρώπῳ,
ὥσπερ καὶ τἄλλα, ἔστιν ὅτε καὶ οἷς βέλτιον τεθνάναι
25 ἢ ζῆν. οἷς δὲ βέλτιον τεθνάναι, θαυμαστὸν ἴσως
σοι φαίνεται, εἰ τούτοις τοῖς ἀνθρώποις μὴ ὅσιόν
ἐστιν αὐτοὺς ἑαυτοὺς εὖ ποιεῖν, ἀλλ᾽ ἄλλον δεῖ περι-
μένειν εὐεργέτην. καὶ ὁ Κέβης ἠρέμα ἐπιγελάσας,

άχιστα om. Bekk., add. Bodl. and other mss.  **1** ἀπὸ τῆς κλίνης om.
Bodl., bracketed by Herm.  **6** Τί δαί Bekk. with one ms.  **8** σαφῶς
Bodl. Herm.  σαφές Bekk. Stallb. with the other mss.  **15** οὖν
δή ποτε Bekk.  δὴ οὖν Bodl. and most mss.  **24** ἔστιν ὅτε
κ.τ.λ.: see exeg. comm. and the discussions by Kock, 'Hermes' 2

Β Ἴττω Ζεύς, ἔφη, τῇ αὑτοῦ φωνῇ εἰπών. Καὶ γὰρ ἂν
δόξειεν, ἔφη ὁ Σωκράτης, οὕτω γ᾽ εἶναι ἄλογον· οὐ
μέντοι ἀλλ᾽ ἴσως ἔχει τινὰ λόγον. ὁ μὲν οὖν ἐν ἀπορ-
ρήτοις λεγόμενος περὶ αὐτῶν λόγος, ὡς ἔν τινι φρουρᾷ
ἐσμεν οἱ ἄνθρωποι καὶ οὐ δεῖ δὴ ἑαυτὸν ἐκ ταύτης 5
λύειν οὐδ᾽ ἀποδιδράσκειν, μέγας τέ τίς μοι φαίνεται
καὶ οὐ ῥᾴδιος διιδεῖν· οὐ μέντοι ἀλλὰ τόδε γέ μοι
δοκεῖ, ὦ Κέβης, εὖ λέγεσθαι, τὸ θεοὺς εἶναι ἡμῶν τοὺς
ἐπιμελουμένους καὶ ἡμᾶς τοὺς ἀνθρώπους ἓν τῶν κτη-
μάτων τοῖς θεοῖς εἶναι· ἢ σοὶ οὐ δοκεῖ οὕτως; Ἔμοιγε, 10
C ἔφη ὁ Κέβης. Οὐκοῦν, ἦ δ᾽ ὅς, καὶ σὺ ἂν τῶν σαυτοῦ
κτημάτων εἴ τι αὐτὸ ἑαυτὸ ἀποκτιννύοι, μὴ σημήναντός
σου ὅτι βούλει αὐτὸ τεθνάναι, χαλεπαίνοις ἂν αὐτῷ,
καὶ εἴ τινα ἔχοις τιμωρίαν, τιμωροῖο ἄν; Πάνυ γ᾽, ἔφη.
Ἴσως τοίνυν ταύτῃ οὐκ ἄλογον, μὴ πρότερον αὑτὸν 15
ἀποκτιννύναι δεῖν, πρὶν ἀνάγκην τινὰ ὁ θεὸς ἐπι-
πέμψῃ, ὥσπερ καὶ τὴν νῦν παροῦσαν ἡμῖν.

VII. Ἀλλ᾽ εἰκός, ἔφη ὁ Κέβης, τοῦτό γε φαίνεται.
ὁ μέντοι νῦν δὴ ἔλεγες, τὸ τοὺς φιλοσόφους ῥᾳδίως ἂν
D ἐθέλειν ἀποθνήσκειν, ἔοικε τοῦτο, ὦ Σώκρατες, ἀτόπῳ, 20
εἴπερ ὃ νῦν δὴ ἐλέγομεν εὐλόγως ἔχει, τὸ θεόν τε εἶναι
τὸν ἐπιμελούμενον ἡμῶν καὶ ἡμᾶς ἐκείνου κτήματα
εἶναι. τὸ γὰρ μὴ ἀγανακτεῖν τοὺς φρονιμωτάτους ἐκ
ταύτης τῆς θεραπείας ἀπιόντας, ἐν ᾗ ἐπιστατοῦσιν
αὐτῶν οἵπερ ἄριστοί εἰσι τῶν ὄντων ἐπιστάται, θεοί, 25
οὐκ ἔχει λόγον. οὐ γάρ που αὐτός γε αὑτοῦ οἴεται
ἄμεινον ἐπιμελήσεσθαι ἐλεύθερος γενόμενος· ἀλλ᾽
E ἀνόητος μὲν ἄνθρωπος τάχ᾽ ἂν οἰηθείη ταῦτα, φευκτέον

p. 128—135. Bonitz, ib. 307—312. Kock, ib. 462—4C5. Cron,
'jahrbücher,' 1867, p. 567—76. L. v. Jan, ib. 1868.    9 ἐπιμελο-
μένους Bekk. against the Bodl. and most of the other mss.    16 πρὶν
ἂν Heindorf. cj. Bekk., ἂν om. all mss. Stallb. Herm.    θεὸς Herm.
ὁ add. Bodl. supra lin., and all other mss. give the article.    26 αὐ-

εἶναι ἀπὸ τοῦ δεσπότου, καὶ οὐκ ἂν λογίζοιτο ὅτι οὐ
δεῖ ἀπό γε τοῦ ἀγαθοῦ φεύγειν, ἀλλ᾽ ὅ,τι μάλιστα
παραμένειν, διὸ ἀλογίστως ἂν φεύγοι. ὁ δὲ νοῦν ἔχων
ἐπιθυμοῖ που ἂν ἀεὶ εἶναι παρὰ τῷ αὑτοῦ βελτίονι·
5 καίτοι οὕτως, ὦ Σώκρατες, τοὐναντίον εἶναι εἰκὸς ἢ ὃ
νῦν δὴ ἐλέγετο· τοὺς μὲν γὰρ φρονίμους ἀγανακτεῖν
ἀποθνήσκοντας πρέπει, τοὺς δ᾽ ἄφρονας χαίρειν. ἀκού-
σας οὖν ὁ Σωκράτης ἡσθῆναί τέ μοι ἔδοξε τῇ τοῦ
Κέβητος πραγματείᾳ, καὶ ἐπιβλέψας εἰς ἡμᾶς Ἀεί 63
10 τοι, ἔφη, ὁ Κέβης λόγους τινὰς ἀνερευνᾷ, καὶ οὐ πάνυ
εὐθέως ἐθέλει πείθεσθαι ὅ,τι ἄν τις εἴπῃ. Καὶ ὁ
Σιμμίας Ἀλλὰ μήν, ἔφη, ὦ Σώκρατες, νῦν γέ μοι δοκεῖ
τι καὶ αὐτῷ λέγειν Κέβης· τί γὰρ ἂν βουλόμενοι
ἄνδρες σοφοὶ ὡς ἀληθῶς δεσπότας ἀμείνους αὑτῶν
15 φεύγοιεν καὶ ῥᾳδίως ἀπαλλάττοιντο αὐτῶν; καί μοι
δοκεῖ Κέβης εἰς σὲ τείνειν τὸν λόγον, ὅτι οὕτω ῥᾳδίως Β
φέρεις καὶ ἡμᾶς ἀπολείπων καὶ ἄρχοντας ἀγαθούς, ὡς
αὐτὸς ὁμολογεῖς, θεούς. Δίκαια, ἔφη, λέγετε. οἶμαι
γὰρ ὑμᾶς λέγειν ὅτι χρή με πρὸς ταῦτα ἀπολογήσασθαι
20 ὥσπερ ἐν δικαστηρίῳ. Πάνυ μὲν οὖν, ἔφη ὁ Σιμμίας.

VIII. Φέρε δή, ἦ δ᾽ ὅς, πειραθῶ πιθανώτερον πρὸς
ὑμᾶς ἀπολογήσασθαι ἢ πρὸς τοὺς δικαστάς. ἐγὼ γάρ,
ἔφη, ὦ Σιμμία τε καὶ Κέβης, εἰ μὲν μὴ ᾤμην ἥξειν
πρῶτον μὲν παρὰ θεοὺς ἄλλους σοφούς τε καὶ ἀγαθούς,
25 ἔπειτα καὶ παρ᾽ ἀνθρώπους τετελευτηκότας ἀμείνους
τῶν ἐνθάδε, ἠδίκουν ἂν οὐκ ἀγανακτῶν τῷ θανάτῳ·
νῦν δὲ εὖ ἴστε ὅτι παρ᾽ ἄνδρας τε ἐλπίζω ἀφίξεσθαι
ἀγαθούς· καὶ τοῦτο μὲν οὐκ ἂν πάνυ διισχυρισαίμην C

τοῦ Bodl. ἑαυτοῦ Bekk.    3 Perhaps we should write παραμένειν· διὸ
ἀλόγιστος ἂν φεύγοι, ὁ δὲ νοῦν ἔχων ἐπιθυμοῖ που κ. τ. λ.    12 νῦν γε
δοκεῖ τί μοι καὶ αὐτῷ Bekk.: the order adopted in the text is found
in the Bodl.    14 ἀμείνους αὐτῶν Bekk. with only one ms.    21 πρὸς
ὑμᾶς πιθανώτερον Bekk. Stallb. with all mss. in their favour, the

ὅτι μεντοι παρα θεοὺς δεσπότας πάνυ ἀγαθοὺς ἥξειν,
εὖ ἴστε ὅτι, εἴπερ τι ἄλλο τῶν τοιούτων, διισχυρι-
σαίμην ἂν καὶ τοῦτο. ὥστε διὰ ταῦτα οὐχ ὁμοίως
ἀγανακτῶ, ἀλλ' εὔελπίς εἰμι εἶναί τι τοῖς τετελευτη-
κόσι καί, ὥσπερ γε καὶ πάλαι λέγεται, πολὺ ἄμεινον 5
τοῖς ἀγαθοῖς ἢ τοῖς κακοῖς. Τί οὖν, ἔφη ὁ Σιμμίας, ὦ
Σώκρατες; αὐτὸς ἔχων τὴν διάνοιαν ταύτην ἐν νῷ ἔχεις
D ἀπιέναι, ἢ κἂν ἡμῖν μεταδοίης; κοινὸν γὰρ δὴ ἔμοιγε
δοκεῖ καὶ ἡμῖν εἶναι ἀγαθὸν τοῦτο, καὶ ἅμα σοι ἀπο-
λογία ἔσται, ἐὰν ἅπερ λέγεις ἡμᾶς πείσῃς. Ἀλλὰ 10
πειράσομαι, ἔφη. πρῶτον δὲ Κρίτωνα τόνδε σκεψώ-
μεθα, τί ἐστιν ὃ βούλεσθαί μοι δοκεῖ πάλαι εἰπεῖν.
Τί δέ, ὦ Σώκρατες, ἔφη ὁ Κρίτων, ἄλλο γε ἢ πάλαι
μοι λέγει ὁ μέλλων σοι δώσειν τὸ φάρμακον, ὅτι χρή
σοι φράζειν ὡς ἐλάχιστα διαλέγεσθαι; φησὶ γὰρ θερ- 15
μαίνεσθαι μᾶλλον διαλεγομένους, δεῖν δὲ οὐδὲν τοιοῦτον
E προσφέρειν τῷ φαρμάκῳ· εἰ δὲ μή, ἐνίοτε ἀναγκάζεσθαι
καὶ δὶς καὶ τρὶς πίνειν τούς τι τοιοῦτον ποιοῦντας.
καὶ ὁ Σωκράτης, Ἔα, ἔφη, χαίρειν αὐτόν· ἀλλὰ μόνον
τὸ ἑαυτοῦ παρασκευαζέτω ὡς καὶ δὶς δώσων, ἐὰν δὲ 20
δέῃ, καὶ τρίς. Ἀλλὰ σχεδὸν μέν τι ἤδη, ἔφη ὁ
Κρίτων· ἀλλά μοι πάλαι πράγματα παρέχει. Ἔα
αὐτόν, ἔφη. ἀλλ' ὑμῖν δὴ τοῖς δικασταῖς βούλομαι
ἤδη τὸν λόγον ἀποδοῦναι, ὥς μοι φαίνεται εἰκότως
64 ἀνὴρ τῷ ὄντι ἐν φιλοσοφίᾳ διατρίψας τὸν βίον θαρρεῖν 25
μέλλων ἀποθανεῖσθαι καὶ εὔελπις εἶναι ἐκεῖ μέγιστα
οἴσεσθαι ἀγαθά, ἐπειδὰν τελευτήσῃ. πῶς ἂν οὖν δὴ
τοῦθ' οὕτως ἔχοι, ὦ Σιμμία τε καὶ Κέβης, ἐγὼ πειρά-
σομαι φράσαι.

Bodl. excepted. **7** πότερον αὐτὸς Bekk. πότερον om. Bodl. pr. m. and
many other mss. Stallb. Herm. **9** ἡ ἀπολογία Bekk. Stallb. with
all mss. excepting the Bodl. which omits ἡ. **11** πειράσομαί γε Bekk.
against the Bodl. and most mss. **21** ᾔδειν the mss. ἤδη Bekk. after

IX.   Κινδυνεύουσι γὰρ ὅσοι τυγχάνουσιν ὀρθῶς
ἁπτόμενοι φιλοσοφίας λεληθέναι τοὺς ἄλλους, ὅτι
οὐδὲν ἄλλο αὐτοὶ ἐπιτηδεύουσιν ἢ ἀποθνήσκειν τε καὶ
τεθνάναι.   εἰ οὖν τοῦτο ἀληθές, ἄτοπον δήπου ἂν εἴη
5 προθυμεῖσθαι μὲν ἐν παντὶ τῷ βίῳ μηδὲν ἄλλο ἢ τοῦτο,
ἥκοντος δὲ δὴ αὐτοῦ ἀγανακτεῖν, ὃ πάλαι προεθυμοῦντό
τε καὶ ἐπετήδευον.   καὶ ὁ Σιμμίας γελάσας Νὴ τὸν
Δία, ἔφη, ὦ Σώκρατες, οὐ πάνυ γέ με νῦν δὴ γελα- B
σείοντα ἐποίησας γελάσαι.   οἶμαι γὰρ ἂν δὴ τοὺς
10 πολλοὺς αὐτὸ τοῦτο ἀκούσαντας δοκεῖν εὖ πάνυ εἰ-
ρῆσθαι εἰς τοὺς φιλοσοφοῦντας καὶ ξυμφάναι ἂν τοὺς
μὲν παρ᾽ ἡμῖν ἀνθρώπους καὶ πάνυ, ὅτι τῷ ὄντι οἱ
φιλοσοφοῦντες θανατῶσι καὶ σφᾶς γε οὐ λελήθασιν
ὅτι ἄξιοί εἰσι τοῦτο πάσχειν.   Καὶ ἀληθῆ γ᾽ ἂν
15 λέγοιεν, ὦ Σιμμία, πλήν γε τοῦ σφᾶς μὴ λεληθέναι.
λέληθε γὰρ αὐτοὺς ᾗ τε θανατῶσι καὶ ᾗ ἄξιοί εἰσι
θανάτου καὶ οἵου θανάτου οἱ ὡς ἀληθῶς φιλόσοφοι.
εἴπωμεν γάρ, ἔφη, πρὸς ἡμᾶς αὐτούς, χαίρειν εἰπόντες C
ἐκείνοις· ἡγούμεθά τι τὸν θάνατον εἶναι; Πάνυ γε, ἔφη
20 ὑπολαβὼν ὁ Σιμμίας.   Ἆρα μὴ ἄλλο τι ἢ τὴν τῆς
ψυχῆς ἀπὸ τοῦ σώματος ἀπαλλαγήν; καὶ εἶναι τοῦτο
τὸ τεθνάναι, χωρὶς μὲν ἀπὸ τῆς ψυχῆς ἀπαλλαγὲν
αὐτὸ καθ᾽ αὑτὸ τὸ σῶμα γεγονέναι, χωρὶς δὲ τὴν ψυχὴν
ἀπὸ τοῦ σώματος ἀπαλλαγεῖσαν αὐτὴν καθ᾽ αὑτὴν
25 εἶναι; ἆρα μὴ ἄλλο τι ἢ θάνατος ἢ τοῦτο; Οὔκ, ἀλλὰ
τοῦτο, ἔφη.   Σκέψαι δή, ὦ ᾿γαθέ, ἐὰν ἄρα καὶ σοὶ
ξυνδοκῇ ἅπερ καὶ ἐμοί.   ἐκ γὰρ τούτων μᾶλλον οἶμαι D
ἡμᾶς εἴσεσθαι περὶ ὧν σκοποῦμεν.   φαίνεταί σοι φιλο-
σόφου ἀνδρὸς εἶναι ἐσπουδακέναι περὶ τὰς ἡδονὰς
30 καλουμένας τὰς τοιάσδε, οἷον σίτων τε καὶ ποτῶν;

Photius Lex. p. 50.   6 προεθυμοῦντο Bodl.  προὐθυμοῦντο Bekk.
22 τὸ om. Bodl. Herm.   25 ἢ θάνατος Herm. ᾗ ὁ θάνατος the
old edd. and so far as I see the Bodl.  ᾗ om. Bekk. Stallb.   30 σι-

Ἥκιστά γε, ὦ Σώκρατες, ἔφη ὁ Σιμμίας. Τί δέ; τὰς
τῶν ἀφροδισίων; Οὐδαμῶς. Τί δέ; τὰς ἄλλας τὰς
περὶ τὸ σῶμα θεραπείας δοκεῖ σοι ἐντίμους ἡγεῖσθαι ὁ
τοιοῦτος; οἷον ἱματίων διαφερόντων κτήσεις καὶ ὑπο-
δημάτων καὶ τοὺς ἄλλους καλλωπισμοὺς τοὺς περὶ τὸ 5
Ε σῶμα πότερον τιμᾶν σοι δοκεῖ ἢ ἀτιμάζειν, καθ᾽ ὅσον
μὴ πολλὴ ἀνάγκη μετέχειν αὐτῶν; Ἀτιμάζειν ἔμοιγε
δοκεῖ, ἔφη, ὅ γε ὡς ἀληθῶς φιλόσοφος. Οὐκοῦν ὅλως
δοκεῖ σοι, ἔφη, ἡ τοῦ τοιούτου πραγματεία οὐ περὶ τὸ
σῶμα εἶναι, ἀλλὰ καθ᾽ ὅσον δύναται ἀφεστάναι αὐτοῦ, 10
πρὸς δὲ τὴν ψυχὴν τετράφθαι; Ἔμοιγε. Ἆρ᾽ οὖν
65 πρῶτον μὲν ἐν τοῖς τοιούτοις δῆλός ἐστιν ὁ φιλόσοφος
ἀπολύων ὅ,τι μάλιστα τὴν ψυχὴν ἀπὸ τῆς τοῦ σώματος
κοινωνίας διαφερόντως τῶν ἄλλων ἀνθρώπων; Φαί-
νεται. Καὶ δοκεῖ γέ που, ὦ Σιμμία, τοῖς πολλοῖς 15
ἀνθρώποις, ᾧ μηδὲν ἡδὺ τῶν τοιούτων μηδὲ μετέχει
αὐτῶν, οὐκ ἄξιον εἶναι ζῆν, ἀλλ᾽ ἐγγύς τι τείνειν τοῦ
τεθνάναι ὁ μηδὲν φροντίζων τῶν ἡδονῶν αἳ διὰ τοῦ
σώματός εἰσιν. Πάνυ μὲν οὖν ἀληθῆ λέγεις.

Χ. Τί δὲ δὴ περὶ αὐτὴν τὴν τῆς φρονήσεως 20
κτῆσιν; πότερον ἐμπόδιον τὸ σῶμα ἢ οὔ, ἐάν τις αὐτὸ
Β ἐν τῇ ζητήσει κοινωνὸν συμπαραλαμβάνῃ; οἷον τὸ
τοιόνδε λέγω· ἆρα ἔχει ἀλήθειάν τινα ὄψις τε καὶ
ἀκοὴ τοῖς ἀνθρώποις, ἢ τά γε τοιαῦτα καὶ οἱ ποιηταὶ
ἡμῖν ἀεὶ θρυλοῦσιν, ὅτι οὔτ᾽ ἀκούομεν ἀκριβὲς οὐδὲν 25
οὔτε ὁρῶμεν; καίτοι εἰ αὗται τῶν περὶ τὸ σῶμα αἰσθή-
σεων μὴ ἀκριβεῖς εἰσι μηδὲ σαφεῖς, σχολῇ αἵ γε ἄλλαι·
πᾶσαι γάρ που τούτων φαυλότεραί εἰσιν· ἢ σοι οὐ
δοκοῦσιν; Πάνυ μὲν οὖν, ἔφη. Πότε οὖν, ἦ δ᾽ ὅς,
ἡ ψυχὴ τῆς ἀληθείας ἅπτεται; ὅταν μὲν γὰρ μετὰ τοῦ 30

τίων Bodl. corr. Bekk. σίτων Bodl. pr. m. 1 Τί δαί Bekk. against
the Bodl. 20 Τί δαὶ δὴ Bekk.

σώματος ἐπιχειρῇ τι σκοπεῖν, δῆλον ὅτι τότε ἐξαπα- C
τᾶται ὑπ᾽ αὐτοῦ.  Ἀληθῆ λέγεις.  Ἆρ᾽ οὖν οὐκ ἐν τῷ
λογίζεσθαι, εἴπερ που ἄλλοθι, κατάδηλον αὐτῇ γίγνεταί
τι τῶν ὄντων; Ναί.  Λογίζεται δέ γέ που τότε κάλ-
5 λιστα, ὅταν μηδὲν τούτων αὐτὴν παραλυπῇ, μήτε
ἀκοὴ μήτε ὄψις μήτε ἀλγηδὼν μηδέ τις ἡδονή, ἀλλ᾽ ὅ,τι
μάλιστα αὐτὴ καθ᾽ αὑτὴν γίγνηται ἐῶσα χαίρειν τὸ
σῶμα, καὶ καθ᾽ ὅσον δύναται μὴ κοινωνοῦσα αὐτῷ
μηδ᾽ ἁπτομένη ὀρέγηται τοῦ ὄντος.  Ἔστι ταῦτα.
10 Οὐκοῦν καὶ ἐνταῦθα ἡ τοῦ φιλοσόφου ψυχὴ μάλιστα D
ἀτιμάζει τὸ σῶμα καὶ φεύγει ἀπ᾽ αὐτοῦ, ζητεῖ δὲ αὐτὴ
καθ᾽ αὑτὴν γίγνεσθαι; Φαίνεται.  Τί δὲ δὴ τὰ τοιάδε,
ὦ Σιμμία; φαμέν τι εἶναι δίκαιον αὐτὸ ἢ οὐδέν; Φαμὲν
μέντοι νὴ Δία.  Καὶ καλόν γέ τι καὶ ἀγαθόν; Πῶς
15 δ᾽ οὔ; Ἤδη οὖν πώποτέ τι τῶν τοιούτων τοῖς ὀφθαλ-
μοῖς εἶδες; Οὐδαμῶς, ἦ δ᾽ ὅς.  Ἀλλ᾽ ἄλλῃ τινὶ αἰσ-
θήσει τῶν διὰ τοῦ σώματος ἐφήψω αὐτῶν; λέγω δὲ
περὶ πάντων, οἷον μεγέθους πέρι, ὑγιείας, ἰσχύος, καὶ
τῶν ἄλλων ἑνὶ λόγῳ ἁπάντων τῆς οὐσίας, ὃ τυγχάνει
20 ἕκαστον ὄν· ἆρα διὰ τοῦ σώματος αὐτῶν τἀληθέστατον E
θεωρεῖται, ἢ ὧδ᾽ ἔχει· ὃς ἂν μάλιστα ἡμῶν καὶ ἀκρι-
βέστατα παρασκευάσηται αὐτὸ ἕκαστον διανοηθῆναι
περὶ οὗ σκοπεῖ, οὗτος ἂν ἐγγύτατα ἴοι τοῦ γνῶναι
ἕκαστον; Πάνυ μὲν οὖν.  Ἆρ᾽ οὖν ἐκεῖνος ἂν τοῦτο
25 ποιήσειε καθαρώτατα, ὅστις ὅ,τι μάλιστα αὐτῇ τῇ
διανοίᾳ ἴοι ἐφ᾽ ἕκαστον, μήτε τὴν ὄψιν παρατιθέμενος
ἐν τῷ διανοεῖσθαι μήτε τινὰ ἄλλην αἴσθησιν ἐφέλκων 66
μηδεμίαν μετὰ τοῦ λογισμοῦ, ἀλλ᾽ αὐτῇ καθ᾽ αὑτὴν
εἰλικρινεῖ τῇ διανοίᾳ χρώμενος αὐτὸ καθ᾽ αὑτὸ εἰλι-
30 κρινὲς ἕκαστον ἐπιχειροῖ θηρεύειν τῶν ὄντων, ἀπαλ-

6 μηδέ τις Bodl.  μήτε τις Bekk. Stallb. with the other mss.
14 αὖ καλόν γέ τοι Bekk. partly from Heindorf's conj.  οὐ καλόν γέ
τι Bodl. (?) and other mss.   30 ἐπιχειροῖ Bodl. pr. m.  ἐπιχειροίη

λαγεὶς ὅ,τι μάλιστα ὀφθαλμῶν τε καὶ ὤτων καὶ ὡς
ἔπος εἰπεῖν ξύμπαντος τοῦ σώματος, ὡς ταράττοντος
καὶ οὐκ ἐῶντος τὴν ψυχὴν κτήσασθαι ἀλήθειάν τε καὶ
φρόνησιν, ὅταν κοινωνῇ, ἆρ᾽ οὐχ οὗτός ἐστιν, ὦ Σιμμία,
εἴπερ τις καὶ ἄλλος, ὁ τευξόμενος τοῦ ὄντος; Ὑπερ-  5
φυῶς, ἔφη ὁ Σιμμίας, ὡς ἀληθῆ λέγεις, ὦ Σώκρατες.

B   XI.  Οὐκοῦν ἀνάγκη, ἔφη, ἐκ πάντων τούτων
παρίστασθαι δόξαν τοιάνδε τινὰ τοῖς γνησίως φιλοσό-
φοις, ὥστε καὶ πρὸς ἀλλήλους τοιαῦτ᾽ ἄττα λέγειν, ὅτι
κινδυνεύει τοι ὥσπερ ἀτραπός τις ἡμᾶς ἐκφέρειν μετὰ 10
τοῦ λόγου ἐν τῇ σκέψει, ὅτι, ἕως ἂν τὸ σῶμα ἔχωμεν
καὶ ξυμπεφυρμένη ᾖ ἡμῶν ἡ ψυχὴ μετὰ τοῦ τοιούτου
κακοῦ, οὐ μή ποτε κτησώμεθα ἱκανῶς οὗ ἐπιθυμοῦμεν·
φαμὲν δὲ τοῦτο εἶναι τὸ ἀληθές.  μυρίας μὲν γὰρ ἡμῖν
ἀσχολίας παρέχει τὸ σῶμα διὰ τὴν ἀναγκαίαν τροφήν· 15
C ἔτι δὲ ἄν τινες νόσοι προσπέσωσιν, ἐμποδίζουσιν ἡμῶν
τὴν τοῦ ὄντος θήραν· ἐρώτων δὲ καὶ ἐπιθυμιῶν καὶ
φόβων καὶ εἰδώλων παντοδαπῶν καὶ φλυαρίας ἐμπί-
πλησιν ἡμᾶς πολλῆς, ὥστε τὸ λεγόμενον ὡς ἀληθῶς
τῷ ὄντι ὑπ᾽ αὐτοῦ οὐδὲ φρονῆσαι ἡμῖν ἐγγίγνεται οὐδέ- 20
ποτε οὐδέν.  καὶ γὰρ πολέμους καὶ στάσεις καὶ μάχας
οὐδὲν ἄλλο παρέχει ἢ τὸ σῶμα καὶ αἱ τούτου ἐπιθυμίαι.
διὰ γὰρ τὴν τῶν χρημάτων κτῆσιν πάντες οἱ πόλεμοι
D ἡμῖν γίγνονται, τὰ δὲ χρήματα ἀναγκαζόμεθα κτᾶσθαι
διὰ τὸ σῶμα, δουλεύοντες τῇ τούτου θεραπείᾳ· καὶ ἐκ 25
τούτου ἀσχολίαν ἄγομεν φιλοσοφίας πέρι διὰ πάντα
ταῦτα.  τὸ δ᾽ ἔσχατον πάντων ὅτι, ἐάν τις ἡμῖν καὶ
σχολὴ γένηται ἀπ᾽ αὐτοῦ καὶ τραπώμεθα πρὸς τὸ
σκοπεῖν τι, ἐν ταῖς ζητήσεσιν αὖ πανταχοῦ παραπῖπτον
θόρυβον παρέχει καὶ ταραχὴν καὶ ἐκπλήττει, ὥστε μὴ 30

edd.   13 κτησόμεθα Bekk. with two mss.  κτησώμεθα all other
mss.  On this § see also Bonitz 'Zeitschrift für östr. gymnasien'
1866, mai, p. 309—312.

δύνασθαι ὑπ᾽ αὐτοῦ καθορᾶν τἀληθές, ἀλλὰ τῷ ὄντι
ἡμῖν δέδεικται ὅτι, εἰ μέλλομέν ποτε καθαρῶς τι εἴσεσ-
θαι, ἀπαλλακτέον αὐτοῦ καὶ αὐτῇ τῇ ψυχῇ θεατέον Ε
αὐτὰ τὰ πράγματα· καὶ τότε, ὡς ἔοικεν, ἡμῖν ἔσται οὗ
5 ἐπιθυμοῦμέν τε καί φαμεν ἐρασταὶ εἶναι, φρονήσεως,
ἐπειδὰν τελευτήσωμεν, ὡς ὁ λόγος σημαίνει, ζῶσι δὲ
οὔ. εἰ γὰρ μὴ οἷόν τε μετὰ τοῦ σώματος μηδὲν καθα-
ρῶς γνῶναι, δυοῖν θάτερον, ἢ οὐδαμοῦ ἔστι κτήσασθαι
τὸ εἰδέναι ἢ τελευτήσασι· τότε γὰρ αὐτὴ καθ᾽ αὑτὴν 67
10 ἔσται ἡ ψυχὴ χωρὶς τοῦ σώματος, πρότερον δ᾽ οὔ. καὶ
ἐν ᾧ ἂν ζῶμεν, οὕτως, ὡς ἔοικεν, ἐγγυτάτω ἐσόμεθα
τοῦ εἰδέναι, ἐὰν ὅ,τι μάλιστα μηδὲν ὁμιλῶμεν τῷ
σώματι μηδὲ κοινωνῶμεν, ὅ,τι μὴ πᾶσα ἀνάγκη, μηδὲ
ἀναπιμπλώμεθα τῆς τούτου φύσεως, ἀλλὰ καθαρεύωμεν·
15 ἀπ᾽ αὐτοῦ, ἕως ἂν ὁ θεὸς αὐτὸς ἀπολύσῃ ἡμᾶς· καὶ
οὕτω μὲν καθαροὶ ἀπαλλαττόμενοι τῆς τοῦ σώματος
ἀφροσύνης, ὡς τὸ εἰκός, μετὰ τοιούτων τε ἐσόμεθα καὶ
γνωσόμεθα δι᾽ ἡμῶν αὐτῶν πᾶν τὸ εἰλικρινές· τοῦτο Β
δ᾽ ἐστὶν ἴσως τὸ ἀληθές. μὴ καθαρῷ γὰρ καθαροῦ
20 ἐφάπτεσθαι μὴ οὐ θεμιτὸν ᾖ. τοιαῦτα οἶμαι, ὦ Σιμμία,
ἀναγκαῖον εἶναι πρὸς ἀλλήλους λέγειν τε καὶ δοξάζειν
πάντας τοὺς ὀρθῶς φιλομαθεῖς· ἢ οὐ δοκεῖ σοι οὕτως ;
Παντός γε μᾶλλον, ὦ Σώκρατες.

XII. Οὐκοῦν, ἔφη ὁ Σωκράτης, εἰ ταῦτ᾽ ἀληθῆ, ὦ
25 ἑταῖρε, πολλὴ ἐλπὶς ἀφικομένῳ οἷ ἐγὼ πορεύομαι, ἐκεῖ
ἱκανῶς, εἴπερ που ἄλλοθι, κτήσασθαι τοῦτο οὗ ἕνεκα ἡ
πολλὴ πραγματεία ἡμῖν ἐν τῷ παρελθόντι βίῳ γέγονεν,
ὥστε ἥ γε ἀποδημία ἡ νῦν μοι προστεταγμένη μετὰ C
ἀγαθῆς ἐλπίδος γίγνεται καὶ ἄλλῳ ἀνδρί, ὃς ἡγεῖταί οἱ
30 παρεσκευάσθαι τὴν διάνοιαν ὥσπερ κεκαθαρμένην.
Πάνυ μὲν οὖν, ἔφη ὁ Σιμμίας. Κάθαρσις δὲ εἶναι ἆρα

οὐ τοῦτο ξυμβαίνει, ὅπερ πάλαι ἐν τῷ λόγῳ λέγεται,
τὸ χωρίζειν ὅ, τι μάλιστα ἀπὸ τοῦ σώματος τὴν ψυχὴν
καὶ ἐθίσαι αὐτὴν καθ' αὑτὴν πανταχόθεν ἐκ τοῦ σώμα-
τος συναγείρεσθαί τε καὶ ἀθροίζεσθαι, καὶ οἰκεῖν κατὰ
τὸ δυνατὸν καὶ ἐν τῷ νῦν παρόντι καὶ ἐν τῷ ἔπειτα 5
D μόνην καθ' αὑτήν, ἐκλυομένην ὥσπερ ἐκ δεσμῶν ἐκ τοῦ
σώματος; Πάνυ μὲν οὖν, ἔφη. Οὐκοῦν τοῦτό γε θάνα-
τος ὀνομάζεται, λύσις καὶ χωρισμὸς ψυχῆς ἀπὸ σώμα-
τος; Παντάπασί γ', ἦ δ' ὅς. Λύειν δέ γε αὐτήν, ὥς
φαμεν, προθυμοῦνται ἀεὶ μάλιστα καὶ μόνοι οἱ φιλοσο- 10
φοῦντες ὀρθῶς, καὶ τὸ μελέτημα αὐτὸ τοῦτό ἐστι τῶν
φιλοσόφων, λύσις καὶ χωρισμὸς ψυχῆς ἀπὸ σώματος,
ἢ οὔ; Φαίνεται. Οὐκοῦν, ὅπερ ἐν ἀρχῇ ἔλεγον, γε-
λοῖον ἂν εἴη ἄνδρα παρασκευάζονθ' ἑαυτὸν ἐν τῷ βίῳ
E ὅ, τι ἐγγυτάτω ὄντα τοῦ τεθνάναι οὕτω ζῆν, κἄπειθ' 15
ἥκοντος αὐτῷ τούτου ἀγανακτεῖν; οὐ γελοῖον; Πῶς δ'
οὔ; Τῷ ὄντι ἄρα, ἔφη, ὦ Σιμμία, οἱ ὀρθῶς φιλοσο-
φοῦντες ἀποθνῄσκειν μελετῶσι, καὶ τὸ τεθνάναι ἥκιστ'
αὐτοῖς ἀνθρώπων φοβερόν. ἐκ τῶνδε δὲ σκόπει. εἰ
γὰρ διαβέβληνται μὲν πανταχῇ τῷ σώματι, αὐτὴν δὲ 20
καθ' αὑτὴν ἐπιθυμοῦσι τὴν ψυχὴν ἔχειν, τούτου δὲ
γιγνομένου εἰ φοβοῖντο καὶ ἀγανακτοῖεν, οὐ πολλὴ ἂν
ἀλογία εἴη, εἰ μὴ ἄσμενοι ἐκεῖσε ἴοιεν, οἷ ἀφικομένοις
68 ἐλπίς ἐστιν οὗ διὰ βίου ἤρων τυχεῖν· ἤρων δὲ φρονή-
σεως· ᾧ τε διεβέβληντο, τούτου ἀπηλλάχθαι ξυνόντος 25
αὐτοῖς; ἢ ἀνθρωπίνων μὲν παιδικῶν καὶ γυναικῶν καὶ

6 μόνην is considered spurious by Cobet Var. Lect. p. 165.
'Quia apparet dici τὸ σῶμα εἶναι οἷον δεσμὰ τῆς ψυχῆς, emenda
ὥσπερ ἐκ δεσμῶν τοῦ σώματος: adiecit nescio quis alteram prae-
positionem, ne δεσμὰ τοῦ σώματος dici viderentur.' Cobet Var. Lect.
p. 165. 16 οὐ γελοῖον; considered spurious by Cobet Nov. Lect. p.
111. 22 εἰ φοβοῖντο: 'repetitum εἰ sciolo debetur' Cobet, Nov. Lect.
p. 102. 25 διαβέβληντο Bekk. against the Bodl. and most
mss.

υίέων ἀποθανόντων πολλοὶ δὴ ἑκόντες ἠθέλησαν εἰς
Ἅιδου ἐλθεῖν, ὑπὸ ταύτης ἀγόμενοι τῆς ἐλπίδος, τῆς
τοῦ ὄψεσθαί τε ἐκεῖ ὧν ἐπεθύμουν καὶ ξυνέσεσθαι·
φρονήσεως δὲ ἄρα τις τῷ ὄντι ἐρῶν, καὶ λαβὼν σφόδρα
5 τὴν αὐτὴν ταύτην ἐλπίδα, μηδαμοῦ ἄλλοθι ἐντεύξεσθαι
αὐτῇ ἀξίως λόγου ἢ ἐν Ἅιδου, ἀγανακτήσει τε ἀπο-
θνήσκων καὶ οὐκ ἄσμενος εἶσιν αὐτόσε; οἴεσθαί γε χρή, Β
ἐὰν τῷ ὄντι γ᾽ ᾖ, ὦ ἑταῖρε, φιλόσοφος· σφόδρα γὰρ
αὐτῷ ταῦτα δόξει, μηδαμοῦ ἄλλοθι καθαρῶς ἐντεύξ-
10 εσθαι φρονήσει ἀλλ᾽ ἢ ἐκεῖ. εἰ δὲ τοῦτο οὕτως ἔχει,
ὅπερ ἄρτι ἔλεγον, οὐ πολλὴ ἂν ἀλογία εἴη, εἰ φοβοῖτο
τὸν θάνατον ὁ τοιοῦτος; Πολλὴ μέντοι νὴ Δία, ἦ δ᾽ ὅς.

XIII. Οὐκοῦν ἱκανόν σοι τεκμήριον, ἔφη, τοῦτο
ἀνδρὸς ὃν ἂν ἴδῃς ἀγανακτοῦντα μέλλοντα ἀποθανεῖ-
15 σθαι, ὅτι οὐκ ἄρ᾽ ἦν φιλόσοφος ἀλλά τις φιλοσώμα-
τος; ὁ αὐτὸς δέ που οὗτος τυγχάνει ὢν καὶ φιλοχρή- C
ματος καὶ φιλότιμος, ἤτοι τὰ ἕτερα τούτων ἢ ἀμφό-
τερα. Πάνυ, ἔφη, ἔχει οὕτως ὡς λέγεις. Ἆρ᾽ οὖν,
ἔφη, ὦ Σιμμία, οὐ καὶ ἡ ὀνομαζομένη ἀνδρεία τοῖς
20 οὕτω διακειμένοις μάλιστα προσήκει; Πάντως δήπου,
ἔφη. Οὐκοῦν καὶ ἡ σωφροσύνη, ἣν καὶ οἱ πολλοὶ
ὀνομάζουσι σωφροσύνην, τὸ περὶ τὰς ἐπιθυμίας μὴ
ἐπτοῆσθαι ἀλλ᾽ ὀλιγώρως ἔχειν καὶ κοσμίως, ἆρ᾽ οὐ
τούτοις μόνοις προσήκει τοῖς μάλιστα τοῦ σώματος
25 ὀλιγωροῦσί τε καὶ ἐν φιλοσοφίᾳ ζῶσιν; Ἀνάγκη, ἔφη. D
Εἰ γὰρ ἐθελήσεις, ἦ δ᾽ ὅς, ἐννοῆσαι τήν γε τῶν ἄλλων
ἀνδρείαν τε καὶ σωφροσύνην, δόξει σοι εἶναι ἄτοπος.
Πῶς δή, ὦ Σώκρατες; Οἶσθα, ἦ δ᾽ ὅς, ὅτι τὸν θάνατον
ἡγοῦνται πάντες οἱ ἄλλοι τῶν μεγάλων κακῶν εἶναι;
30 Καὶ μάλα, ἔφη. Οὐκοῦν φόβῳ μειζόνων κακῶν ὑπο-

μένουσιν αὐτῶν οἱ ἀνδρεῖοι τὸν θάνατον, ὅταν ὑπομέ-
νωσιν; Ἔστι ταῦτα. Τῷ δεδιέναι ἄρα καὶ δέει ἀν-
δρεῖοί εἰσι πάντες πλὴν οἱ φιλόσοφοι. καίτοι ἄτοπόν
E γε δέει τινὰ καὶ δειλίᾳ ἀνδρεῖον εἶναι. Πάνυ μὲν οὖν.
Τί δέ; οἱ κόσμιοι αὐτῶν οὐ ταὐτὸν τοῦτο πεπόνθασιν· 5
ἀκολασίᾳ τινὶ σώφρονές εἰσι; καίτοι φαμέν γέ που
ἀδύνατον εἶναι, ἀλλ' ὅμως αὐτοῖς συμβαίνει τούτῳ
ὅμοιον εἶναι τὸ πάθος τὸ περὶ ταύτην τὴν εὐήθη σω-
φροσύνην· φοβούμενοι γὰρ ἑτέρων ἡδονῶν στερηθῆναι
καὶ ἐπιθυμοῦντες ἐκείνων, ἄλλων ἀπέχονται ὑπ' ἄλλων 10
κρατούμενοι. καίτοι καλοῦσί γε ἀκολασίαν τὸ ὑπὸ τῶν
69 ἡδονῶν ἄρχεσθαι· ἀλλ' ὅμως ξυμβαίνει αὐτοῖς κρατου-
μένοις ὑφ' ἡδονῶν κρατεῖν ἄλλων ἡδονῶν. τοῦτο δ'
ὅμοιόν ἐστιν ᾧ νῦν δὴ ἐλέγετο, τῷ τρόπον τινὰ δι' ἀκο-
λασίαν αὐτοὺς σεσωφρονίσθαι. Ἔοικε γάρ. Ὦ μακά- 15
ριε Σιμμία, μὴ γὰρ οὐχ αὕτη ᾖ ἡ ὀρθὴ πρὸς ἀρετὴν
ἀλλαγή, ἡδονὰς πρὸς ἡδονὰς καὶ λύπας πρὸς λύπας
καὶ φόβον πρὸς φόβον καταλλάττεσθαι, καὶ μείζω
πρὸς ἐλάττω, ὥσπερ νομίσματα, ἀλλ' ᾖ ἐκεῖνο μόνον
τὸ νόμισμα ὀρθόν, ἀνθ' οὗ δεῖ ἅπαντα ταῦτα καταλ- 20
B λάττεσθαι, φρόνησις, καὶ τούτου μὲν πάντα καὶ μετὰ
τούτου ὠνούμενά τε καὶ πιπρασκόμενα τῷ ὄντι ᾖ καὶ
ἀνδρεία καὶ σωφροσύνη καὶ δικαιοσύνη καὶ ξυλλήβδην
ἀληθὴς ἀρετὴ μετὰ φρονήσεως, καὶ προσγιγνομένων
καὶ ἀπογιγνομένων καὶ ἡδονῶν καὶ φόβων καὶ τῶν 25
ἄλλων πάντων τῶν τοιούτων· χωριζόμενα δὲ φρονή-
σεως καὶ ἀλλαττόμενα ἀντὶ ἀλλήλων μὴ σκιαγραφία
τις ᾖ ἡ τοιαύτη ἀρετὴ καὶ τῷ ὄντι ἀνδραποδώδης τε
καὶ οὐδὲν ὑγιὲς οὐδ' ἀληθὲς ἔχῃ, τὸ δ' ἀληθὲς τῷ ὄντι

Stallb. with other mss.  27 ἀνδρίαν Bekk. (so again 69 B c).  5 Τί
δαί Bekk.  28 ἀρετὴ ᾖ Bekk. ᾖ is not in the mss.: the Bodl.
and the better class have merely ἀρετὴ: two mss. "ΙΙ G" add
ἤ, one καί, and Heindorf conjectured ᾖ.  29 ἔχῃ Bodl. Bekk.

ἢ κάθαρσίς τις τῶν τοιούτων πάντων, καὶ ἡ σωφρο- C
σύνη καὶ ἡ δικαιοσύνη καὶ ἡ ἀνδρεία καὶ αὐτὴ ἡ φρό-
νησις μὴ καθαρμός τις ᾖ. καὶ κινδυνεύουσι καὶ οἱ τὰς
τελετὰς ἡμῖν οὗτοι καταστήσαντες οὐ φαῦλοί τινες
5 εἶναι, ἀλλὰ τῷ ὄντι πάλαι αἰνίττεσθαι ὅτι ὃς ἂν ἀμύ-
ητος καὶ ἀτέλεστος εἰς Ἅιδου ἀφίκηται, ἐν βορβόρῳ
κείσεται, ὁ δὲ κεκαθαρμένος τε καὶ τετελεσμένος ἐκεῖσε
ἀφικόμενος μετὰ θεῶν οἰκήσει. εἰσὶ γὰρ δή, φασὶν οἱ
περὶ τὰς τελετάς, ναρθηκοφόροι μὲν πολλοί, βάκχοι δέ
10 τε παῦροι· οὗτοι δ᾽ εἰσὶ κατὰ τὴν ἐμὴν δόξαν οὐκ ἄλ- D
λοι ἢ οἱ πεφιλοσοφηκότες ὀρθῶς. ὧν δὴ καὶ ἐγὼ κατά
γε τὸ δυνατὸν οὐδὲν ἀπέλιπον ἐν τῷ βίῳ ἀλλὰ παντὶ
τρόπῳ προὐθυμήθην γενέσθαι· εἰ δὲ ὀρθῶς προὐθυμή-
θην καί τι ἠνυσάμην, ἐκεῖσε ἐλθόντες τὸ σαφὲς εἰσό-
15 μεθα, ἐὰν θεὸς ἐθέλῃ, ὀλίγον ὕστερον, ὡς ἐμοὶ δοκεῖ.
ταῦτ᾽ οὖν ἐγώ, ἔφη, ὦ Σιμμία τε καὶ Κέβης, ἀπολο-
γοῦμαι, ὡς εἰκότως ὑμᾶς τε ἀπολείπων καὶ τοὺς ἐνθάδε
δεσπότας οὐ χαλεπῶς φέρω οὐδ᾽ ἀγανακτῶ, ἡγούμενος E
κἀκεῖ οὐδὲν ἧττον ἢ ἐνθάδε δεσπόταις τε ἀγαθοῖς ἐν-
20 τεύξεσθαι καὶ ἑταίροις· τοῖς δὲ πολλοῖς ἀπιστίαν παρ-
έχει· εἴ τι οὖν ὑμῖν πιθανώτερός εἰμι ἐν τῇ ἀπολογίᾳ
ἢ τοῖς Ἀθηναίων δικασταῖς, εὖ ἂν ἔχοι.

XIV. Εἰπόντος δὴ τοῦ Σωκράτους ταῦτα ὑπολα-
βὼν ὁ Κέβης ἔφη· Ὦ Σώκρατες, τὰ μὲν ἄλλα ἔμοιγε
25 δοκεῖ καλῶς λέγεσθαι, τὰ δὲ περὶ τῆς ψυχῆς πολλὴν 70
ἀπιστίαν παρέχει τοῖς ἀνθρώποις μή, ἐπειδὰν ἀπαλ-
λαγῇ τοῦ σώματος, οὐδαμοῦ ἔτι ᾖ, ἀλλ᾽ ἐκείνῃ τῇ ἡμέρᾳ

ἔχουσα Stallb. and Herm. with many mss. : but this is no doubt
the emendation of a grammarian who attempted to make the con-
struction smoother.   14 ἠνυσάμην cod. Aug. Bekk. Stallb. ἠνύσα-
μεν Herm. (Ast, Bernhardy 'Syntax' p. 416) with the other mss.
24 δοκεῖ ἔμοιγε Bekk. but the above order is warranted by the Bodl.
and many other mss., also by Stobaeus Ecl. Phys. p. 328 Gaisf.

διαφθείρηταί τε καὶ ἀπόλλύηται, ᾗ ἂν ὁ ἄνθρωπος
ἀποθάνῃ· εὐθὺς ἀπαλλαττομένη τοῦ σώματος καὶ
ἐκβαίνουσα ὥσπερ πνεῦμα ἢ καπνὸς διασκεδασθεῖσα
οἴχηται διαπτομένη καὶ οὐδὲν ἔτι οὐδαμοῦ ᾖ, ἐπεί,
εἴπερ εἴη που αὐτὴ καθ' αὑτὴν ξυνηθροισμένη καὶ 5
ἀπηλλαγμένη τούτων τῶν κακῶν ὧν σὺ νῦν δὴ διῆλθες.
Β πολλὴ ἂν ἐλπὶς εἴη καὶ καλή, ὦ Σώκρατες, ὡς ἀληθῆ
ἐστιν ἃ σὺ λέγεις· ἀλλὰ τοῦτο δὴ ἴσως οὐκ ὀλίγης
παραμυθίας δεῖται καὶ πίστεως, ὡς ἔστι τε ἡ ψυχὴ
ἀποθανόντος τοῦ ἀνθρώπου καί τινα δύναμιν ἔχει καὶ 10
φρόνησιν. Ἀληθῆ, ἔφη, λέγεις, ὁ Σωκράτης, ὦ Κέβης·
ἀλλὰ τί δὴ ποιῶμεν; ἢ περὶ αὐτῶν τούτων βούλει
διαμυθολογῶμεν, εἴτε εἰκὸς οὕτως ἔχειν εἴτε μή; Ἔγωγ'
οὖν, ἔφη ὁ Κέβης, ἡδέως ἂν ἀκούσαιμι, ἥντινα δόξαν
ἔχεις περὶ αὐτῶν. Οὔκουν γ' ἂν οἶμαι, ᾖ δ' ὃς ὁ Σω- 15
C κράτης, εἰπεῖν τινα νῦν ἀκούσαντα, οὐδ' εἰ κωμῳδιοποιὸς
εἴη, ὡς ἀδολεσχῶ καὶ οὐ περὶ προσηκόντων τοὺς λόγους
ποιοῦμαι. εἰ οὖν δοκεῖ, χρὴ διασκοπεῖσθαι.

XV. Σκεψώμεθα δὲ αὐτὸ τῇδέ πῃ, εἴτε ἄρα ἐν
Ἅιδου εἰσὶν αἱ ψυχαὶ τελευτησάντων τῶν ἀνθρώπων 20
εἴτε καὶ οὔ. παλαιὸς μὲν οὖν ἔστι τις λόγος, οὗ μεμ-
νήμεθα, ὡς εἰσὶν ἐνθένδε ἀφικόμεναι ἐκεῖ, καὶ πάλιν
γε δεῦρο ἀφικνοῦνται καὶ γίγνονται ἐκ τῶν τεθνεώτων·
καὶ εἰ τοῦθ' οὕτως ἔχει, πάλιν γίγνεσθαι ἐκ τῶν ἀπο-
θανόντων τοὺς ζῶντας, ἄλλο τι ἢ εἶεν ἂν αἱ ψυχαὶ 25
D ἡμῶν ἐκεῖ; οὐ γὰρ ἄν που πάλιν ἐγίγνοντο μὴ οὖσαι,
καὶ τοῦτο ἱκανὸν τεκμήριον τοῦ ταῦτ' εἶναι, εἰ τῷ ὄντι
φανερὸν γίγνοιτο ὅτι οὐδαμόθεν ἄλλοθεν γίγνονται οἱ

1 ἄνθρωπος Bekk.    5 καθ' ἑαυτήν Bekk. against the Bodl.
16 κωμῳδοποιός Bekk.: but κωμῳδιοποιὸς is given by the Bodl.
and the best mss.; see Apol. 18 D.    25 ἄλλο τι ἢ εἶεν Bodl.; Bekk.
omits ἢ.    ἡμῶν αἱ ψυχαὶ Bekk. against the Bodl.    28 γίγνοιτο Bodl.
Herm. Stallb. γένοιτο Bekk.

ζῶντες ἢ ἐκ τῶν τεθνεώτων· εἰ δὲ μὴ ἔστι τοῦτο, ἄλλου
ἄν του δέοι λόγου. Πάνυ μὲν οὖν, ἔφη ὁ Κέβης. Μὴ
τοίνυν κατ᾽ ἀνθρώπων, ἦ δ᾽ ὅς, σκόπει μόνον τοῦτο, εἰ
βούλει ῥᾷον μαθεῖν, ἀλλὰ καὶ κατὰ ζώων πάντων καὶ
5 φυτῶν, καὶ ξυλλήβδην ὅσαπερ ἔχει γένεσιν, περὶ
πάντων ἴδωμεν, ἆρ᾽ οὑτωσὶ γίγνεται πάντα, οὐκ ἄλλο-
θεν ἢ ἐκ τῶν ἐναντίων τὰ ἐναντία, ὅσοις τυγχάνει ὂν E
τοιοῦτόν τι, οἷον τὸ καλὸν τῷ αἰσχρῷ ἐναντίον που
καὶ δίκαιον ἀδίκῳ, καὶ ἄλλα δὴ μυρία οὕτως ἔχει.
10 τοῦτο οὖν σκεψώμεθα, ἆρα ἀναγκαῖον, ὅσοις ἔστι τι
ἐναντίον, μηδαμόθεν ἄλλοθεν αὐτὸ γίγνεσθαι ἢ ἐκ τοῦ
αὐτῷ ἐναντίου. οἷον ὅταν μεῖζόν τι γίγνηται, ἀνάγκη
που ἐξ ἐλάττονος ὄντος πρότερον ἔπειτα μεῖζον γίγ-
νεσθαι; Ναί. Οὐκοῦν κἂν ἔλαττον γίγνηται, ἐκ μεί- 71
15 ζονος ὄντος πρότερον ὕστερον ἔλαττον γενήσεται; Ἔ-
στιν, ἔφη, οὕτω. Καὶ μὴν ἐξ ἰσχυροτέρου τὸ ἀσθενέ-
στερον καὶ ἐκ βραδυτέρου τὸ θᾶττον; Πάνυ γε. Τί
δέ; ἄν τι χεῖρον γίγνηται, οὐκ ἐξ ἀμείνονος, καὶ ἂν
δικαιότερον, ἐξ ἀδικωτέρου; Πῶς γὰρ οὔ; Ἱκανῶς οὖν,
20 ἔφη, ἔχομεν τοῦτο, ὅτι πάντα οὕτω γίγνεται, ἐξ
ἐναντίων τὰ ἐναντία πράγματα; Πάνυ γε. Τί δ᾽ αὖ;
ἔστι τι καὶ τοιόνδε ἐν αὐτοῖς, οἷον μεταξὺ ἀμφοτέρων
πάντων τῶν ἐναντίων δυοῖν ὄντοιν δύο γενέσεις, ἀπὸ
μὲν τοῦ ἑτέρου ἐπὶ τὸ ἕτερον, ἀπὸ δ᾽ αὖ τοῦ ἑτέρου B
25 πάλιν ἐπὶ τὸ ἕτερον· μείζονος μὲν γὰρ πράγματος καὶ
ἐλάττονος μεταξὺ αὔξησις καὶ φθίσις, καὶ καλοῦμεν
οὕτω τὸ μὲν αὐξάνεσθαι, τὸ δὲ φθίνειν; Ναί, ἔφη.
Οὐκοῦν καὶ διακρίνεσθαι καὶ συγκρίνεσθαι, καὶ ψύχε-
σθαι καὶ θερμαίνεσθαι, καὶ πάντα οὕτω, κἂν εἰ μὴ

6 ἅπαντα Bekk. πάντα Bodl. and other mss. 16 ἰσχυροτέρου
γε Bekk. against the Bodl. 17 Τί δαί Bekk. 18 ἐὰν Bekk. ἂν
Bodl. 25 μὲν γὰρ Bodl. corr. (γὰρ is om. m. pr.): μὲν is wanting
in several mss.

χρώμεθα τοῖς ὀνόμασιν ἐνιαχοῦ, ἀλλ᾿ ἔργῳ γοῦν παν-
ταχοῦ οὕτως ἔχειν ἀναγκαῖον, γίγνεσθαί τε αὐτὰ ἐξ
ἀλλήλων γένεσίν τε εἶναι ἐξ ἑκατέρων εἰς ἄλληλα;
Πάνυ μὲν οὖν, ἦ δ᾿ ὅς.

C XVI. Τί οὖν; ἔφη, τῷ ζῆν ἔστι τι ἐναντίον, ὥσπερ 5
τῷ ἐγρηγορέναι τὸ καθεύδειν; Πάνυ μὲν οὖν, ἔφη.
Τί; Τὸ τεθνάναι, ἔφη. Οὐκοῦν ἐξ ἀλλήλων τε γίγ-
νεται ταῦτα, εἴπερ ἐναντία ἐστί, καὶ αἱ γενέσεις εἰσὶν
αὐτοῖν μεταξὺ δύο δυοῖν ὄντοιν; Πῶς γὰρ οὔ; Τὴν μὲν
τοίνυν ἑτέραν συζυγίαν ὧν νῦν δὴ ἔλεγον ἐγώ σοι, ἔφη, 10
ἐρῶ, ὁ Σωκράτης, καὶ αὐτὴν καὶ τὰς γενέσεις· σὺ δέ
μοι τὴν ἑτέραν. λέγω δὲ τὸ μὲν καθεύδειν, τὸ δὲ
ἐγρηγορέναι, καὶ ἐκ τοῦ καθεύδειν τὸ ἐγρηγορέναι
D γίγνεσθαι καὶ ἐκ τοῦ ἐγρηγορέναι τὸ καθεύδειν, καὶ
τὰς γενέσεις αὐτοῖν τὴν μὲν καταδαρθάνειν εἶναι, τὴν 15
δὲ ἀνεγείρεσθαι. ἱκανῶς σοι, ἔφη, ἢ οὔ; Πάνυ μὲν οὖν.
Λέγε δή μοι καὶ σύ, ἔφη, οὕτω περὶ ζωῆς καὶ θανάτου.
οὐκ ἐναντίον μὲν φὴς τῷ ζῆν τὸ τεθνάναι εἶναι; Ἔγωγε.
Γίγνεσθαι δὲ ἐξ ἀλλήλων; Ναί. Ἐξ οὖν τοῦ ζῶντος
τί τὸ γιγνόμενον; Τὸ τεθνηκός, ἔφη. Τί δέ, ἦ δ᾿ ὅς, 20
ἐκ τοῦ τεθνεῶτος; Ἀναγκαῖον, ἔφη, ὁμολογεῖν ὅτι τὸ
ζῶν. Ἐκ τῶν τεθνεώτων ἄρα, ὦ Κέβης, τὰ ζῶντά
E τε καὶ οἱ ζῶντες γίγνονται; Φαίνεται, ἔφη. Εἰσὶν
ἄρα, ἔφη, αἱ ψυχαὶ ἡμῶν ἐν Ἅιδου. Ἔοικεν. Οὐκοῦν
καὶ τοῖν γενεσέοιν τοῖν περὶ ταῦτα ἥ γ᾿ ἑτέρα σαφὴς 25
οὖσα τυγχάνει· τὸ γὰρ ἀποθνήσκειν σαφὲς δήπου, ἢ
οὔ; Πάνυ μὲν οὖν, ἔφη. Πῶς οὖν, ἦ δ᾿ ὅς, ποιήσομεν;
οὐκ ἀνταποδώσομεν τὴν ἐναντίαν γένεσιν, ἀλλὰ ταύτῃ
χωλὴ ἔσται ἡ φύσις; ἢ ἀνάγκη ἀποδοῦναι τῷ ἀπο-
θνήσκειν ἐναντίαν τινὰ γένεσιν; Πάντως που, ἔφη. 30

Τίνα ταύτην; Τὸ ἀναβιώσκεσθαι. Οὐκοῦν, ἦ δ' ὅς,
εἴπερ ἔστι τὸ ἀναβιώσκεσθαι, ἐκ τῶν τεθνεώτων ἂν εἴη 72
γένεσις εἰς τοὺς ζῶντας αὕτη, τὸ ἀναβιώσκεσθαι;
Πάνυ γε. Ὁμολογεῖται ἄρα ἡμῖν καὶ ταύτῃ τοὺς
5 ζῶντας ἐκ τῶν τεθνεώτων γεγονέναι οὐδὲν ἧττον ἢ
τοὺς τεθνεῶτας ἐκ τῶν ζώντων· τούτου δὲ ὄντος ἱκανόν
που ἐδόκει τεκμήριον εἶναι ὅτι ἀναγκαῖον τὰς τῶν
τεθνεώτων ψυχὰς εἶναί που, ὅθεν δὴ πάλιν γίγνεσθαι.
Δοκεῖ μοι, ἔφη, ὦ Σώκρατες, ἐκ τῶν ὡμολογημένων
10 ἀναγκαῖον οὕτως ἔχειν.

XVII. Ἰδὲ τοίνυν οὕτως, ἔφη, ὦ Κέβης, ὅτι οὐδ'
ἀδίκως ὡμολογήκαμεν, ὡς ἐμοὶ δοκεῖ. εἰ γὰρ μὴ ἀεὶ
ἀνταποδιδοίη τὰ ἕτερα τοῖς ἑτέροις γιγνόμενα ὡσπερεὶ B
κύκλῳ περιιόντα, ἀλλ' εὐθεῖά τις εἴη ἡ γένεσις ἐκ τοῦ
15 ἑτέρου μόνον εἰς τὸ καταντικρὺ καὶ μὴ ἀνακάμπτοι
πάλιν ἐπὶ τὸ ἕτερον μηδὲ καμπὴν ποιοῖτο, οἶσθ' ὅτι
πάντα τελευτῶντα τὸ αὐτὸ σχῆμα ἂν σχοίη καὶ τὸ
αὐτὸ πάθος ἂν πάθοι καὶ παύσαιτο γιγνόμενα; Πῶς
λέγεις, ἔφη. Οὐδὲν χαλεπόν, ἦ δ' ὅς, ἐννοῆσαι ὃ λέγω·
20 ἀλλ' οἷον εἰ τὸ καταδαρθάνειν μὲν εἴη, τὸ δ' ἀνεγείρε-
σθαι μὴ ἀνταποδιδοίη γιγνόμενον ἐκ τοῦ καθεύδοντος,
οἶσθ' ὅτι τελευτῶντα πάντ' ἂν λῆρον τὸν Ἐνδυμίωνα C
ἀποδείξειε καὶ οὐδαμοῦ ἂν φαίνοιτο, διὰ τὸ καὶ τἆλλα
πάντα ταὐτὸν ἐκείνῳ πεπονθέναι, καθεύδειν. κἂν εἰ ξυγ-
25 κρίνοιτο μὲν πάντα, διακρίνοιτο δὲ μή, ταχὺ ἂν τὸ τοῦ
Ἀναξαγόρου γεγονὸς εἴη, ὁμοῦ πάντα χρήματα. ὡσαύ-
τως δέ, ὦ φίλε Κέβης, εἰ ἀποθνήσκοι μὲν πάντα, ἴσα
τοῦ ζῆν μεταλάβοι, ἐπειδὴ δὲ ἀποθάνοι, μένοι ἐν τούτῳ
τῷ σχήματι τὰ τεθνεῶτα καὶ μὴ πάλιν ἀναβιώσκοιτο,

11 τοίνυν οὕτως Bodl. Herm. Stallb., οὕτως om. Bekk. with
the other mss.    22 πάντ' ἂν Bekk. from a conj. by Fischer:
πάντα the mss.    27 καὶ εἰ Bekk. καὶ om. Bodl. Herm.

ἆρ᾽ οὐ πολλὴ ἀνάγκη τελευτῶντα πάντα τεθνάναι καὶ
D μηδὲν ζῆν ; εἰ γὰρ ἐκ μὲν τῶν ἄλλων τὰ ζῶντα γίγ-
νοιτο, τὰ δὲ ζῶντα θνήσκοι, τίς μηχανὴ μὴ οὐχὶ πάντα
καταναλωθῆναι εἰς τὸ τεθνάναι ; Οὐδὲ μία μοι δοκεῖ,
ἔφη ὁ Κέβης, ὦ Σώκρατες, ἀλλά μοι δοκεῖς παντά- 5
πασιν ἀληθῆ λέγειν. Ἔστι γάρ, ἔφη, ὦ Κέβης, ὡς
ἐμοὶ δοκεῖ, παντὸς μᾶλλον οὕτω, καὶ ἡμεῖς αὐτὰ ταῦτα
οὐκ ἐξαπατώμενοι ὁμολογοῦμεν, ἀλλ᾽ ἔστι τῷ ὄντι καὶ
τὸ ἀναβιώσκεσθαι καὶ ἐκ τῶν τεθνεώτων τοὺς ζῶντας
γίγνεσθαι καὶ τὰς τῶν τεθνεώτων ψυχὰς εἶναι, καὶ ταῖς 10
E μέν γ᾽ ἀγαθαῖς ἄμεινον εἶναι, ταῖς δὲ κακαῖς κάκιον.

XVIII. Καὶ μήν, ἔφη ὁ Κέβης ὑπολαβών, καὶ
κατ᾽ ἐκεῖνόν γε τὸν λόγον, ὦ Σώκρατες, εἰ ἀληθής
ἐστιν, ὃν σὺ εἴωθας θαμὰ λέγειν, ὅτι ἡμῖν ἡ μάθησις
οὐκ ἄλλο τι ἢ ἀνάμνησις τυγχάνει οὖσα, καὶ κατὰ 15
τοῦτον ἀνάγκη που ἡμᾶς ἐν προτέρῳ τινὶ χρόνῳ μεμα-
θηκέναι ἃ νῦν ἀναμιμνησκόμεθα· τοῦτο δὲ ἀδύνατον, εἰ
μὴ ἦν που ἡμῶν ἡ ψυχὴ πρὶν ἐν τῷδε τῷ ἀνθρωπίνῳ
73 εἴδει γενέσθαι· ὥστε καὶ ταύτῃ ἀθάνατόν τι ἔοικεν ἡ
ψυχὴ εἶναι. Ἀλλ᾽, ὦ Κέβης, ἔφη ὁ Σιμμίας ὑπολα- 20
βών, ποῖαι τούτων αἱ ἀποδείξεις ; ὑπόμνησόν με· οὐ
γὰρ σφόδρα ἐν τῷ παρόντι μέμνημαι. Ἑνὶ μὲν λόγῳ,
ἔφη ὁ Κέβης, καλλίστῳ, ὅτι ἐρωτώμενοι οἱ ἄνθρωποι,
ἐάν τις καλῶς ἐρωτᾷ, αὐτοὶ λέγουσι πάντα ᾗ ἔχει·
καίτοι εἰ μὴ ἐτύγχανεν αὐτοῖς ἐπιστήμη ἐνοῦσα καὶ 25
ὀρθὸς λόγος, οὐκ ἂν οἷοί τ᾽ ἦσαν τοῦτο ποιήσειν. ἔπειτα
ἐάν τις ἐπὶ τὰ διαγράμματα ἄγῃ ἢ ἄλλο τι τῶν τοιού-
B των, ἐνταῦθα σαφέστατα κατηγορεῖ ὅτι τοῦτο οὕτως
ἔχει. Εἰ δὲ μὴ ταύτῃ γε, ἔφη, πείθει, ὦ Σιμμία, ὁ

---

10—11 The words καὶ ταῖς μέν γε—κακαῖς κάκιον are bracketed
by Stallb.: see exeg. comm.    26 τοῦτο ποιήσειν Bodl. Herm.
Stallb. τοῦτο ποιεῖν Bekk. with other mss.

Σωκράτης, σκέψαι ἂν τῇδέ πῃ σοι σκοπουμένῳ συνδί-
ξῃ. ἀπιστεῖς γὰρ δή, πῶς ἡ καλουμένη μάθησις
ἀνάμνησίς ἐστιν; Ἀπιστῶ μὲν ἔγωγε, ἦ δ᾽ ὃς ὁ
Σιμμίας, οὔ, αὐτὸ δὲ τοῦτο, ἔφη, δέομαι παθεῖν περὶ οὗ
5 ὁ λόγος, ἀναμνησθῆναι. καὶ σχεδόν γε ἐξ ὧν Κέβης
ἐπεχείρησε λέγειν ἤδη μέμνημαι καὶ πείθομαι· οὐδὲν
μέντ᾽ ἂν ἧττον ἀκούοιμι νῦν, σὺ πῇ ἐπεχείρησας λέγειν.
Τῇδε ἔγωγε, ἦ δ᾽ ὅς. ὁμολογοῦμεν γὰρ δήπου, εἴ τίς C
τι ἀναμνησθήσεται, δεῖν αὐτὸν τοῦτο πρότερόν ποτε
10 ἐπίστασθαι. Πάνυ γε, ἔφη. Ἆρ᾽ οὖν καὶ τόδε ὁμο-
λογοῦμεν, ὅταν ἐπιστήμη παραγίγνηται τρόπῳ τοιούτῳ,
ἀνάμνησιν εἶναι; λέγω δὲ τίνα τρόπον; τόνδε· ἐάν τίς
τι πρότερον ἢ ἰδὼν ἢ ἀκούσας ἤ τινα ἄλλην αἴσθησιν
λαβὼν μὴ μόνον ἐκεῖνο γνῷ, ἀλλὰ καὶ ἕτερον ἐννοήσῃ,
15 οὗ μὴ ἡ αὐτὴ ἐπιστήμη ἀλλ᾽ ἄλλη, ἆρ᾽ οὐχὶ τοῦτο
δικαίως ἐλέγομεν ὅτι ἀνεμνήσθη, οὗ τὴν ἔννοιαν ἔλα-
βεν; Πῶς λέγεις; Οἷον τὰ τοιάδε· ἄλλη που ἐπι- D
στήμη ἀνθρώπου καὶ λύρας. Πῶς γὰρ οὔ; Οὐκοῦν
οἶσθα ὅτι οἱ ἐρασταί, ὅταν ἴδωσι λύραν ἢ ἱμάτιον ἢ
20 ἄλλο τι οἷς τὰ παιδικὰ αὐτῶν εἴωθε χρῆσθαι, πά-
σχουσι τοῦτο· ἔγνωσάν τε τὴν λύραν καὶ ἐν τῇ δια-
νοίᾳ ἔλαβον τὸ εἶδος τοῦ παιδός, οὗ ἦν ἡ λύρα; τοῦτο
δ᾽ ἐστὶν ἀνάμνησις· ὥσπερ γε καὶ Σιμμίαν τις ἰδὼν
πολλάκις Κέβητος ἀνεμνήσθη, καὶ ἄλλα που μυρία
25 τοιαῦτ᾽ ἂν εἴη. Μυρία μέντοι νὴ Δί᾽, ἔφη ὁ Σιμμίας.
Οὐκοῦν, ἦ δ᾽ ὅς, τὸ τοιοῦτον ἀνάμνησίς τίς ἐστι; μά- E
λιστα μέντοι, ὅταν τις τοῦτο πάθῃ περὶ ἐκεῖνα ἃ ὑπὸ
χρόνου καὶ τοῦ μὴ ἐπισκοπεῖν ἤδη ἐπελέληστο; Πάνυ

1 σκέψαι ἐὰν Bekk. Stallb. ἂν Bodl. 12 λέγω δέ τινα
τρόπον τοῦτον Bekk. τόνδε is in the Bodl. The punctuation
changed by Stallb. 13 πρότερον Bodl. and other good mss. Stallb.;
ἕτερον Bekk. with other mss. Herm. brackets πρότερον. 16 ἐλέγομεν
Bodl. λέγομεν Bekk. Stallb. 19 ἤ τι ἄλλο Bekk. against the Bodl.
28 ἐπιλέληστο Bekk. against the Bodl. and most mss.

μὲν οὖν, ἔφη. Τι δέ; ἦ δ' ὅς· ἔστιν ἵππον γεγραμμέ-
νον ἰδόντα καὶ λύραν γεγραμμένην ἀνθρώπου ἀναμνη-
σθῆναι, καὶ Σιμμίαν ἰδόντα γεγραμμένον Κέβητος
ἀναμνησθῆναι; Πάνυ γε. Οὐκοῦν καὶ Σιμμίαν ἰδόντα
74 γεγραμμένον αὐτοῦ Σιμμίου ἀναμνησθῆναι; Ἔστι 5
μέντοι, ἔφη.

XIX. Ἆρ' οὖν οὐ κατὰ πάντα ταῦτα ξυμβαίνει
τὴν ἀνάμνησιν εἶναι μὲν ἀφ' ὁμοίων, εἶναι δὲ καὶ ἀπ'
ἀνομοίων; Ξυμβαίνει. Ἀλλ' ὅταν γε ἀπὸ τῶν ὁμοίων
ἀναμιμνήσκηταί τίς τι, ἆρ' οὐκ ἀναγκαῖον τόδε προσ- 10
πάσχειν, ἐννοεῖν εἴτε τι ἐλλείπει τοῦτο κατὰ τὴν
ὁμοιότητα εἴτε μὴ ἐκείνου οὗ ἀνεμνήσθη; Ἀνάγκη,
ἔφη. Σκόπει δή, ἦ δ' ὅς, εἰ ταῦτα οὕτως ἔχει. φαμέν
πού τι εἶναι ἴσον, οὐ ξύλον λέγω ξύλῳ οὐδὲ λίθον λίθῳ
οὐδ' ἄλλο τι τῶν τοιούτων οὐδέν, ἀλλὰ παρὰ ταῦτα 15
πάντα ἕτερόν τι, αὐτὸ τὸ ἴσον· φῶμέν τι εἶναι ἢ μη-
B δέν; Φῶμεν μέντοι νὴ Δί', ἔφη ὁ Σιμμίας, θαυμαστῶς
γε. Ἦ καὶ ἐπιστάμεθα αὐτὸ ὃ ἔστιν; Πάνυ γε, ἦ
δ' ὅς. Πόθεν λαβόντες αὐτοῦ τὴν ἐπιστήμην; ἆρ' οὐκ
ἐξ ὧν νῦν δὴ ἐλέγομεν, ἢ ξύλα ἢ λίθους ἢ ἄλλ' ἄττα 20
ἰδόντες ἴσα, ἐκ τούτων ἐκεῖνο ἐνενοήσαμεν, ἕτερον ὂν
τούτων; ἢ οὐχ ἕτερόν σοι φαίνεται; σκόπει δὲ καὶ
τῇδε. ἆρ' οὐ λίθοι μὲν ἴσοι καὶ ξύλα ἐνίοτε ταὐτὰ
ὄντα τῷ μὲν ἴσα φαίνεται, τῷ δ' οὔ; Πάνυ μὲν οὖν.
Τί δέ; αὐτὰ τὰ ἴσα ἔστιν ὅτε ἄνισά σοι ἐφάνη, ἢ ἡ 25
C ἰσότης ἀνισότης; Οὐδεπώποτέ γε, ὦ Σώκρατες. Οὐ
ταὐτὸν ἄρ' ἐστίν, ἦ δ' ὅς, ταῦτά τε τὰ ἴσα καὶ αὐτὸ
τὸ ἴσον. Οὐδαμῶς μοι φαίνεται, ὦ Σώκρατες. Ἀλλὰ
μὴν ἐκ τούτων γ', ἔφη, τῶν ἴσων, ἑτέρων ὄντων ἐκείνου

---

1 Τί δαί Bekk.   24 τῷ μὲν—τῷ δὲ Bodl. and Π pr. m.
(the Tubing. is reported to have the same reading) : τοτὲ μὲν-τοτὲ
δὲ Bekk. Stallb. with most mss.   25 Τί δαί Bekk.

τοῦ ἴσου, ὅμως αὐτοῦ τὴν ἐπιστήμην ἐννενόηκάς τε καὶ
εἴληφας· Ἀληθέστατα, ἔφη, λέγεις. Οὐκοῦν ἢ ὁμοίου
ὄντος τούτοις ἢ ἀνομοίου; Πάνυ γε. Διαφέρει δέ γε,
ἦ δ' ὅς, οὐδέν· ἕως ἂν ἄλλο ἰδὼν ἀπὸ ταύτης τῆς
5 ὄψεως ἄλλο ἐννοήσῃς, εἴτε ὅμοιον εἴτε ἀνόμοιον, D
ἀναγκαῖον, ἔφη, αὐτὸ ἀνάμνησιν γεγονέναι. Πάνυ μὲν
οὖν. Τί δέ; ἦ δ' ὅς· ἦ πάσχομέν τι τοιοῦτον περὶ τὰ
ἐν τοῖς ξύλοις τε καὶ οἷς νῦν δὴ ἐλέγομεν τοῖς ἴσοις·
ἆρα φαίνεται ἡμῖν οὕτως ἴσα εἶναι ὥσπερ αὐτὸ ὃ ἔστιν
10 ἴσον, ἢ ἐνδεῖ τι ἐκείνου τῷ μὴ τοιοῦτον εἶναι οἷον τὸ
ἴσον, ἢ οὐδέν; Καὶ πολύ γε, ἔφη, ἐνδεῖ. Οὐκοῦν ὁμο-
λογοῦμεν ὅταν τίς τι ἰδὼν ἐννοήσῃ, ὅτι βούλεται μὲν
τοῦτο, ὃ νῦν ἐγὼ ὁρῶ, εἶναι οἷον ἄλλο τι τῶν ὄντων,
ἐνδεῖ δὲ καὶ οὐ δύναται τοιοῦτον εἶναι [ἴσον] οἷον E
15 ἐκεῖνο, ἀλλ' ἔστι φαυλότερον, ἀναγκαῖόν που τὸν τοῦτο
ἐννοοῦντα τυχεῖν προειδότα ἐκεῖνο ᾧ φησιν αὐτὸ προσ-
εοικέναι μέν, ἐνδεεστέρως δὲ ἔχειν; Ἀνάγκη. Τί
οὖν; τὸ τοιοῦτον πεπόνθαμεν καὶ ἡμεῖς, ἢ οὔ, περί τε
τὰ ἴσα καὶ αὐτὸ τὸ ἴσον; Παντάπασί γε. Ἀναγκαῖον
20 ἄρα ἡμᾶς προειδέναι τὸ ἴσον πρὸ ἐκείνου τοῦ χρόνου, 75
ὅτε τὸ πρῶτον ἰδόντες τὰ ἴσα ἐνενοήσαμεν, ὅτι ὀρέγεται
μὲν πάντα ταῦτ' εἶναι οἷον τὸ ἴσον, ἔχει δὲ ἐνδεεστέ-
ρως. Ἔστι ταῦτα. Ἀλλὰ μὴν καὶ τόδε ὁμολογοῦμεν,
μὴ ἄλλοθεν αὐτὸ ἐννενοηκέναι μηδὲ δυνατὸν εἶναι ἐννο-
25 ῆσαι ἀλλ' ἢ ἐκ τοῦ ἰδεῖν ἢ ἅψασθαι ἢ ἔκ τινος ἄλλης
τῶν αἰσθήσεων· ταὐτὸν δὲ πάντα ταῦτα λέγω. Ταὐ-
τὸν γὰρ ἔστιν, ὦ Σώκρατες, πρός γε ὃ βούλεται δηλῶ-
σαι ὁ λόγος. Ἀλλὰ μὲν δὴ ἔκ γε τῶν αἰσθήσεων δεῖ

---

4 ἕως γὰρ Bekk. γὰρ om. Bodl. pr. Π, Herm. Stallb. 7 Τί
δαὶ τόδ'; Bekk. Stallb. τόδε om. Bodl. with many mss. 10 τῷ
Bodl. and a few other mss. τὸ Herm. μὴ is om. in the Bodl.
and many other mss. 14 ἴσον considered spurious by Mudge and
most subsequent editors, including Bekk. and Stallb.

Β ἐννοῆσαι ὅτι πάντα τὰ ἐν ταῖς αἰσθήσεσιν ἐκείνου τε
ὀρέγεται τοῦ ὃ ἔστιν ἴσον, καὶ αὐτοῦ ἐνδεέστερά ἐστιν·
ἢ πῶς λέγομεν; Οὕτως. Πρὸ τοῦ ἄρα ἄρξασθαι
ἡμᾶς ὁρᾶν καὶ ἀκούειν καὶ τἆλλα αἰσθάνεσθαι τυχεῖν
ἔδει που εἰληφότας ἐπιστήμην αὐτοῦ τοῦ ἴσου ὅ,τι  5
ἔστιν, εἰ ἐμέλλομεν τὰ ἐκ τῶν αἰσθήσεων ἴσα ἐκεῖσε
ἀνοίσειν, ὅτι προθυμεῖται μὲν πάντα τοιαῦτα εἶναι
οἷον ἐκεῖνο, ἔστι δὲ αὐτοῦ φαυλότερα. Ἀνάγκη ἐκ
τῶν προειρημένων, ὦ Σώκρατες. Οὐκοῦν γενόμενοι
C εὐθὺς ἑωρῶμέν τε καὶ ἠκούομεν καὶ τὰς ἄλλας αἰσθή-  10
σεις εἴχομεν; Πάνυ γε. Ἔδει δέ γε, φαμέν, πρὸ τού-
των τὴν τοῦ ἴσου ἐπιστήμην εἰληφέναι; Ναί. Πρὶν
γενέσθαι ἄρα, ὡς ἔοικεν, ἀνάγκη ἡμῖν αὐτὴν εἰληφέναι.
Ἔοικεν.

XX. Οὐκοῦν εἰ μὲν λαβόντες αὐτὴν πρὸ τοῦ γε-  15
νέσθαι ἔχοντες ἐγενόμεθα, ἠπιστάμεθα καὶ πρὶν γε-
νέσθαι καὶ εὐθὺς γενόμενοι οὐ μόνον τὸ ἴσον καὶ τὸ
μεῖζον καὶ τὸ ἔλαττον ἀλλὰ καὶ ξύμπαντα τὰ τοιαῦτα;
οὐ γὰρ περὶ τοῦ ἴσου νῦν ὁ λόγος ἡμῖν μᾶλλόν τι ἢ
καὶ περὶ αὐτοῦ τοῦ καλοῦ καὶ αὐτοῦ τοῦ ἀγαθοῦ καὶ  20
D δικαίου καὶ ὁσίου καί, ὅπερ λέγω, περὶ ἁπάντων οἷς
ἐπισφραγιζόμεθα τοῦτο ὃ ἔστι, καὶ ἐν ταῖς ἐρωτήσεσιν
ἐρωτῶντες καὶ ἐν ταῖς ἀποκρίσεσιν ἀποκρινόμενοι.
ὥστε ἀναγκαῖον ἡμῖν εἶναι τούτων ἁπάντων τὰς ἐπι-
στήμας πρὸ τοῦ γενέσθαι εἰληφέναι. Ἔστι ταῦτα.  25
Καὶ εἰ μέν γε λαβόντες ἑκάστοτε μὴ ἐπιλελήσμεθα,
εἰδότας ἀεὶ γίγνεσθαι καὶ ἀεὶ διὰ βίου εἰδέναι· τὸ γὰρ
εἰδέναι τοῦτ' ἐστί, λαβόντα του ἐπιστήμην ἔχειν καὶ
μὴ ἀπολωλεκέναι· ἢ οὐ τοῦτο λήθην λέγομεν, ὦ Σιμ-
E μία, ἐπιστήμης ἀποβολήν; Πάντως δήπου, ἔφη, ὦ  30
Σώκρατες. Εἰ δέ γε, οἶμαι, λαβόντες πρὶν γενέσθαι

26 ἑκάστοτε μὴ Bodl.   μὴ ἑκάστοτε Bekk.

γιγνόμενοι ἀπωλέσαμεν, ὕστερον δὲ ταῖς αἰσθήσεσι
χρώμενοι περὶ ταῦτα ἐκείνας ἀναλαμβάνομεν τὰς ἐπι-
στήμας, ἅς ποτε καὶ πρὶν εἴχομεν, ἆρ᾽ οὐχ ὃ καλοῦμεν
μανθάνειν οἰκείαν ἐπιστήμην ἀναλαμβάνειν ἂν εἴη;
5 τοῦτο δέ που ἀναμιμνήσκεσθαι λέγοντες ὀρθῶς ἂν λέ-
γοιμεν; Πάνυ γε. Δυνατὸν γὰρ δὴ τοῦτό γ᾽ ἐφάνη,
αἰσθόμενόν τι ἢ ἰδόντα ἢ ἀκούσαντα ἤ τινα ἄλλην 76
αἴσθησιν λαβόντα ἕτερόν τι ἀπὸ τούτου ἐννοῆσαι ὃ
ἐπελέληστο, ᾧ τοῦτο ἐπλησίαζεν ἀνόμοιον ὂν ἢ ᾧ
10 ὅμοιον· ὥστε, ὅπερ λέγω, δυοῖν θάτερον, ἤτοι ἐπιστά-
μενοί γε αὐτὰ γεγόναμεν καὶ ἐπιστάμεθα διὰ βίου
πάντες, ἢ ὕστερον, οὕς φαμεν μανθάνειν, οὐδὲν ἀλλ᾽ ἢ
ἀναμιμνήσκονται οὗτοι, καὶ ἡ μάθησις ἀνάμνησις ἂν
εἴη. Καὶ μάλα δὴ οὕτως ἔχει, ὦ Σώκρατες.
15 XXI. Πότερον οὖν αἱρεῖ, ὦ Σιμμία, ἐπισταμέ-
νους ἡμᾶς γεγονέναι, ἢ ἀναμιμνήσκεσθαι ὕστερον ὧν B
πρότερον ἐπιστήμην εἰληφότες ἦμεν; Οὐκ ἔχω, ὦ
Σώκρατες, ἐν τῷ παρόντι ἑλέσθαι. Τί δέ; τίδε
ἔχεις ἑλέσθαι, καὶ πῇ σοι δοκεῖ περὶ αὐτοῦ· ἀνὴρ
20 ἐπιστάμενος περὶ ὧν ἐπίσταται ἔχοι ἂν δοῦναι
λόγον ἢ οὔ; Πολλὴ ἀνάγκη, ἔφη, ὦ Σώκρατες. ᾽Η
καὶ δοκοῦσί σοι πάντες ἔχειν διδόναι λόγον περὶ
τούτων ὧν νῦν δὴ ἐλέγομεν; Βουλοίμην μέντ᾽ ἄν,
ἔφη ὁ Σιμμίας· ἀλλὰ πολὺ μᾶλλον φοβοῦμαι μὴ αὔ-
25 ριον τηνικάδε οὐκέτι ᾖ ἀνθρώπων οὐδεὶς ἀξίως οἷός C
τε τοῦτο ποιῆσαι. Οὐκ ἄρα δοκοῦσί σοι ἐπίστα-
σθαί γε, ἔφη, ὦ Σιμμία, πάντες αὐτά; Οὐδαμῶς.
᾽Αναμιμνήσκονται ἄρα ἅ ποτε ἔμαθον; ᾽Ανάγκη. Πότε
λαβοῦσαι αἱ ψυχαὶ ἡμῶν τὴν ἐπιστήμην αὐτῶν; οὐ
30 γὰρ δὴ ἀφ᾽ οὗ γε ἄνθρωποι γεγόναμεν. Οὐ δῆτα.

---

4 οἰκείαν ἂν ἐπιστήμην ἀναλ. εἴη Bekk. against all good mss.
10 ἐπιστάμενοί τε Bekk. from Heindorf's conj. but see exeg. comm.
12 ἀλλ᾽ Bekk. and Herm.   23 μέντ᾽ ἂν Bekk. and Stallb.   μὲν τᾶν
Herm.

Πρότερον ἄρα. Ναί. Ἦσαν ἄρα, ὦ Σιμμία, αἱ ψυχαὶ
καὶ πρότερον, πρὶν εἶναι ἐν ἀνθρώπου εἴδει, χωρὶς
σωμάτων, καὶ φρόνησιν εἶχον. Εἰ μὴ ἄρα ἅμα γι-
γνόμενοι λαμβάνομεν, ὦ Σώκρατες, ταύτας τὰς ἐπιστή-
D μας· οὗτος γὰρ λείπεται ἔτι ὁ χρόνος. Εἶεν, ὦ ἑταῖρε 5
ἀπόλλυμεν δὲ αὐτὰς ἐν ποίῳ ἄλλῳ χρόνῳ; οὐ γὰρ
δὴ ἔχοντές γε αὐτὰς γιγνόμεθα, ὡς ἄρτι ὡμολογήσα-
μεν· ἢ ἐν τούτῳ ἀπόλλυμεν, ἐν ᾧπερ καὶ λαμβάνομεν;
ἢ ἔχεις ἄλλον τινὰ εἰπεῖν χρόνον; Οὐδαμῶς, ὦ Σώ-
κρατες, ἀλλ᾽ ἔλαθον ἐμαυτὸν οὐδὲν εἰπών.                10

XXII. Ἆρ᾽ οὖν οὕτως ἔχει, ἔφη, ἡμῖν, ὦ Σιμμία;
εἰ μὲν ἔστιν ἃ θρυλοῦμεν ἀεί, καλόν τε καὶ ἀγαθὸν
καὶ πᾶσα ἡ τοιαύτη οὐσία, καὶ ἐπὶ ταύτην τὰ ἐκ τῶν
E αἰσθήσεων πάντα ἀναφέρομεν, ὑπάρχουσαν πρότερον
ἀνευρίσκοντες ἡμετέραν οὖσαν, καὶ ταῦτα ἐκείνῃ ἀπει- 15
κάζομεν, ἀναγκαῖον, οὕτως ὥσπερ καὶ ταῦτα ἔστιν,
οὕτως καὶ τὴν ἡμετέραν ψυχὴν εἶναι καὶ πρὶν γεγο-
νέναι ἡμᾶς· εἰ δὲ μὴ ἔστι ταῦτα, ἄλλως ἂν ὁ λόγος
οὗτος εἰρημένος εἴη; ἆρ᾽ οὕτως ἔχει, καὶ ἴση ἀνάγκη
ταῦτά τε εἶναι καὶ τὰς ἡμετέρας ψυχὰς πρὶν καὶ ἡμᾶς 20
γεγονέναι, καὶ εἰ μὴ ταῦτα, οὐδὲ τάδε; Ὑπερφυῶς, ἔφη,
ὦ Σώκρατες, ὁ Σιμμίας, δοκεῖ μοι ἡ αὐτὴ ἀνάγκη εἶναι,
καὶ εἰς καλόν γε καταφεύγει ὁ λόγος εἰς τὸ ὁμοίως
77 εἶναι τήν τε ψυχὴν ἡμῶν πρὶν γενέσθαι ἡμᾶς καὶ τὴν
οὐσίαν ἣν σὺ νῦν λέγεις. οὐ γὰρ ἔχω ἔγωγε οὐδὲν 25
οὕτω μοι ἐναργὲς ὂν ὡς τοῦτο, τὸ πάντα τὰ τοιαῦτα
εἶναι ὡς οἷόν τε μάλιστα, καλόν τε καὶ ἀγαθὸν καὶ
τἆλλα πάντα ἃ σὺ νῦν δὴ ἔλεγες· καὶ ἔμοιγε ἱκανῶς
ἀποδέδεικται. Τί δὲ δὴ Κέβητι; ἔφη ὁ Σωκράτης·

11 οὕτως, ἔφη, ἔχει ἡμῖν Bekk. against the Bodl. The mss differ
in the arrangement of these words.    17 οὕτω καὶ Bekk. with-
out a note: Stallb. says 'clare οὕτως Bodl. aliique'.

δεῖ γὰρ καὶ Κέβητα πείθειν. Ἱκανῶς, ἔφη ὁ Σιμμίας,
ὡς ἔγωγε οἶμαι· καίτοι καρτερώτατος ἀνθρώπων ἐστὶ
πρὸς τὸ ἀπιστεῖν τοῖς λόγοις· ἀλλ᾽ οἶμαι οὐκ ἐνδεῶς
τοῦτο πεπεῖσθαι αὐτόν, ὅτι πρὶν γενέσθαι ἡμᾶς ἦν Β
5 ἡμῶν ἡ ψυχή.

XXIII.   Εἰ μέντοι καὶ ἐπειδὰν ἀποθάνωμεν ἔτι
ἔσται, οὐδ᾽ αὐτῷ μοι δοκεῖ, ἔφη, ὦ Σώκρατες, ἀποδεδεῖ-
χθαι, ἀλλ᾽ ἔτι ἐνέστηκεν ὃ νῦν δὴ Κέβης ἔλεγε, τὸ
τῶν πολλῶν, ὅπως μὴ [ἅμα] ἀποθνήσκοντος τοῦ ἀν-
10 θρώπου διασκεδαννύηται ἡ ψυχὴ καὶ αὐτῇ τοῦ εἶναι
τοῦτο τέλος ᾖ. τί γὰρ κωλύει γίγνεσθαι μὲν αὐτὴν καὶ
ξυνίστασθαι ἁμόθεν ποθὲν καὶ εἶναι πρὶν καὶ εἰς
ἀνθρώπειον σῶμα ἀφικέσθαι, ἐπειδὰν δὲ ἀφίκηται καὶ
ἀπαλλάττηται τούτου, τότε καὶ αὐτὴν τελευτᾶν καὶ
15 διαφθείρεσθαι; Εὖ λέγεις, ἔφη, ὦ Σιμμία, ὁ Κέβης. C
φαίνεται γὰρ ὥσπερ ἥμισυ ἀποδεδεῖχθαι οὗ δεῖ, ὅτι
πρὶν γενέσθαι ἡμᾶς ἦν ἡμῶν ἡ ψυχή· δεῖ δὲ προσα-
ποδεῖξαι ὅτι καὶ ἐπειδὰν ἀποθάνωμεν οὐδὲν ἧττον ἔσται
ἢ πρὶν γενέσθαι, εἰ μέλλει τέλος ἡ ἀπόδειξις ἔχειν.
20 Ἀποδέδεικται μέν, ἔφη, ὦ Σιμμία τε καὶ Κέβης, ὁ
Σωκράτης, καὶ νῦν, εἰ θέλετε συνθεῖναι τοῦτόν τε τὸν
λόγον εἰς ταὐτὸν καὶ ὃν πρὸ τούτου ὡμολογήσαμεν,
τὸ γίγνεσθαι πᾶν τὸ ζῶν ἐκ τοῦ τεθνεῶτος. εἰ γὰρ
ἔστι μὲν ἡ ψυχὴ καὶ πρότερον, ἀνάγκη δ᾽ αὐτῇ εἰς τὸ
25 ζῆν ἰούσῃ τε καὶ γιγνομένῃ μηδαμόθεν ἄλλοθεν ἢ ἐκ
θανάτου καὶ ἐκ τοῦ τεθνάναι γίγνεσθαι, πῶς οὐκ
ἀνάγκη αὐτὴν καὶ ἐπειδὰν ἀποθάνῃ εἶναι, ἐπειδή γε δεῖ D
αὖθις αὐτὴν γίγνεσθαι; ἀποδέδεικται μὲν οὖν ὅπερ
λέγετε καὶ νῦν.

9 ἅμα om. Bodl. m. pr. and three other mss.: Herm. omits
the word in his text.   10 For διασκεδαννύηται see exeg. comm.
19 ἔχειν Bodl. and a large number of other mss.: ἕξειν Bekk.
with the old editions.   26 ἐκ τοῦ τεθ. Bodl.   ἐκ om. Bekk. with
only one ms.

XXIV. Ὅμως δέ μοι δοκεῖς σύ τε καὶ Σιμμίας
ἡδέως ἂν καὶ τοῦτον διαπραγματεύσασθαι τὸν λόγον
ἔτι μᾶλλον, καὶ δεδιέναι τὸ τῶν παίδων, μὴ ὡς ἀληθῶς
ὁ ἄνεμος αὐτὴν ἐκβαίνουσαν ἐκ τοῦ σώματος διαφυσᾷ
E καὶ διασκεδάννυσιν, ἄλλως τε καὶ ὅταν τύχῃ τις μὴ ἐν 5
νηνεμίᾳ ἀλλ᾽ ἐν μεγάλῳ τινὶ πνεύματι ἀποθνήσκων.
καὶ ὁ Κέβης ἐπιγελάσας Ὡς δεδιότων, ἔφη, ὦ Σώ-
κρατες, πειρῶ ἀναπείθειν· μᾶλλον δὲ μὴ ὡς ἡμῶν
δεδιότων, ἀλλ᾽ ἴσως ἔνι τις καὶ ἐν ἡμῖν παῖς, ὅστις τὰ
τοιαῦτα φοβεῖται· τοῦτον οὖν πειρώμεθα πείθειν μὴ 10
δεδιέναι τὸν θάνατον ὥσπερ τὰ μορμολύκεια. Ἀλλὰ
χρή, ἔφη ὁ Σωκράτης, ἐπᾴδειν αὐτῷ ἑκάστης ἡμέρας,
ἕως ἂν ἐξεπᾴσητε. Πόθεν οὖν, ἔφη, ὦ Σώκρατες, τῶν
78 τοιούτων ἀγαθὸν ἐπῳδὸν ληψόμεθα, ἐπειδὴ σύ, ἔφη,
ἡμᾶς ἀπολείπεις; Πολλὴ μὲν ἡ Ἑλλάς, ἔφη, ὦ Κέβης, 15
ἐν ᾗ ἔνεισί που ἀγαθοὶ ἄνδρες, πολλὰ δὲ καὶ τὰ τῶν
βαρβάρων γένη, οὓς πάντας χρὴ διερευνᾶσθαι ζητοῦν-
τας τοιοῦτον ἐπῳδόν, μήτε χρημάτων φειδομένους μήτε
πόνων, ὡς οὐκ ἔστιν εἰς ὅ,τι ἂν εὐκαιρότερον ἀναλί-
σκοιτε χρήματα. ζητεῖν δὲ χρὴ καὶ αὐτοὺς μετ᾽ ἀλλή- 20
λων· ἴσως γὰρ ἂν οὐδὲ ῥᾳδίως εὕροιτε μᾶλλον ὑμῶν
δυναμένους τοῦτο ποιεῖν. Ἀλλὰ ταῦτα μὲν δή, ἔφη,
B ὑπάρξει, ὁ Κέβης· ὅθεν δὲ ἀπελίπομεν, ἐπανέλθωμεν,
εἴ σοι ἡδομένῳ ἐστίν. Ἀλλὰ μὴν ἡδομένῳ γε· πῶς
γὰρ οὐ μέλλει; Καλῶς, ἔφη, λέγεις. 25

XXV. Οὐκοῦν τοιόνδε τι, ἦ δ᾽ ὃς ὁ Σωκράτης,
δεῖ ἡμᾶς ἐρέσθαι ἑαυτούς, τῷ ποίῳ τινὶ ἄρα προσήκει
τοῦτο τὸ πάθος πάσχειν, τὸ διασκεδάννυσθαι, καὶ
ὑπὲρ τοῦ ποίου τινὸς δεδιέναι μὴ πάθῃ αὐτό, καὶ τῷ
ποίῳ τινὶ οὔ· καὶ μετὰ τοῦτο αὖ ἐπισκέψασθαι πότερον 30

27 ἀνερέσθαι Bekk. and Stallb., but ἐρέσθαι Bodl. II.
30 οὔ add. Heindorf, om. mss.

ἡ ψυχή ἐστι, καὶ ἐκ τούτων θαρρεῖν ἢ δεδιέναι ὑπὲρ
τῆς ἡμετέρας ψυχῆς; Ἀληθῆ, ἔφη, λέγεις. Ἆρ᾿ οὖν
τῷ μὲν ξυντεθέντι τε καὶ ξυνθέτῳ ὄντι φύσει προσήκει C
τοῦτο πάσχειν, διαιρεθῆναι ταύτῃ ᾗπερ ξυνετέθη· εἰ
5 δέ τι τυγχάνει ὂν ἀξύνθετον, τούτῳ μόνῳ προσήκει
μὴ πάσχειν ταῦτα, εἴπερ τῳ ἄλλῳ; Δοκεῖ μοι, ἔφη,
οὕτως ἔχειν, ὁ Κέβης. Οὐκοῦν ἅπερ ἀεὶ κατὰ ταὐτὰ
καὶ ὡσαύτως ἔχει, ταῦτα μάλιστα εἰκὸς εἶναι τὰ ἀξύν-
θετα, τὰ δὲ ἄλλοτ᾿ ἄλλως καὶ μηδέποτε κατὰ ταὐτά,
10 ταῦτα δὲ εἶναι τὰ ξύνθετα; Ἔμοιγε δοκεῖ οὕτως. Ἴω-
μεν δή, ἔφη, ἐπὶ ταῦτα ἐφ᾿ ἅπερ ἐν τῷ ἔμπροσθεν
λόγῳ. αὐτὴ ἡ οὐσία ἧς λόγον δίδομεν τοῦ εἶναι καὶ D
ἐρωτῶντες καὶ ἀποκρινόμενοι, πότερον ὡσαύτως ἀεὶ
ἔχει κατὰ ταὐτὰ ἢ ἄλλοτ᾿ ἄλλως; αὐτὸ τὸ ἴσον, αὐτὸ
15 τὸ καλόν, αὐτὸ ἕκαστον ὃ ἔστι, τὸ ὄν, μή ποτε μετα-
βολὴν καὶ ἡντινοῦν ἐνδέχεται; ἢ ἀεὶ αὐτῶν ἕκαστον
ὃ ἔστι, μονοειδὲς ὂν αὐτὸ καθ᾿ αὑτό, ὡσαύτως κατὰ
ταὐτὰ ἔχει καὶ οὐδέποτε οὐδαμῇ οὐδαμῶς ἀλλοίωσιν
οὐδεμίαν ἐνδέχεται; Ὡσαύτως, ἔφη, ἀνάγκη, ὁ Κέβης,
20 κατὰ ταὐτὰ ἔχειν, ὦ Σώκρατες. Τί δὲ τῶν πολλῶν
[καλῶν], οἷον ἀνθρώπων ἢ ἵππων ἢ ἱματίων ἢ ἄλλων E
ὡντινωνοῦν τοιούτων, ἢ ἴσων ἢ καλῶν ἢ πάντων τῶν
ἐκείνοις ὁμωνύμων; ἆρα κατὰ ταὐτὰ ἔχει, ἢ πᾶν
τοὐναντίον ἐκείνοις οὔτε αὐτὰ αὑτοῖς οὔτε ἀλλήλοις
25 οὐδέποτε, ὡς ἔπος εἰπεῖν, οὐδαμῶς κατὰ ταὐτά ἐστιν;
Οὕτως αὖ, ἔφη, ταῦτα, ὁ Κέβης· οὐδέποτε ὡσαύτως
ἔχει. Οὐκοῦν τούτων μὲν κἂν ἅψαιο κἂν ἴδοις κἂν 79
ταῖς ἄλλαις αἰσθήσεσιν αἴσθοιο, τῶν δὲ κατὰ ταὐτὰ
ἐχόντων οὐκ ἔστιν ὅτῳ ποτ᾿ ἂν ἄλλῳ ἐπιλάβοιο ἢ τῷ

1 ἡ ψυχή Bodl. Π.: ψυχή Bekk. Stallb.    11 ἐπὶ ταὐτὰ Hein-
dorf and Bekk.    17 and 20 καὶ κατὰ ταὐτὰ Bekk. with only
one ms. in both places.    21 [καλῶν] Classen Symb. crit. 1
p. 15.

τῆς διανοίας λογισμῷ, ἀλλ᾽ ἐστὶν ἀειδῆ τὰ τοιαῦτα καὶ
οὐχ ὁρατά; Παντάπασιν, ἔφη, ἀληθῆ λέγεις.

XXVI. Θῶμεν οὖν βούλει, ἔφη, δύο εἴδη τῶν
ὄντων, τὸ μὲν ὁρατόν, τὸ δὲ ἀειδές; Θῶμεν, ἔφη. Καὶ
τὸ μὲν ἀειδὲς ἀεὶ κατὰ ταὐτὰ ἔχον, τὸ δὲ ὁρατὸν μηδέ- 5
ποτε κατὰ ταὐτά; Καὶ τοῦτο, ἔφη, θῶμεν. Φέρε δή,
B ἦ δ᾽ ὅς, ἄλλο τι ἡμῶν αὐτῶν τὸ μὲν σῶμά ἐστι, τὸ δὲ
ψυχή; Οὐδὲν ἄλλο, ἔφη. Ποτέρῳ οὖν ὁμοιότερον τῷ
εἴδει φαῖμεν ἂν εἶναι καὶ ξυγγενέστερον τὸ σῶμα;
Παντί, ἔφη, τοῦτό γε δῆλον, ὅτι τῷ ὁρατῷ. Τί δὲ ἡ 10
ψυχή; ὁρατὸν ἢ ἀειδές; Οὐχ ὑπ᾽ ἀνθρώπων γε, ὦ
Σώκρατες, ἔφη. Ἀλλὰ ἡμεῖς γε τὰ ὁρατὰ καὶ τὰ μὴ
τῇ τῶν ἀνθρώπων φύσει λέγομεν· ἢ ἄλλῃ τινὶ οἴει;
Τῇ τῶν ἀνθρώπων. Τί οὖν περὶ ψυχῆς λέγομεν; ὁρα-
τὸν εἶναι ἢ οὐχ ὁρατόν; Οὐχ ὁρατόν. Ἀειδὲς ἄρα; 15
C Ναί. Ὁμοιότερον ἄρα ψυχὴ σώματός ἐστι τῷ
ἀειδεῖ, τὸ δὲ τῷ ὁρατῷ. Πᾶσα ἀνάγκη, ὦ Σώκρατες.

XXVII. Οὐκοῦν καὶ τόδε πάλαι ἐλέγομεν, ὅτι ἡ
ψυχή, ὅταν μὲν τῷ σώματι προσχρῆται εἰς τὸ σκοπεῖν
τι ἢ διὰ τοῦ ὁρᾶν ἢ διὰ τοῦ ἀκούειν ἢ δι᾽ ἄλλης τινὸς 20
αἰσθήσεως—τοῦτο γάρ ἐστι τὸ διὰ τοῦ σώματος, τὸ δι᾽
αἰσθήσεως σκοπεῖν τι—, τότε μὲν ἕλκεται ὑπὸ τοῦ
σώματος εἰς τὰ οὐδέποτε κατὰ ταὐτὰ ἔχοντα, καὶ αὐτὴ
πλανᾶται καὶ ταράττεται καὶ ἰλιγγιᾷ ὥσπερ μεθύουσα,
D ἅτε τοιούτων ἐφαπτομένη; Πάνυ γε. Ὅταν δέ γε αὐτὴ 25
καθ᾽ αὑτὴν σκοπῇ, ἐκεῖσε οἴχεται εἰς τὸ καθαρόν τε καὶ
ἀεὶ ὂν καὶ ἀθάνατον καὶ ὡσαύτως ἔχον, καὶ ὡς συγγε-
νὴς οὖσα αὐτοῦ ἀεὶ μετ᾽ ἐκείνου τε γίγνεται, ὅτανπερ

---

1 ἐστιν ἀειδῆ Bekk. Stallb.    2 ὁρᾶται Bekk. Stallb. ὁρατά the
Bodl. alone.    7 αὐτῶν τὸ Bekk. and Stallb. with Bold. pr. m.
and ten other mss. αὐτῶν ἢ τὸ Herm. with Vulg.    12 ἀλλὰ
μὴν Bekk. Stallb. μὴν om. Herm. with Bodl. "G pr. Π."    13
λέγομεν Bodl. Herm. ἐλέγομεν Bekk. with the other mss.    18
λέγομεν Bekk. after Heindorf's conj.: ἐλέγομεν the mss.

αὐτὴ καθ' αὑτὴν γένηται καὶ ἐξῇ αὐτῇ, καὶ πέπαυταί τε
τοῦ πλάνου καὶ περὶ ἐκεῖνα ἀεὶ κατὰ ταὐτὰ ὡσαύτως
ἔχει, ἅτε τοιούτων ἐφαπτομένη· καὶ τοῦτο αὐτῆς τὸ
πάθημα φρόνησις κέκληται; Παντάπασιν, ἔφη, καλῶς
5 καὶ ἀληθῆ λέγεις, ὦ Σώκρατες.  Ποτέρῳ οὖν αὖ σοι
δοκεῖ τῷ εἴδει καὶ ἐκ τῶν ἔμπροσθεν καὶ ἐκ τῶν νῦν
λεγομένων ψυχὴ ὁμοιότερον εἶναι καὶ ξυγγενέστερον ; Ε
Πᾶς ἄν μοι δοκεῖ, ᾖ δ' ὅς, ξυγχωρῆσαι, ὦ Σώκρατες, ἐκ
ταύτης τῆς μεθόδου, καὶ ὁ δυσμαθέστατος, ὅτι ὅλῳ καὶ
10 παντὶ ὁμοιότερόν ἐστι ψυχὴ τῷ ἀεὶ ὡσαύτως ἔχοντι
μᾶλλον ἢ τῷ μή.  Τί δὲ τὸ σῶμα;  Τῷ ἑτέρῳ.

XXVIII.  Ὅρα δὲ καὶ τῇδε, ὅτι, ἐπειδὰν ἐν τῷ
αὐτῷ ὦσι ψυχὴ καὶ σῶμα, τῷ μὲν δουλεύειν καὶ ἄρχε-
σθαι ἡ φύσις προστάττει, τῇ δὲ ἄρχειν καὶ δεσπόζειν· 80
15 καὶ κατὰ ταῦτα αὖ πότερόν σοι δοκεῖ ὅμοιον τῷ θείῳ
εἶναι, καὶ πότερον τῷ θνητῷ ; ἢ οὐ δοκεῖ σοι τὸ μὲν
θεῖον οἷον ἄρχειν τε καὶ ἡγεμονεύειν πεφυκέναι, τὸ δὲ
θνητὸν ἄρχεσθαί τε καὶ δουλεύειν ; Ἔμοιγε.  Ποτέρῳ
οὖν ἡ ψυχὴ ἔοικεν ; Δῆλα δή, ὦ Σώκρατες, ὅτι ἡ μὲν
20 ψυχὴ τῷ θείῳ, τὸ δὲ σῶμα τῷ θνητῷ.  Σκόπει δή,
ἔφη, ὦ Κέβης, εἰ ἐκ πάντων τῶν εἰρημένων τάδε ἡμῖν
ξυμβαίνει, τῷ μὲν θείῳ καὶ ἀθανάτῳ καὶ νοητῷ καὶ Β
μονοειδεῖ καὶ ἀδιαλύτῳ καὶ ἀεὶ ὡσαύτως κατὰ ταὐτὰ
ἔχοντι ἑαυτῷ ὁμοιότατον εἶναι ψυχή, τῷ δ' ἀνθρωπίνῳ
25 καὶ θνητῷ καὶ ἀνοήτῳ καὶ πολυειδεῖ καὶ διαλυτῷ καὶ
μηδέποτε κατὰ ταὐτὰ ἔχοντι ἑαυτῷ ὁμοιότατον αὖ
εἶναι σῶμα.  ἔχομέν τι παρὰ ταῦτα ἄλλο λέγειν, ὦ
φίλε Κέβης, ὡς οὐχ οὕτως ἔχει ; Οὐκ ἔχομεν.

XXIX.  Τί οὖν ; τούτων οὕτως ἐχόντων ἆρ' οὐχὶ
30 σώματι μὲν ταχὺ διαλύεσθαι προσήκει, ψυχῇ δὲ αὖ τὸ

8  ἄν μοι: Bodl. pr. m. II (Stallb.):  ἂν ἔμοιγε Bekk. Herm.
15  καὶ κατὰ ταῦτά Bekk. against the Bodl. and other good
mss.  30  ψυχήν Bekk. Heind. ψυχῇ Bodl. and eight mss. besides.

παράπαν ἀδιαλύτῳ εἶναι ἢ ἐγγύς τι τούτου; Πῶς γὰρ
C οὔ; Ἐννοεῖς οὖν, ἔφη, ὅτι, ἐπειδὰν ἀποθάνῃ ὁ ἄνθρω-
πος, τὸ μὲν ὁρατὸν αὐτοῦ, τὸ σῶμα, καὶ ἐν ὁρατῷ κεί-
μενον, ὃ δὴ νεκρὸν καλοῦμεν, ᾧ προσήκει διαλύεσθαι
καὶ διαπίπτειν [καὶ διαπνεῖσθαι], οὐκ εὐθὺς τούτων 5
οὐδὲν πέπονθεν, ἀλλ' ἐπιεικῶς συχνὸν ἐπιμένει χρόνον·
ἐὰν μέν τις καὶ χαριέντως ἔχων τὸ σῶμα τελευτήσῃ
καὶ ἐν τοιαύτῃ ὥρᾳ, καὶ πάνυ μάλα. συμπεσὸν γὰρ
τὸ σῶμα καὶ ταριχευθέν, ὥσπερ οἱ ἐν Αἰγύπτῳ ταρι-
χευθέντες, ὀλίγου ὅλον μένει ἀμήχανον ὅσον χρόνον. 10
D ἔνια δὲ μέρη τοῦ σώματος, καὶ ἂν σαπῇ, ὀστᾶ τε καὶ
νεῦρα καὶ τὰ τοιαῦτα πάντα, ὅμως ὡς ἔπος εἰπεῖν ἀθά-
νατά ἐστιν· ἢ οὔ; Ναί. Ἡ δὲ ψυχὴ ἄρα, τὸ ἀειδές,
τὸ εἰς τοιοῦτον τόπον ἕτερον οἰχόμενον γενναῖον καὶ
καθαρὸν καὶ ἀειδῆ, εἰς Ἅιδου ὡς ἀληθῶς, παρὰ τὸν 15
ἀγαθὸν καὶ φρόνιμον θεόν, οἷ, ἂν θεὸς ἐθέλῃ, αὐτίκα
καὶ τῇ ἐμῇ ψυχῇ ἰτέον, αὕτη δὲ δὴ ἡμῖν ἡ τοιαύτη καὶ
οὕτω πεφυκυῖα ἀπαλλαττομένη τοῦ σώματος εὐθὺς
διαπεφύσηται καὶ ἀπόλωλεν, ὥς φασιν οἱ πολλοὶ
E ἄνθρωποι; πολλοῦ γε δεῖ, ὦ φίλε Κέβης τε καὶ Σιμ- 20
μία, ἀλλὰ πολλῷ μᾶλλον ὧδε ἔχει· ἐὰν μὲν καθαρὰ
ἀπαλλάττηται, μηδὲν τοῦ σώματος ξυνεφέλκουσα, ἅτε
οὐδὲν κοινωνοῦσα αὐτῷ ἐν τῷ βίῳ ἑκοῦσα εἶναι, ἀλλὰ
φεύγουσα αὐτὸ καὶ συνηθροισμένη αὐτὴ εἰς αὑτήν, ἅτε
μελετῶσα ἀεὶ τοῦτο—τοῦτο δὲ οὐδὲν ἄλλο ἐστὶν ἢ 25
ὀρθῶς φιλοσοφοῦσα καὶ τῷ ὄντι τεθνάναι μελετῶσα
ῥᾳδίως· ἢ οὐ τοῦτ' ἂν εἴη μελέτη θανάτου; Παντά-
81 πασί γε. Οὐκοῦν οὕτω μὲν ἔχουσα εἰς τὸ ὅμοιον αὑτῇ
τὸ ἀειδὲς ἀπέρχεται, τὸ θεῖόν τε καὶ ἀθάνατον καὶ
φρόνιμον, οἷ ἀφικομένῃ ὑπάρχει αὐτῇ εὐδαίμονι εἶναι, 30
πλάνης καὶ ἀνοίας καὶ φόβων καὶ ἀγρίων ἐρώτων καὶ

---

5 καὶ διαπνεῖσθαι bracketed by Herm. om. in Bodl. pr. m. Π.
11 ἂν Bodl. ἐὰν Bekk.

τῶν ἄλλων κακῶν τῶν ἀνθρωπείων ἀπηλλαγμένη,
ὥσπερ δὲ λέγεται κατὰ τῶν μεμυημένων, ὡς ἀληθῶς
τὸν λοιπὸν χρόνον μετὰ τῶν θεῶν διάγουσα; οὕτω
φῶμεν, ὦ Κέβης, ἢ ἄλλως;

5	ΧΧΧ. Οὕτω νὴ Δί᾽, ἔφη ὁ Κέβης. Ἐὰν δέ γε,
οἶμαι, μεμιασμένη καὶ ἀκάθαρτος τοῦ σώματος ἀπαλ- B
λάττηται, ἅτε τῷ σώματι ἀεὶ ξυνοῦσα καὶ τοῦτο θερα-
πεύουσα καὶ ἐρῶσα καὶ γεγοητευμένη ὑπ᾽ αὐτοῦ ὑπό τε
τῶν ἐπιθυμιῶν καὶ ἡδονῶν, ὥστε μηδὲν ἄλλο δοκεῖν εἶναι
10	ἀληθὲς ἀλλ᾽ ἢ τὸ σωματοειδές, οὗ τις ἂν ἅψαιτο καὶ
ἴδοι καὶ πίοι καὶ φάγοι καὶ πρὸς τὰ ἀφροδίσια χρήσαιτο,
τὸ δὲ τοῖς ὄμμασι σκοτῶδες καὶ ἀειδές, νοητὸν δὲ καὶ
φιλοσοφίᾳ αἱρετόν, τοῦτο δὲ εἰθισμένη μισεῖν τε καὶ τρέ-
μειν καὶ φεύγειν, οὕτω δὴ ἔχουσαν οἴει ψυχὴν αὐτὴν καθ᾽ C
15	αὑτὴν εἰλικρινῆ ἀπαλλάξεσθαι; Οὐδ᾽ ὁπωστιοῦν, ἔφη.
Ἀλλὰ διειλημμένην γε, οἶμαι, ὑπὸ τοῦ σωματοειδοῦς, ὃ
αὐτῇ ἡ ὁμιλία τε καὶ ξυνουσία τοῦ σώματος διὰ τὸ ἀεὶ ξυν-
εῖναι καὶ διὰ τὴν πολλὴν μελέτην ἐνεποίησε ξύμφυτον;
Πάνυ γε. Ἐμβριθὲς δέ γε, ὦ φίλε, τοῦτο οἴεσθαι χρὴ
20	εἶναι καὶ βαρὺ καὶ γεῶδες καὶ ὁρατόν· ὃ δὴ καὶ ἔχουσα
ἡ τοιαύτη ψυχὴ βαρύνεταί τε καὶ ἕλκεται πάλιν εἰς
τὸν ὁρατὸν τόπον, φόβῳ τοῦ ἀειδοῦς τε καὶ Ἅιδου,
ὥσπερ λέγεται, περὶ τὰ μνήματά τε καὶ τοὺς τάφους
κυλινδουμένη, περὶ ἃ δὴ καὶ ὤφθη ἄττα ψυχῶν σκιοειδῆ D
25	φαντάσματα, οἷα παρέχονται αἱ τοιαῦται ψυχαὶ εἴδωλα,
αἱ μὴ καθαρῶς ἀπολυθεῖσαι ἀλλὰ τοῦ ὁρατοῦ μετέχου-
σαι, διὸ καὶ ὁρῶνται. Εἰκός γε, ὦ Σώκρατες. Εἰκὸς
μέντοι, ὦ Κέβης· καὶ οὔ τί γε τὰς τῶν ἀγαθῶν ταύτας
εἶναι, ἀλλὰ τὰς τῶν φαύλων, αἳ περὶ τὰ τοιαῦτα ἀναγ-

3 μετὰ θεῶν Bekk. τῶν add. Bodl. ΓΠΦ.	11 καὶ φάγοι καὶ
πίοι Bekk. against the Bodl.	15 εἰλικρινῆ Herm.	24 σκοτοειδῆ
Bekk. with only one ms.	28 οὔ τί γε Fischer with one ms.
οὔ τέ or οὔτοί γε the mss.

κάζονται πλανᾶσθαι δίκην τίνουσαι τῆς προτέρας τρο-
φῆς κακῆς οὔσης· καὶ μέχρι γε τούτου πλανῶνται,
Ε ἕως ἂν τῇ τοῦ ξυνεπακολουθοῦντος τοῦ σωματοειδοῦς
ἐπιθυμίᾳ πάλιν ἐνδεθῶσιν εἰς σῶμα.

XXXI. Ἐνδοῦνται δέ, ὥσπερ εἰκός, εἰς τοιαῦτα 5
ἤθη ὁποῖ᾽ ἄττ᾽ ἂν καὶ μεμελετηκυῖαι τύχωσιν ἐν τῷ
βίῳ. Τὰ ποῖα δὴ ταῦτα λέγεις, ὦ Σώκρατες; Οἷον
τοὺς μὲν γαστριμαργίας τε καὶ ὕβρεις καὶ φιλοποσίας
μεμελετηκότας καὶ μὴ διευλαβημένους εἰς τὰ τῶν ὄνων
82 γένη καὶ τῶν τοιούτων θηρίων εἰκὸς ἐνδύεσθαι· ἢ οὐκ 10
οἴει; Πάνυ μὲν οὖν εἰκὸς λέγεις. Τοὺς δέ γε ἀδικίας τε
καὶ τυραννίδας καὶ ἁρπαγὰς προτετιμηκότας εἰς τὰ τῶν
λύκων τε καὶ ἱεράκων καὶ ἰκτίνων γένη· ἢ ποῖ ἂν ἄλ-
λοσε φαῖμεν τὰς τοιαύτας ἰέναι; Ἀμέλει, ἔφη ὁ Κέβης,
εἰς τὰ τοιαῦτα. Οὐκοῦν, ἦ δ᾽ ὅς, δῆλα δὴ καὶ τἆλλα, οἷ 15
ἂν ἑκάστη ἴοι, κατὰ τὰς αὑτῶν ὁμοιότητας τῆς μελέτης;
Δῆλον δή, ἔφη· πῶς δ᾽ οὔ; Οὐκοῦν εὐδαιμονέστατοι,
ἔφη, καὶ τούτων εἰσὶ καὶ εἰς βέλτιστον τόπον ἰόντες οἱ
τὴν δημοτικήν τε καὶ πολιτικὴν ἀρετὴν ἐπιτετηδευκό-
Β τες, ἣν δὴ καλοῦσι σωφροσύνην τε καὶ δικαιοσύνην, ἐξ 20
ἔθους τε καὶ μελέτης γεγονυῖαν ἄνευ φιλοσοφίας τε
καὶ νοῦ; Πῇ δὴ οὗτοι εὐδαιμονέστατοι; Ὅτι τούτους
εἰκός ἐστιν εἰς τοιοῦτον πάλιν ἀφικνεῖσθαι πολιτικόν
τε καὶ ἥμερον γένος, ἤ που μελιττῶν ἢ σφηκῶν ἢ
μυρμήκων, ἢ καὶ εἰς ταὐτόν γε πάλιν τὸ ἀνθρώπινον 25
γένος, καὶ γίγνεσθαι ἐξ αὐτῶν ἄνδρας μετρίους. Εἰκός.

XXXII. Εἰς δέ γε θεῶν γένος μὴ φιλοσοφήσαντι
καὶ παντελῶς καθαρῷ ἀπιόντι οὐ θέμις ἀφικνεῖσθαι

14 φαῖμεν Bekk. Stallb. with only one ms. though Eusebius
and Theodoretus in quoting the passage give the same reading:
Herm. and Heindorf keep φαμὲν, the reading of the mss. 16 ἔκαπτα
Bodl. m. pr. (Bernhardy Synt. p. 430. Herm.) ἑκάστη Bodl. corr.
(Bekk. Stallb.)

ἀλλ᾽ ἢ τῷ φιλομαθεῖ. ἀλλὰ τούτων ἕνεκα, ὦ ἑταῖρε C
Σιμμία τε καὶ Κέβης, οἱ ὀρθῶς φιλοσοφοῦντες ἀπέχον-
ται τῶν κατὰ τὸ σῶμα ἐπιθυμιῶν ἁπασῶν καὶ καρτε-
ροῦσι καὶ οὐ παραδιδόασιν αὐταῖς αὑτούς, οὔ τι οἰκο-
5 φθορίαν τε καὶ πενίαν φοβούμενοι, ὥσπερ οἱ πολλοὶ καὶ
φιλοχρήματοι· οὐδὲ αὖ ἀτιμίαν τε καὶ ἀδοξίαν μοχθη-
ρίας δεδιότες, ὥσπερ οἱ φίλαρχοί τε καὶ φιλότιμοι,
ἔπειτα ἀπέχονται αὐτῶν.   Οὐ γὰρ ἂν πρέποι, ἔφη, ὦ
Σώκρατες, ὁ Κέβης.   Οὐ μέντοι μὰ Δί᾽, ἦ δ᾽ ὅς.  τοι-
10 γάρτοι τούτοις μὲν ἅπασιν [ἔφη] ὦ Κέβης, ἐκεῖνοι, οἷς D
τι μέλει τῆς αὑτῶν ψυχῆς, ἀλλὰ μὴ σώματι πράτ-
τοντες ζῶσι, χαίρειν εἰπόντες οὐ κατὰ ταὐτὰ πο-
ρεύονται αὐτοῖς, ὡς οὐκ εἰδόσιν ὕπῃ ἔρχονται, αὐτοὶ δὲ
ἡγούμενοι οὐ δεῖν ἐναντία τῇ φιλοσοφίᾳ πράττειν καὶ
15 τῇ ἐκείνης λύσει τε καὶ καθαρμῷ ταύτῃ τρέπονται
ἐκείνῃ ἑπόμενοι, ᾗ ἐκείνη ὑφηγεῖται.

XXXIII.   Πῶς, ὦ Σώκρατες; Ἐγὼ ἐρῶ, ἔφη. γι-
γνάσκουσι γάρ, ἦ δ᾽ ὅς, οἱ φιλομαθεῖς ὅτι παραλαβοῦσα
αὐτῶν τὴν ψυχὴν ἡ φιλοσοφία ἀτεχνῶς διαδεδεμένην E
20 ἐν τῷ σώματι καὶ προσκεκολλημένην, ἀναγκαζομένην
δὲ ὥσπερ δι᾽ εἱργμοῦ διὰ τούτου σκοπεῖσθαι τὰ ὄντα
ἀλλὰ μὴ αὐτὴν δι᾽ αὑτῆς, καὶ ἐν πάσῃ ἀμαθίᾳ κυλιν-
δουμένην, καὶ τοῦ εἱργμοῦ τὴν δεινότητα κατιδοῦσα ὅτι
δι᾽ ἐπιθυμίας ἐστίν, ὡς ἂν μάλιστα αὐτὸς ὁ δεδεμένος
25 ξυλλήπτωρ εἴη τῷ δεδέσθαι,—ὅπερ οὖν λέγω, γιγνώ- 83
σκουσιν οἱ φιλομαθεῖς ὅτι οὕτω παραλαβοῦσα ἡ φιλο-
σοφία ἔχουσαν αὐτῶν τὴν ψυχὴν ἠρέμα παραμυθεῖται

1 ἀλλ᾽ ἤ: perhaps ἀλλά, see the exeg. comm.    10 ἔφη om.
Bodl. m. pr. and other mss. followed by Stallb.  11 πλάττοντες is the
reading of all mss. and editions : λατρεύοντες Heindorf conj., σῶμα
ἀτιτάλλοντες Stallb., σώματα Bekk., but σώματι Bodl. m. 1. and
other good mss., σώματι πράττοντες Ast Lex. Platon. 2, p. 110.
25 τῷ δεδέσθαι mss. : τοῦ δ. Heindorf cj., adopted by Herm.

καὶ λύειν ἐπιχειρεῖ, ἐνδεικνυμένη ὅτι ἀπάτης μὲν μεστὴ
ἡ διὰ τῶν ὀμμάτων σκέψις, ἀπάτης δὲ ἡ διὰ τῶν ὤτων
καὶ τῶν ἄλλων αἰσθήσεων, πείθουσα δὲ ἐκ τούτων μὲν
ἀναχωρεῖν ὅσον μὴ ἀνάγκη αὐτοῖς χρῆσθαι, αὐτὴν δὲ εἰς
αὑτὴν ξυλλέγεσθαι καὶ ἀθροίζεσθαι παρακελευομένη, πι- 5
Β στεύειν δὲ μηδενὶ ἄλλῳ ἀλλ᾽ ἢ αὐτὴν αὑτῇ, ὅ,τι ἂν νοήσῃ
αὐτὴ καθ᾽ αὑτὴν αὐτὸ καθ᾽ αὑτὸ τῶν ὄντων· ὅ,τι δ᾽ ἂν δι᾽
ἄλλων σκοπῇ ἐν ἄλλοις ὂν ἄλλο, μηδὲν ἡγεῖσθαι ἀλη-
θές· εἶναι δὲ τὸ μὲν τοιοῦτον αἰσθητόν τε καὶ ὁρατόν,
ὃ δὲ αὐτὴ ὁρᾷ, νοητόν τε καὶ ἀειδές. ταύτῃ οὖν τῇ λύσει 10
οὐκ οἰομένη δεῖν ἐναντιοῦσθαι ἡ τοῦ ὡς ἀληθῶς φιλοσό-
φου ψυχὴ οὕτως ἀπέχεται τῶν ἡδονῶν τε καὶ ἐπιθυμι-
ῶν καὶ λυπῶν καὶ φόβων καθ᾽ ὅσον δύναται, λογιζομένη
ὅτι, ἐπειδάν τις σφόδρα ἡσθῇ ἢ φοβηθῇ ἢ λυπηθῇ ἢ
ἐπιθυμήσῃ, οὐδὲν τοσοῦτον κακὸν ἔπαθεν ἀπ᾽ αὐτῶν ὅσον 15
C ἄν τις οἰηθείη, οἷον ἢ νοσήσας ἤ τι ἀναλώσας διὰ τὰς
ἐπιθυμίας, ἀλλ᾽ ὃ πάντων μέγιστόν τε κακὸν καὶ ἔσχα-
τόν ἐστι, τοῦτο πάσχει καὶ οὐ λογίζεται αὐτό. Τί
τοῦτο, ὦ Σώκρατες; ἔφη ὁ Κέβης. Ὅτι ψυχὴ παντὸς
ἀνθρώπου ἀναγκάζεται ἅμα τε ἡσθῆναι ἢ λυπηθῆναι 20
σφόδρα ἐπί τῳ καὶ ἡγεῖσθαι, περὶ ὃ ἂν μάλιστα τοῦτο
πάσχῃ, τοῦτο ἐναργέστατόν τε εἶναι καὶ ἀληθέστατον
οὐχ οὕτως ἔχον· ταῦτα δὲ μάλιστα τὰ ὁρατά· ἢ οὔ;
D Πάνυ γε. Οὐκοῦν ἐν τούτῳ τῷ πάθει μάλιστα κατα-
δεῖται ψυχὴ ὑπὸ σώματος; Πῶς δή; Ὅτι ἑκάστη 25
ἡδονὴ καὶ λύπη ὥσπερ ἧλον ἔχουσα προσηλοῖ αὐτὴν
πρὸς τὸ σῶμα καὶ προσπερονᾷ καὶ ποιεῖ σωματοειδῆ,
δοξάζουσαν ταῦτα ἀληθῆ εἶναι ἅπερ ἂν καὶ τὸ σῶμα
φῇ. ἐκ γὰρ τοῦ ὁμοδοξεῖν τῷ σώματι καὶ τοῖς αὐτοῖς
χαίρειν ἀναγκάζεται, οἶμαι, ὁμότροπός τε καὶ ὁμό- 30

14 ἢ λυπηθῇ om. Bodl. pr. m. 23 τὰ ὁρατά Heindorf (Bekk.
Stallb. Herm.): the article is om. in the mss.

τροφος γίγνεσθαι καὶ οἷα μηδέποτε καθαρῶς εἰς "Αιδου
ἀφικέσθαι, ἀλλ' ἀεὶ τοῦ σώματος ἀναπλέα ἐξιέναι,
ὥστε ταχὺ πάλιν πίπτειν εἰς ἄλλο σῶμα καὶ ὥσπερ
σπειρομένη ἐμφύεσθαι, καὶ ἐκ τούτων ἄμοιρος εἶναι Ε
5 τῆς τοῦ θείου τε καὶ καθαροῦ καὶ μονοειδοῦς συνου-
σίας. Ἀληθέστατα, ἔφη, λέγεις, ὁ Κέβης, ὦ Σώ-
κρατες.

XXXIV.   Τούτων τοίνυν ἕνεκα, ὦ Κέβης, οἱ
δικαίως φιλομαθεῖς κόσμιοί εἰσι καὶ ἀνδρεῖοι, οὐχ ὧν
10 οἱ πολλοὶ ἕνεκά φασιν· ἢ σὺ οἴει; Οὐ δῆτα ἔγωγε. 84
Οὐ γὰρ ἀλλ' οὕτω λογίσαιτ' ἂν ψυχὴ ἀνδρὸς φιλο-
σόφου, καὶ οὐκ ἂν οἰηθείη τὴν μὲν φιλοσοφίαν χρῆναι
ἑαυτὴν λύειν, λυούσης δὲ ἐκείνης αὐτὴν παραδιδόναι
ταῖς ἡδοναῖς καὶ λύπαις ἑαυτὴν πάλιν αὖ ἐγκαταδεῖν
15 καὶ ἀνήνυτον ἔργον πράττειν Πηνελόπης τινὰ ἐναν-
τίως ἱστὸν μεταχειριζομένης· ἀλλὰ γαλήνην τούτων
παρασκευάζουσα, ἑπομένη τῷ λογισμῷ καὶ ἀεὶ ἐν
τούτῳ οὖσα, τὸ ἀληθὲς καὶ τὸ θεῖον καὶ τὸ ἀδόξαστον
θεωμένη καὶ ὑπ' ἐκείνου τρεφομένη, ζῆν τε οἴεται οὕτω Β
20 δεῖν, ἕως ἂν ζῇ, καὶ ἐπειδὰν τελευτήσῃ, εἰς τὸ ξυγγενὲς
καὶ εἰς τὸ τοιοῦτον ἀφικομένη ἀπηλλάχθαι τῶν ἀν-
θρωπίνων κακῶν. ἐκ δὴ τῆς τοιαύτης τροφῆς οὐδὲν
δεινὸν μὴ φοβηθῇ, ταῦτά γ' ἐπιτηδεύσασα, ὦ Σιμμία
τε καὶ Κέβης, ὅπως μὴ διασπασθεῖσα ἐν τῇ ἀπαλ-
25 λαγῇ τοῦ σώματος ὑπὸ τῶν ἀνέμων διαφυσηθεῖσα καὶ
διαπτομένη οἴχηται καὶ οὐδὲν ἔτι οὐδαμοῦ ᾖ.

XXXV.   Σιγὴ οὖν ἐγένετο ταῦτα εἰπόντος τοῦ C
Σωκράτους ἐπὶ πολὺν χρόνον, καὶ αὐτός τε πρὸς τῷ
εἰρημένῳ λόγῳ ἦν ὁ Σωκράτης, ὡς ἰδεῖν ἐφαίνετο, καὶ

9 κόσμιοί τ' εἰσὶ Bekk. Stallb.: but τέ is only in four mss. and in
the Bodl. it is added m. sec.   10 φασὶν the mss.  φαίνονται Herm.
cj.: see exeg. comm.       16 μεταχειριζομένης Bodl. and most
mss.: μεταχειριζομένην Bekk. Stallb. with a few mss.   19 οὕτως
οἴεται δεῖν Bekk. against the Bodl.    22 ἐκ δέ Bekk. with only

ἡμῶν οἱ πλεῖστοι. Κέβης δὲ καὶ Σιμμίας σμικρὸν
πρὸς ἀλλήλω διελεγέσθην· καὶ ὁ Σωκράτης ἰδὼν αὐτὼ
ἤρετο· Τί; ἔφη, ὑμῖν τὰ λεχθέντα μῶν μὴ δοκεῖ ἐνδεῶς
λέγεσθαι; πολλὰς γὰρ δὴ ἔτι ἔχει ὑποψίας καὶ ἀντι-
λαβάς, εἴ γε δή τις αὐτὰ μέλλει ἱκανῶς διεξιέναι. εἰ 5
μὲν οὖν τι ἄλλο σκοπεῖσθον, οὐδὲν λέγω· εἰ δέ τι περὶ
τούτων ἀπορεῖτον, μηδὲν ἀποκνήσητε καὶ αὐτοὶ εἰπεῖν
D καὶ διελθεῖν, εἴ πη ὑμῖν φαίνεται βέλτιον ἂν λεχθῆναι,
καὶ αὖ καὶ ἐμὲ ξυμπαραλαβεῖν, εἴ τι μᾶλλον οἴεσθε
μετ᾽ ἐμοῦ εὐπορήσειν. καὶ ὁ Σιμμίας ἔφη· Καὶ μήν, 10
ὦ Σώκρατες, τἀληθῆ σοι ἐρῶ. πάλαι γὰρ ἡμῶν
ἑκάτερος ἀπορῶν τὸν ἕτερον προωθεῖ καὶ κελεύει ἐρέ-
σθαι διὰ τὸ ἐπιθυμεῖν μὲν ἀκοῦσαι, ὀκνεῖν δὲ ὄχλον
παρέχειν, μή σοι ἀηδὲς ᾖ διὰ τὴν παροῦσαν ξυμφοράν.
καὶ ὃς ἀκούσας ἐγέλασέ τε ἠρέμα καί φησι, Βαβαί, ὦ 15
Σιμμία· ἦ που χαλεπῶς ἂν τοὺς ἄλλους πείσαιμι
E ἀνθρώπους ὡς οὐ ξυμφορὰν ἡγοῦμαι τὴν παροῦσαν
τύχην, ὅτε γε μηδ᾽ ὑμᾶς δύναμαι πείθειν, ἀλλὰ φο-
βεῖσθε μὴ δυσκολώτερόν τι νῦν διάκειμαι ἢ ἐν τῷ
πρόσθεν βίῳ· καί, ὡς ἔοικε, τῶν κύκνων δοκῶ φαυλό- 20
τερος ὑμῖν εἶναι τὴν μαντικήν, οἳ ἐπειδὰν αἴσθωνται
ὅτι δεῖ αὐτοὺς ἀποθανεῖν, ᾄδοντες καὶ ἐν τῷ πρόσθεν
85 χρόνῳ, τότε δὴ πλεῖστα καὶ μάλιστα ᾄδουσι, γεγη-
θότες ὅτι μέλλουσι παρὰ τὸν θεὸν ἀπιέναι, οὗπέρ εἰσι
θεράποντες. οἱ δὲ ἄνθρωποι διὰ τὸ αὐτῶν δέος τοῦ 25
θανάτου καὶ τῶν κύκνων καταψεύδονται, καί φασιν
αὐτοὺς θρηνοῦντας τὸν θάνατον ὑπὸ λύπης ἐξᾴδειν,
καὶ οὐ λογίζονται ὅτι οὐδὲν ὄρνεον ᾄδει ὅταν πεινῇ
ἢ ῥιγοῖ ἤ τινα ἄλλην λύπην λυπῆται, οὐδὲ αὐτὴ ἥ τε

one ms.    4 λελέχθαι Bekk. Stallb. λέγεσθαι Herm. with Bodl.
m. pr.    6 δέ τι Bodl. : τι om. Bekk.    8 διεξελθεῖν Bekk. διελ-
θεῖν Bodl. m. pr.: see below 88 E.  βέλτιον ἂν λεχθῆναι Cobet cj.
Var. Lect. p. 100: this was already proposed by Heindorf. Ficinus
'si qua in parte putatis melius dici posse.' The mss. omit ἄν.

ἀηδὼν καὶ χελιδὼν καὶ ὁ ἔποψ, ἃ δή φασι διὰ λύπηι
θρηνοῦντα ᾄδειν· ἀλλ᾽ οὔτε ταῦτά μοι φαίνεται λυπού-
μενα ᾄδειν οὔτε οἱ κύκνοι, ἀλλ᾽ ἅτε, οἶμαι, τοῦ Ἀπόλ- B
λωνος ὄντες μαντικοί τέ εἰσι καὶ προειδότες τὰ ἐν
5 Ἅιδου ἀγαθὰ ᾄδουσι καὶ τέρπονται ἐκείνην τὴν ἡμέραν
διαφερόντως ἢ ἐν τῷ ἔμπροσθεν χρόνῳ. ἐγὼ δὲ καὶ
αὐτὸς ἡγοῦμαι ὁμόδουλός τε εἶναι τῶν κύκνων καὶ
ἱερὸς τοῦ αὐτοῦ θεοῦ, καὶ οὐ χεῖρον ἐκείνων τὴν μαντικὴν
ἔχειν παρὰ τοῦ δεσπότου, οὐδὲ δυσθυμότερον αὐτῶν
10 τοῦ βίου ἀπαλλάττεσθαι. ἀλλὰ τούτου γε ἕνεκα
λέγειν τε χρὴ καὶ ἐρωτᾶν ὅ,τι ἂν βούλησθε, ἕως ἂν οἱ
ἕνδεκα ἐῶσιν. Καλῶς, ἔφη, λέγεις, ὁ Σιμμίας· καὶ C
ἐγώ τέ σοι ἐρῶ ὃ ἀπορῶ, καὶ αὖ ὅδε, ᾗ οὐκ ἀποδέχεται
τὰ εἰρημένα. ἐμοὶ γὰρ δοκεῖ, ὦ Σώκρατες, περὶ τῶν
15 τοιούτων ἴσως ὥσπερ καὶ σοί, τὸ μὲν σαφὲς εἰδέναι
ἐν τῷ νῦν βίῳ ἢ ἀδύνατον εἶναι ἢ παγχάλεπόν τι, τὸ
μέντοι αὖ τὰ λεγόμενα περὶ αὐτῶν μὴ οὐχὶ παντὶ
τρόπῳ ἐλέγχειν καὶ μὴ προαφίστασθαι, πρὶν ἂν παντ-
αχῇ σκοπῶν ἀπείπῃ τις, πάνυ μαλθακοῦ εἶναι ἀνδρός·
20 δεῖν γὰρ περὶ αὐτὰ ἕν γέ τι τούτων διαπράξασθαι, ἢ
μαθεῖν ὅπῃ ἔχει ἢ εὑρεῖν ἤ, εἰ ταῦτα ἀδύνατον, τὸν
γοῦν βέλτιστον τῶν ἀνθρωπίνων λόγων λαβόντα καὶ
δυσεξελεγκτότατον, ἐπὶ τούτου ὀχούμενον ὥσπερ ἐπὶ D
σχεδίας κινδυνεύοντα διαπλεῦσαι τὸν βίον, εἰ μή τις
25 δύναιτο ἀσφαλέστερον καὶ ἀκινδυνότερον ἐπὶ βεβαιο-
τέρου ὀχήματος ἢ λόγου θείου τινὸς διαπορευθῆναι.
καὶ δὴ καὶ νῦν ἔγωγε οὐκ ἐπαισχυνθήσομαι ἐρέσθαι,

1 ἡ χελιδὼν Bekk. with only one ms.    5 ᾄδουσί τε καὶ τέρπ.
Bekk. τε om. Bodl. and many other mss.    8 χεῖρον the mss. χείρω
Herm. cj.    11 f. 'Quum in vetustis libris esset ΕΩΣΑΝΟΙΙΔΕΩΣΙΝ
id est ἕως ἂν οἱ ἕνδεκα ἐῶσιν, notae numerorum turbas dederunt,
ut saepe, et interpolando ineptam lectionem vulgatam homun-
ciones invenerunt.' Cobet, Nov. Lect. p. 230. ἕως ἂν οἱ Ἀθηναίων
ἐῶσιν ἄνδρες ἕνδεκα Bekk., but both ἂν and οἱ are om. in some
mss.: in fact οἱ is found in only one.  Herm. brackets both words,

ἐπειδὴ καὶ σὺ ταῦτα λέγεις, οὐδὲ ἐμαυτὸν αἰτιάσομαι
ἐν ὑστέρῳ χρόνῳ ὅτι νῦν οὐκ εἶπον ἃ ἐμοὶ δοκεῖ. ἐμοὶ
γάρ, ὦ Σώκρατες, ἐπειδὴ καὶ πρὸς ἐμαυτὸν καὶ πρὸς
τόνδε σκοπῶ τὰ εἰρημένα, οὐ πάνυ φαίνεται ἱκανῶς
εἰρῆσθαι.                                                        5

Ε   XXXVI. Καὶ ὁ Σωκράτης, Ἴσως γάρ, ἔφη, ὦ
ἑταῖρε, ἀληθῆ σοι φαίνεται· ἀλλὰ λέγε, ὅπῃ δὴ οὐχ
ἱκανῶς. Ταύτῃ ἔμοιγε, ἦ δ᾽ ὅς, ᾗ δὴ καὶ περὶ ἁρμονίας
ἄν τις καὶ λύρας τε καὶ χορδῶν τὸν αὐτὸν τοῦτον
λόγον εἴποι, ὡς ἡ μὲν ἁρμονία ἀόρατόν τι καὶ ἀσώ- 10
ματον καὶ πάγκαλόν τι καὶ θεῖόν ἐστιν ἐν τῇ ἡρμοσ-
86 μένῃ λύρᾳ, αὐτὴ δ᾽ ἡ λύρα καὶ αἱ χορδαὶ σώματά τε
καὶ σωματοειδῆ καὶ ξύνθετα καὶ γεώδη ἐστὶ καὶ τοῦ
θνητοῦ ξυγγενῆ. ἐπειδὰν οὖν ἢ κατάξῃ τις τὴν λύραν
ἢ διατέμῃ καὶ διαρρήξῃ τὰς χορδάς, εἴ τις διισχυρίζοιτο 15
τῷ αὐτῷ λόγῳ ὥσπερ σύ, ὡς ἀνάγκη ἔτι εἶναι τὴν
ἁρμονίαν ἐκείνην καὶ μὴ ἀπολωλέναι· οὐδεμία γὰρ
μηχανὴ ἂν εἴη τὴν μὲν λύραν ἔτι εἶναι διερρωγυιῶν
τῶν χορδῶν καὶ τὰς χορδὰς θνητοειδεῖς οὔσας, τὴν δὲ
ἁρμονίαν ἀπολωλέναι τὴν τοῦ θείου τε καὶ ἀθανάτου 20
Β ὁμοφυῆ τε καὶ ξυγγενῆ, προτέραν τοῦ θνητοῦ ἀπο-
λομένην· ἀλλὰ φαίη ἀνάγκη ἔτι που εἶναι αὐτὴν τὴν
ἁρμονίαν, καὶ πρότερον τὰ ξύλα καὶ τὰς χορδὰς κατα-
σαπήσεσθαι, πρίν τι ἐκείνην παθεῖν,—καὶ γὰρ οὖν, ὦ
Σώκρατες, οἶμαι ἔγωγε καὶ αὐτόν σε τοῦτο ἐντεθυ- 25
μῆσθαι, ὅτι τοιοῦτόν τι μάλιστα ὑπολαμβάνομεν τὴν
ψυχὴν εἶναι, ὥσπερ ἐντεταμένου τοῦ σώματος ἡμῶν
καὶ ξυνεχομένου ὑπὸ θερμοῦ καὶ ψυχροῦ καὶ ξηροῦ

Stallb. omits οἱ.   11 πάγκαλόν [τι] Bekk. but Stallb. justly
defends the iteration of τι.   15 διατέμῃ ἢ καὶ Bekk. with nine
mss., but ἢ om. Bodl.   18 μηχανὴ [ἂν] εἴη Bekk.: see exeg.
comm.   21 ὁμοφυᾶ Bekk. with one ms.: see below 89 D.
22 ὡς ἀνάγκη Bekk. Stallb. ὡς om. in the best mss. ἀνάγκη is
the reading of the Zürich editors, adopted by Herm.

καὶ ὑγροῦ καὶ τοιούτων τινῶν, κρᾶσιν εἶναι καὶ ἁρμο-
νίαν αὐτῶν τούτων τὴν ψυχὴν ἡμῶν, ἐπειδὰν ταῦτα C
καλῶς καὶ μετρίως κραθῇ πρὸς ἄλληλα. εἰ οὖν τυγ-
χάνει ἡ ψυχὴ οὖσα ἁρμονία τις, δῆλον ὅτι, ὅταν
5 χαλασθῇ τὸ σῶμα ἡμῶν ἀμέτρως ἢ ἐπιταθῇ ὑπὸ νόσων
καὶ ἄλλων κακῶν, τὴν μὲν ψυχὴν ἀνάγκη εὐθὺς
ὑπάρχει ἀπολωλέναι, καίπερ οὖσαν θειοτάτην, ὥσπερ
καὶ αἱ ἄλλαι ἁρμονίαι αἵ τ᾽ ἐν τοῖς φθόγγοις καὶ αἱ
ἐν τοῖς τῶν δημιουργῶν ἔργοις πᾶσι, τὰ δὲ λείψανα
10 τοῦ σώματος ἑκάστου πολὺν χρόνον παραμένειν, ἕως
ἂν ἢ κατακαυθῇ ἢ κατασαπῇ. ὅρα οὖν πρὸς τοῦτον D
τὸν λόγον τί φήσομεν, ἐάν τις ἀξιοῖ κρᾶσιν οὖσαν τὴν
ψυχὴν τῶν ἐν τῷ σώματι ἐν τῷ καλουμένῳ θανάτῳ
πρώτην ἀπόλλυσθαι.

15 XXXVII. Διαβλέψας οὖν ὁ Σωκράτης, ὥσπερ τὰ
πολλὰ εἰώθει, καὶ μειδιάσας, Δίκαια μέντοι, ἔφη, λέγει
ὁ Σιμμίας· εἰ οὖν τις ὑμῶν εὐπορώτερος ἐμοῦ, τί οὐκ
ἀπεκρίνατο; καὶ γὰρ οὐ φαύλως ἔοικεν ἁπτομένῳ τοῦ
λόγου. δοκεῖ μέντοι μοι χρῆναι πρὸ τῆς ἀποκρίσεως
20 ἔτι πρότερον Κέβητος ἀκοῦσαι, τί αὖ ὅδε ἐγκαλεῖ
τῷ λόγῳ, ἵνα χρόνου ἐγγενομένου βουλευσώμεθα τί Ε
ἐροῦμεν, ἔπειτα δὲ ἀκούσαντας ἢ ξυγχωρεῖν αὐτοῖς, ἐάν
τι δοκῶσι προσᾴδειν, ἐὰν δὲ μή, οὕτως ἤδη ὑπερδικεῖν
τοῦ λόγου. ἀλλ᾽ ἄγε, ἦ δ᾽ ὅς, ὦ Κέβης, λέγε, τί ἦν τὸ
25 σὲ αὖ θρᾶττον [ἀπιστίαν παρέχει]. Λέγω δή, ἦ δ᾽ ὃς
ὁ Κέβης. ἐμοὶ γὰρ φαίνεται ἔτι ἐν τῷ αὐτῷ ὁ λόγος
εἶναι, καί, ὅπερ ἐν τοῖς ἔμπροσθεν ἐλέγομεν, ταὐτὸν 87
ἔγκλημα ἔχειν. ὅτι μὲν γὰρ ἦν ἡμῶν ἡ ψυχὴ καὶ πρὶν
εἰς τόδε τὸ εἶδος ἐλθεῖν, οὐκ ἀνατίθεμαι μὴ οὐχὶ πάνυ

---

22 ἔπειτα δέ Bodl. and other mss. δέ om. ten mss. Bekk. Stallb.
24 f. τὸ σὲ Bodl. and nearly all mss. ὃ σὲ Bekk. Stallb. with one ms.
and corr. II. The words ἀπιστίαν παρέχει are considered spurious
by Herm. and Cobet, Nov. Lect. p. 655. 29 ἀνατίθεμαι Bekk.

χαριέντως καί, εἰ μὴ ἐπαχθές ἐστιν εἰπεῖν, πάνυ ἱκα
νῶς ἀποδεδεῖχθαι· ὡς δὲ καὶ ἀποθανόντων ἡμῶν ἔτι
που ἔσται, οὔ μοι δοκεῖ τῇδε. ὡς μὲν οὐκ ἰσχυρότερον
καὶ πολυχρονιώτερον ψυχὴ σώματος, οὐ ξυγχωρῶ τῇ
Σιμμίου ἀντιλήψει· δοκεῖ γάρ μοι πᾶσι τούτοις πάνυ 5
πολὺ διαφέρειν. τί οὖν, ἂν φαίη ὁ λόγος, ἔτι ἀπιστεῖς,
ἐπειδή γε ὁρᾷς ἀποθανόντος τοῦ ἀνθρώπου τό γε
B ἀσθενέστερον ἔτι ὄν; τὸ δὲ πολυχρονιώτερον οὐ δοκεῖ
σοι ἀναγκαῖον εἶναι ἔτι σώζεσθαι ἐν τούτῳ τῷ χρόνῳ;
πρὸς δὴ τοῦτο τόδε ἐπίσκεψαι, εἴ τι λέγω· εἰκόνος 10
γάρ τινος, ὡς ἔοικε, κἀγὼ ὥσπερ Σιμμίας δέομαι. ἐμοὶ
γὰρ δοκεῖ ὁμοίως λέγεσθαι ταῦτα, ὥσπερ ἄν τις περὶ
ἀνθρώπου ὑφάντου πρεσβύτου ἀποθανόντος λέγοι
τοῦτον τὸν λόγον, ὅτι οὐκ ἀπόλωλεν ὁ ἄνθρωπος ἀλλ᾽
ἔστι που ἴσως, τεκμήριον δὲ παρέχοιτο θοἰμάτιον ὃ 15
ἠμπείχετο αὐτὸς ὑφηνάμενος, ὅτι ἐστὶ σῶν καὶ οὐκ
ἀπόλωλε, καὶ εἴ τις ἀπιστοῖ αὐτῷ, ἀνερωτῴη πότερον
C πολυχρονιώτερόν ἐστι τὸ γένος ἀνθρώπου ἢ ἱματίου
ἐν χρείᾳ τε ὄντος καὶ φορουμένου, ἀποκριναμένου δέ τινος
ὅτι πολὺ τὸ τοῦ ἀνθρώπου, οἴοιτο ἀποδεδεῖχθαι ὅτι 20
παντὸς ἄρα μᾶλλον ὅ γε ἄνθρωπος σῶς ἐστίν, ἐπειδὴ
τό γε ὀλιγοχρονιώτερον οὐκ ἀπόλωλε. τὸ δ᾽, οἶμαι, ὦ
Σιμμία, οὐχ οὕτως ἔχει· σκόπει γὰρ καὶ σὺ ἃ λέγω.
πᾶς γὰρ ἂν ὑπολάβοι ὅτι εὔηθες λέγει ὁ τοῦτο λέγων·
ὁ γὰρ ὑφάντης οὗτος πολλὰ κατατρίψας τοιαῦτα ἱμάτια 25
καὶ ὑφηνάμενος ἐκείνων μὲν ὕστερος ἀπόλωλε πολλῶν
D ὄντων, τοῦ δὲ τελευταίου, οἶμαι, πρότερος, καὶ οὐδέν
τι μᾶλλον τούτου ἕνεκα ἄνθρωπός ἐστιν ἱματίου φαυ
λότερον οὐδ᾽ ἀσθενέστερον. τὴν αὐτὴν δὲ ταύτην, οἶμαι,
εἰκόνα δέξαιτ᾽ ἂν ψυχὴ πρὸς σῶμα, καί τις λέγων αὐτὰ 30

from Olympiodorus, ἀντιτίθεμαι the mss.    3 ἔσται Bodl.  ἔστιν
Bekk. with the majority of the mss.    10 εἰ τὶ λέγω Herm.
15 ἴσως the mss. Bekk. Stallb.    σῶς Herm. from a conj. by Forster.

ταῦτα περὶ αὐτῶν μέτρι' ἄν μοι φαίνοιτο λέγειν, ὡς ἡ
μὲν ψυχὴ πολυχρόνιόν ἐστι, τὸ δὲ σῶμα ἀσθενέστερον
καὶ ὀλιγοχρονιώτερον· ἀλλὰ γὰρ ἂν φαίη ἑκάστην
τῶν ψυχῶν πολλὰ σώματα κατατρίβειν, ἄλλως τε
5 καὶ εἰ πολλὰ ἔτη βιώη· εἰ γὰρ ῥέοι τὸ σῶμα καὶ
ἀπολλύοιτο ἔτι ζῶντος τοῦ ἀνθρώπου, ἀλλ' ἡ ψυχὴ
ἀεὶ τὸ κατατριβόμενον ἀνυφαίνοι, ἀναγκαῖον μέντ' ἂν E
εἴη, ὁπότε ἀπολλύοιτο ἡ ψυχή, τὸ τελευταῖον ὕφασμα
τυχεῖν αὐτὴν ἔχουσαν καὶ τούτου μόνου προτέραν
10 ἀπόλλυσθαι, ἀπολομένης δὲ τῆς ψυχῆς τότ' ἤδη τὴν
φύσιν τῆς ἀσθενείας ἐπιδεικνύοι τὸ σῶμα καὶ ταχὺ
σαπὲν διοίχοιτο. ὥστε τούτῳ τῷ λόγῳ οὔπω ἄξιον
πιστεύσαντα θαρρεῖν, ὡς, ἐπειδὰν ἀποθάνωμεν, ἔτι
που ἡμῶν ἡ ψυχὴ ἔστιν. εἰ γάρ τις καὶ πλέον ἔτι 88
15 τῷ λέγοντι ἢ ἃ σὺ λέγεις ξυγχωρήσειε, δοὺς αὐτῷ μὴ
μόνον ἐν τῷ πρὶν καὶ γενέσθαι ἡμᾶς χρόνῳ εἶναι ἡμῶν
τὰς ψυχάς, ἀλλὰ μηδὲν κωλύειν καὶ ἐπειδὰν ἀποθά-
νωμεν ἐνίων ἔτι εἶναι καὶ ἔσεσθαι καὶ πολλάκις γενή-
σεσθαι καὶ ἀποθανεῖσθαι αὖθις· οὕτω γὰρ αὐτὸ φύσει
20 ἰσχυρὸν εἶναι, ὥστε πολλάκις γιγνομένην ψυχὴν ἀντ-
έχειν· δοὺς δὲ ταῦτα ἐκεῖνο μηκέτι συγχωροῖ, μὴ οὐ
πονεῖν αὐτὴν ἐν ταῖς πολλαῖς γενέσεσι καὶ τελευτῶσάν
γε ἔν τινι τῶν θανάτων παντάπασιν ἀπόλλυσθαι·
τοῦτον δὲ τὸν θάνατον καὶ ταύτην τὴν διάλυσιν τοῦ B
25 σώματος, ἢ τῇ ψυχῇ φέρει ὄλεθρον, μηδένα φαίη εἰδέ-
ναι· ἀδύνατον γὰρ εἶναι ὁτῳοῦν αἰσθάνεσθαι ἡμῶν· εἰ
δὲ τοῦτο οὕτως ἔχει, οὐδενὶ προσήκει θάνατον θαρ-
ροῦντι μὴ οὐκ ἀνοήτως θαρρεῖν, ὃς ἂν μὴ ἔχῃ ἀποδεῖ-
ξαι ὅτι ἔστι ψυχὴ παντάπασιν ἀθάνατόν τε καὶ ἀνώ-
30 λεθρον· εἰ δὲ μή, ἀνάγκην εἶναι ἀεὶ τὸν μέλλοντα

17 τὰς ψυχὰς Bodl. ΠΥ (Stallb. Herm.).   τὴν ψυχὴν Bekk.
21 συγχωροῖ most mss.   συγχωροίη Bekk. with only one ms.

ἀποθανεῖσθαι δεδιέναι ὑπὲρ τῆς αὑτοῦ ψυχῆς, μὴ ἐν
τῇ νῦν τοῦ σώματος διαζεύξει παντάπασιν ἀπόληται.

XXXVIII. Πάντες οὖν ἀκούσαντες εἰπόντων αὐ-
C τῶν ἀηδῶς διετέθημεν, ὡς ὕστερον ἐλέγομεν πρὸς ἀλλ-
ήλους, ὅτι ὑπὸ τοῦ ἔμπροσθεν λόγου σφόδρα πεπει- 5
σμένους ἡμᾶς πάλιν ἐδόκουν ἀναταράξαι καὶ εἰς ἀπι-
στίαν καταβαλεῖν οὐ μόνον τοῖς προειρημένοις λόγοις,
ἀλλὰ καὶ εἰς τὰ ὕστερον μέλλοντα ῥηθήσεσθαι, μὴ
οὐδενὸς ἄξιοι εἶμεν κριταὶ ἢ καὶ τὰ πράγματα αὐτὰ
ἄπιστα ᾖ. 10

ΕΧ. Νὴ τοὺς θεούς, ὦ Φαίδων, συγγνώμην γε
ἔχω ὑμῖν. καὶ γὰρ αὐτόν με νῦν ἀκούσαντά σου τοιοῦ-
τόν τι λέγειν πρὸς ἐμαυτὸν ἐπέρχεται· τίνι οὖν ἔτι
D πιστεύσομεν λόγῳ; ὡς γὰρ σφόδρα πιθανὸς ὤν, ὃν ὁ
Σωκράτης ἔλεγε λόγον, νῦν εἰς ἀπιστίαν καταπέπτωκε. 15
θαυμαστῶς γάρ μου ὁ λόγος οὗτος ἀντιλαμβάνεται καὶ
νῦν καὶ ἀεί, τὸ ἁρμονίαν τινὰ ἡμῶν εἶναι τὴν ψυχήν,
καὶ ὥσπερ ὑπέμνησέ με ῥηθεὶς ὅτι καὶ αὐτῷ μοι ταῦτα
προὐδέδοκτο· καὶ πάνυ δέομαι πάλιν ὥσπερ ἐξ ἀρχῆς
ἄλλου τινὸς λόγου, ὅς με πείσει ὡς τοῦ ἀποθανόντος 20
οὐ συναποθνήσκει ἡ ψυχή. λέγε οὖν πρὸς Διός, πῇ
ὁ Σωκράτης μετῆλθε τὸν λόγον; καὶ πότερον κἀκεῖνος,
E ὥσπερ ὑμᾶς φής, ἔνδηλός τι ἐγένετο ἀχθόμενος ἢ οὔ,
ἀλλὰ πρᾴως ἐβοήθει τῷ λόγῳ; καὶ ἱκανῶς ἐβοήθησεν
ἢ ἐνδεῶς; πάντα ἡμῖν δίελθε ὡς δύνασαι ἀκριβέστατα. 25

ΦΑΙΔ. Καὶ μήν, ὦ Ἐχέκρατες, πολλάκις θαυ-
μάσας Σωκράτη οὐ πώποτε μᾶλλον ἠγάσθην ἢ τότε
89 παραγενόμενος. τὸ μὲν οὖν ἔχειν ὅ,τι λέγοι ἐκεῖνος
ἴσως οὐδὲν ἄτοπον· ἀλλ' ἔγωγε μάλιστα ἐθαύμασα
αὐτοῦ πρῶτον μὲν τοῦτο, ὡς ἡδέως καὶ εὐμενῶς καὶ 30
ἀγαμένως τῶν νεανίσκων τὸν λόγον ἀπεδέξατο, ἔπειτα

10 ᾖ the mss. (Stallb. Her.) εἴη Heindorf cj. (Bekk.)

ἡμῶν ὡς ὀξέως ᾔσθετο ὃ πεπόνθειμεν ὑπὸ τῶν λόγων,
ἔπειτα ὡς εὖ ἡμᾶς ἰάσατο καὶ ὥσπερ πεφευγότας καὶ
ἡττημένους ἀνεκαλέσατο καὶ προὔτρεψε πρὸς τὸ παρέ-
πεσθαί τε καὶ ξυσκοπεῖν τὸν λόγον.

5 ΕΧ. Πῶς δή;

ΦΑΙΔ. Ἐγὼ ἐρῶ. ἔτυχον γὰρ ἐν δεξιᾷ αὐτοῦ
καθήμενος παρὰ τὴν κλίνην ἐπὶ χαμαιζήλου τινός, ὁ δὲ B
ἐπὶ πολὺ ὑψηλοτέρου ἢ ἐγώ. καταψήσας οὖν μου τὴν
κεφαλὴν καὶ ξυμπιέσας τὰς ἐπὶ τῷ αὐχένι τρίχας—
10 εἰώθει γάρ, ὁπότε τύχοι, παίζειν μου εἰς τὰς τρίχας—
Αὔριον δή, ἔφη, ἴσως, ὦ Φαίδων, τὰς καλὰς ταύτας
κόμας ἀποκερεῖ. Ἔοικεν, ἦν δ᾽ ἐγώ, ὦ Σώκρατες. Οὔκ,
ἄν γε ἐμοὶ πείθῃ. Ἀλλὰ τί; ἦν δ᾽ ἐγώ. Τήμερον,
ἔφη, κἀγὼ τὰς ἐμὰς καὶ σὺ ταύτας, ἐάνπερ γε ἡμῖν
15 ὁ λόγος τελευτήσῃ καὶ μὴ δυνώμεθα αὐτὸν ἀναβιώ-
σασθαι. καὶ ἔγωγ᾽ ἄν, εἰ σὺ εἴην καί με διαφεύγοι ὁ C
λόγος, ἔνορκον ἂν ποιησαίμην ὥσπερ Ἀργεῖοι, μὴ
πρότερον κομήσειν, πρὶν ἂν νικήσω ἀναμαχόμενος τὸν
Σιμμίου τε καὶ Κέβητος λόγον. Ἀλλ᾽, ἦν δ᾽ ἐγώ,
20 πρὸς δύο λέγεται οὐδ᾽ Ἡρακλῆς οἷός τε εἶναι. Ἀλλὰ
καὶ ἐμέ, ἔφη, τὸν Ἰόλεων παρακάλει, ἕως ἔτι φῶς
ἐστίν. Παρακαλῶ τοίνυν, ἔφην, οὐχ ὡς Ἡρακλῆς,
ἀλλ᾽ ὡς Ἰόλεως [τὸν Ἡρακλῆ]. Οὐδὲν διοίσει, ἔφη.

XXXIX. Ἀλλὰ πρῶτον εὐλαβηθῶμέν τι πάθος
25 μὴ πάθωμεν. Τὸ ποῖον; ἦν δ᾽ ἐγώ. Μὴ γενώμεθα,
ἦ δ᾽ ὅς, μισόλογοι, ὥσπερ οἱ μισάνθρωποι γιγνόμενοι· D
ὡς οὐκ ἔστιν, ἔφη, ὅ,τι ἄν τις μεῖζον τούτου κακὸν
πάθοι ἢ λόγους μισήσας. γίγνεται δὲ ἐκ τοῦ αὐτοῦ

16 διαφεύγοι Bodl. m. pr.   ΠΥ, διαφύγοι Bekk. with the other
mss.   20 πρὸς δύο οὐδ᾽ ὁ Ἡρακλῆς λέγεται Bekk.: but λέγεται
is placed before οὐδ᾽ in the Bodl. and three other mss., nor is ὁ
in the Bodl.   23 τὸν Ἡρακλῆ bracketed by Cobet, Nov. Lect.
p. 641: 'nam praeterquam quod inficetum est emblema, Graeculus
utitur vitiosa forma sequiorum τὸν Ἡρακλῆ, quum veteres constan-

τρόπου μισολογία τε καὶ μισανθρωπία. ἥ τε γὰρ
μισανθρωπία ἐνδύεται ἐκ τοῦ σφόδρα τινὶ πιστεῦσαι
ἄνευ τέχνης, καὶ ἡγήσασθαι παντάπασί γε ἀληθῆ
εἶναι καὶ ὑγιῆ καὶ πιστὸν τὸν ἄνθρωπον, ἔπειτα ὀλίγον
ὕστερον εὑρεῖν τοῦτον πονηρόν τε καὶ ἄπιστον καὶ 5
αὖθις ἕτερον· καὶ ὅταν τοῦτο πολλάκις πάθῃ τις, καὶ
ὑπὸ τούτων μάλιστα οὓς ἂν ἡγήσαιτο οἰκειοτάτους τε
Ε καὶ ἑταιροτάτους, τελευτῶν δὴ θαμὰ προσκρούων μισεῖ
τε πάντας καὶ ἡγεῖται οὐδενὸς οὐδὲν ὑγιὲς εἶναι τὸ
παράπαν. ἢ οὐκ ᾔσθησαι σὺ τοῦτο γιγνόμενον; Πάνυ 10
γε, ἦν δ' ἐγώ. Οὐκοῦν, ἦ δ' ὅς, αἰσχρόν, καὶ δῆλον
ὅτι ἄνευ τέχνης τῆς περὶ τἀνθρώπεια ὁ τοιοῦτος
χρῆσθαι ἐπιχειρεῖ τοῖς ἀνθρώποις; εἰ γάρ που μετὰ
τέχνης ἐχρῆτο, ὥσπερ ἔχει, οὕτως ἂν ἡγήσατο, τοὺς
90 μὲν χρηστοὺς καὶ πονηροὺς σφόδρα ὀλίγους εἶναι 15
ἑκατέρους, τοὺς δὲ μεταξὺ πλείστους. Πῶς λέγεις;
ἔφην ἐγώ. Ὥσπερ, ἦ δ' ὅς, περὶ τῶν σφόδρα σμικρῶν
καὶ μεγάλων· οἴει τι σπανιώτερον εἶναι ἢ σφόδρα μέγαν
ἢ σφόδρα σμικρὸν ἐξευρεῖν ἄνθρωπον ἢ κύνα ἢ ἄλλο
ὁτιοῦν; ἢ αὖ ταχὺν ἢ βραδύν, ἢ αἰσχρὸν ἢ καλόν, ἢ 20
λευκὸν ἢ μέλανα; ἢ οὐκ ᾔσθησαι ὅτι πάντων τῶν
τοιούτων τὰ μὲν ἄκρα τῶν ἐσχάτων σπάνια καὶ ὀλίγα,
τὰ δὲ μεταξὺ ἄφθονα καὶ πολλά; Πάνυ γε, ἦν δ' ἐγώ.
Β Οὐκοῦν οἴει, ἔφη, εἰ πονηρίας ἀγὼν προτεθείη, πάνυ
ἂν ὀλίγους καὶ ἐνταῦθα τοὺς πρώτους φανῆναι; Εἰκός 25
γε, ἦν δ' ἐγώ. Εἰκὸς γάρ, ἔφη· ἀλλὰ ταύτῃ μὲν οὐχ
ὅμοιοι οἱ λόγοι τοῖς ἀνθρώποις, ἀλλὰ σοῦ νῦν δὴ
προάγοντος ἐγὼ ἐφεσπόμην, ἀλλ' ἐκείνῃ ᾗ, ἐπειδάν τις
πιστεύσῃ λόγῳ τινὶ ἀληθεῖ εἶναι ἄνευ τῆς περὶ τοὺς

ter τὸν Ἡρακλέα dixissent.'  10 οὕτω Bekk. Stallb. σὺ Bodl. ΞΤ pr.
Π.    17 ἔφην ἐγώ Bodl. ΞΠΤ (Herm ) ἦν δ' ἐγώ Bekk. Stallb.
20 ἢ αἰσχρὸν ἢ καλόν Bodl. ἢ καλὸν ἢ αἰσχρόν Bekk.  28 ἀνθρώ-
ποις εἰσίν Bekk. Stallb. εἰσίν om. Bodl. and other mss. (Herm.)

4—2

λόγους τέχνης, κἄπειτα ὀλίγον ὕστερον αὐτῷ δόξῃ
ψευδὴς εἶναι, ἐνίοτε μὲν ὤν, ἐνίοτε δ᾽ οὐκ ὤν, καὶ αὖθις
ἕτερος καὶ ἕτερος· καὶ μάλιστα δὴ οἱ περὶ τοὺς ἀντιλογι-
κοὺς λόγους διατρίψαντες οἶσθ᾽ ὅτι τελευτῶντες οἴονται C
5 σοφώτατοι γεγονέναι τε καὶ κατανενοηκέναι μόνοι ὅτι
οὔτε τῶν πραγμάτων οὐδενὸς οὐδὲν ὑγιὲς οὐδὲ βέβαιον
οὔτε τῶν λόγων, ἀλλὰ πάντα τὰ ὄντα ἀτεχνῶς ὥσπερ
ἐν Εὐρίπῳ ἄνω καὶ κάτω στρέφεται καὶ χρόνον οὐδένα
ἐν οὐδενὶ μένει. Πάνυ μὲν οὖν, ἔφην ἐγώ, ἀληθῆ λέγεις.
10 Οὐκοῦν, ὦ Φαίδων, ἔφη, οἰκτρὸν ἂν εἴη τὸ πάθος, εἰ
ὄντος δή τινος ἀληθοῦς καὶ βεβαίου λόγου καὶ δυνατοῦ
κατανοῆσαι, ἔπειτα διὰ τὸ παραγίγνεσθαι τοιούτοις D
τισὶ λόγοις τοῖς αὐτοῖς τοτὲ μὲν δοκοῦσιν ἀληθέσιν
εἶναι, τοτὲ δὲ μή, μὴ ἑαυτόν τις αἰτιῷτο μηδὲ τὴν
15 ἑαυτοῦ ἀτεχνίαν, ἀλλὰ τελευτῶν διὰ τὸ ἀλγεῖν ἄσμενος
ἐπὶ τοὺς λόγους ἀφ᾽ ἑαυτοῦ τὴν αἰτίαν ἀπώσαιτο καὶ
ἤδη τὸν λοιπὸν βίον μισῶν τε καὶ λοιδορῶν [τοὺς
λόγους] διατελοῖ, τῶν δὲ ὄντων τῆς ἀληθείας τε καὶ ἐπι-
στήμης στερηθείη. Νὴ τὸν Δία, ἦν δ᾽ ἐγώ, οἰκτρὸν δῆτα.
20   XL. Πρῶτον μὲν τοίνυν, ἔφη, τοῦτο εὐλαβη-
θῶμεν, καὶ μὴ παριῶμεν εἰς τὴν ψυχήν, ὡς τῶν λόγων E
κινδυνεύει οὐδὲν ὑγιὲς εἶναι, ἀλλὰ πολὺ μᾶλλον ὅτι
ἡμεῖς οὔπω ὑγιῶς ἔχομεν, ἀλλ᾽ ἀνδριστέον καὶ προθυ-
μητέον ὑγιῶς ἔχειν, σοὶ μὲν οὖν καὶ τοῖς ἄλλοις καὶ
25 τοῦ ἔπειτα βίου παντὸς ἕνεκα, ἐμοὶ δὲ αὐτοῦ ἕνεκα τοῦ
θανάτου· ὡς κινδυνεύω ἔγωγε ἐν τῷ παρόντι περὶ 91
αὐτοῦ τούτου οὐ φιλοσόφως ἔχειν, ἀλλ᾽ ὥσπερ οἱ
πάνυ ἀπαίδευτοι φιλονείκως. καὶ γὰρ ἐκεῖνοι ὅταν
περί του ἀμφισβητῶσιν, ὅπῃ μὲν ἔχει περὶ ὧν ἂν ὁ
λόγος ᾖ οὐ φροντίζουσιν, ὅπως δὲ ἃ αὐτοὶ ἔθεντο

5 γεγονέναι καὶ Bekk. against the Bodl.       17 [τοὺς λόγους]
bracketed by Herm., om. pr. Bodl. II.       29 ἀμφισβητήσωσιν
Bekk. with inferior mss. against the Bodl.

ταῦτα δόξει τοῖς παροῦσι, τοῦτο προθυμοῦνται. καὶ
ἐγώ μοι δοκῶ ἐν τῷ παρόντι τοσοῦτον μόνον ἐκείνων
διοίσειν· οὐ γὰρ ὅπως τοῖς παροῦσιν ἃ ἐγὼ λέγω δόξει
ἀληθῆ εἶναι προθυμηθήσομαι, εἰ μὴ εἴη πάρεργον,
B ἀλλ᾽ ὅπως αὐτῷ ἐμοὶ ὅ,τι μάλιστα δόξει οὕτως ἔχειν. 5
λογίζομαι γάρ, ὦ φίλε ἑταῖρε, θέασαι ὡς πλεονεκτικῶς·
εἰ μὲν τυγχάνει ἀληθῆ ὄντα ἃ ἐγὼ λέγω, καλῶς δὴ
ἔχει τὸ πεισθῆναι· εἰ δὲ μηδέν ἐστι τελευτήσαντι,
ἀλλ᾽ οὖν τοῦτόν γε τὸν χρόνον αὐτὸν τὸν πρὸ τοῦ
θανάτου ἧττον τοῖς παροῦσιν ἀηδὴς ἔσομαι ὀδυρό- 10
μενος. ἡ δὲ ἄγνοιά μοι αὕτη οὐ ξυνδιατελεῖ, κακὸν
γὰρ ἂν ἦν, ἀλλ᾽ ὀλίγον ὕστερον ἀπολεῖται. παρε-
σκευασμένος δή, ἔφη, ὦ Σιμμία τε καὶ Κέβης, οὑτωσὶ
ἔρχομαι ἐπὶ τὸν λόγον· ὑμεῖς μέντοι, ἂν ἐμοὶ πείθησθε,
C σμικρὸν φροντίσαντες Σωκράτους, τῆς δὲ ἀληθείας 15
πολὺ μᾶλλον, ἐὰν μέν τι ὑμῖν δοκῶ ἀληθὲς λέγειν,
ξυνομολογήσατε, εἰ δὲ μή, παντὶ λόγῳ ἀντιτείνετε,
εὐλαβούμενοι ὅπως μὴ ἐγὼ ὑπὸ προθυμίας ἅμα ἑαυτόν
τε καὶ ὑμᾶς ἐξαπατήσας ὥσπερ μέλιττα τὸ κέντρον
ἐγκαταλιπὼν οἰχήσομαι. 20

XLI. Ἀλλ᾽ ἰτέον, ἔφη. πρῶτόν με ὑπομνήσατε
ἃ ἐλέγετε, ἐὰν μὴ φαίνωμαι μεμνημένος. Σιμμίας μὲν
γάρ, ὡς ἐγῷμαι, ἀπιστεῖ τε καὶ φοβεῖται μὴ ἡ ψυχὴ
ὅμως καὶ θειότερον καὶ κάλλιον ὂν τοῦ σώματος
D προαπολλύηται ἐν ἁρμονίας εἴδει οὖσα· Κέβης δέ μοι 25
ἔδοξε τοῦτο μὲν ἐμοὶ ξυγχωρεῖν, πολυχρονιώτερόν γε
εἶναι ψυχὴν σώματος, ἀλλὰ τόδε ἄδηλον παντί, μὴ
πολλὰ δὴ σώματα καὶ πολλάκις κατατρίψασα ἡ

---

4 προθυμήσομαι Bekk. against the Bodl. and other good
mss.    6 καὶ θέασαι Bekk. καί om. Bodl. pr. m. and many other
mss. 7 ἃ ἐγὼ λέγω Bodl. (?) ἐγὼ om. Bekk. Stallb. with most mss.
13 παρεσκευασμένος μὲν Bekk. om. Bodl. m. pr. and four
other mss.    18 ἑαυτόν all mss. : ἐμαυτόν Bekk.    21 με
Bodl. μέν με four mss. followed by Bekk.

ψυχὴ τὸ τελευταῖον σῶμα καταλιποῦσα νῦν αὐτὴ
ἀπολλύηται, καὶ ᾖ αὐτὸ τοῦτο θάνατος, ψυχῆς ὄλεθρος,
ἐπεὶ σῶμά γ᾽ ἀεὶ ἀπολλύμενον οὐδὲν παύεται. ἆρα
ἀλλ᾽ ἢ ταῦτ᾽ ἐστίν, ὦ Σιμμία τε καὶ Κέβης, ἃ δεῖ
5 ἡμᾶς ἐπισκοπεῖσθαι; Ξυνωμολογείτην δὴ ταῦτ᾽ εἶναι E
ἄμφω. Πότερον οὖν, ἔφη, πάντας τοὺς ἔμπροσθεν
λόγους οὐκ ἀποδέχεσθε, ἢ τοὺς μέν, τοὺς δ᾽ οὔ; Τοὺς
μέν, ἐφάτην, τοὺς δ᾽ οὔ. Τί οὖν, ἦ δ᾽ ὅς, περὶ ἐκείνου
τοῦ λόγου λέγετε, ἐν ᾧ ἔφαμεν τὴν μάθησιν ἀνάμνησιν
10 εἶναι, καὶ τούτου οὕτως ἔχοντος ἀναγκαίως ἔχειν
ἄλλοθί που πρότερον ἡμῶν εἶναι τὴν ψυχήν, πρὶν ἐν 92
τῷ σώματι ἐνδεθῆναι; Ἐγὼ μέν, ἔφη ὁ Κέβης, καὶ
τότε θαυμαστῶς ὡς ἐπείσθην ὑπ᾽ αὐτοῦ καὶ νῦν
ἐμμένω ὡς οὐδενὶ λόγῳ. Καὶ μήν, ἔφη ὁ Σιμμίας,
15 καὶ αὐτὸς οὕτως ἔχω, καὶ πάνυ ἂν θαυμάζοιμι, εἴ μοι
περί γε τούτου ἄλλο ποτὲ δόξειεν. καὶ ὁ Σωκράτης,
Ἀλλ᾽ ἀνάγκη σοι, ἔφη, ὦ ξένε Θηβαῖε, ἄλλα δόξαι,
ἐάνπερ μείνῃ ἥδε ἡ οἴησις, τὸ ἁρμονίαν μὲν εἶναι
ξύνθετον πρᾶγμα, ψυχὴν δὲ ἁρμονίαν τινὰ ἐκ τῶν
20 κατὰ τὸ σῶμα ἐντεταμένων ξυγκεῖσθαι. οὐ γάρ που
ἀποδέξει γε σαυτοῦ λέγοντος, ὡς πρότερον ἦν ἁρμονία B
ξυγκειμένη, πρὶν ἐκεῖνα εἶναι ἐξ ὧν ἔδει αὐτὴν ξυντε-
θῆναι· ἢ ἀποδέξει; Οὐδαμῶς, ἔφη, ὦ Σώκρατες. Αἰ-
σθάνει οὖν, ἦ δ᾽ ὅς, ὅτι ταῦτά σοι ξυμβαίνει λέγειν,
25 ὅταν φῇς μὲν εἶναι τὴν ψυχὴν πρὶν καὶ εἰς ἀνθρώπου
εἶδός τε καὶ σῶμα ἀφικέσθαι, εἶναι δ᾽ αὐτὴν ξυγκει-
μένην ἐκ τῶν οὐδέπω ὄντων; οὐ γὰρ δὴ ἁρμονία γέ
σοι τοιοῦτόν ἐστιν ᾧ ἀπεικάζεις, ἀλλὰ πρότερον καὶ
ἡ λύρα καὶ αἱ χορδαὶ καὶ οἱ φθόγγοι ἔτι ἀνάρμοστοι

---

6 ἔμπροσθε Bekk.    16 ἄλλο Bodl. ἄλλα Bekk. with two
mss. After ποτὲ Bekk. and Stallb. add also ἔτι, but this is om.
in the Bodl. and other good mss.

C ὄντες γίγνονται, τελευταῖον δὲ πάντων ξυνίσταται ἡ
ἁρμονία καὶ πρῶτον ἀπόλλυται. οὗτος οὖν σοι ὁ
λόγος ἐκείνῳ πῶς ξυνᾴσεται; Οὐδαμῶς, ἔφη ὁ Σιμμίας.
Καὶ μήν, ἦ δ' ὅς, πρέπει γε εἴπερ τῳ ἄλλῳ λόγῳ
ξυνῳδῷ εἶναι καὶ τῷ περὶ ἁρμονίας. Πρέπει γάρ, ἔφη 5
ὁ Σιμμίας. Οὗτος τοίνυν, ἔφη, σοὶ οὐ ξυνῳδός, ἀλλ'
ὅρα· πότερον αἱρεῖ τῶν λόγων, τὴν μάθησιν ἀνάμνησιν
εἶναι ἢ ψυχὴν ἁρμονίαν; Πολὺ μᾶλλον, ἔφη, ἐκεῖνον,
ὦ Σώκρατες. ὅδε μὲν γάρ μοι γέγονεν ἄνευ ἀπο-
D δείξεως μετὰ εἰκότος τινὸς καὶ εὐπρεπείας, ὅθεν καὶ 10
τοῖς πολλοῖς δοκεῖ ἀνθρώποις· ἐγὼ δὲ τοῖς διὰ τῶν
εἰκότων τὰς ἀποδείξεις ποιουμένοις λόγοις ξύνοιδα
οὖσιν ἀλαζόσι, καὶ ἄν τις αὐτοὺς μὴ φυλάττηται, εὖ
μάλα ἐξαπατῶσι, καὶ ἐν γεωμετρίᾳ καὶ ἐν τοῖς ἄλλοις
ἅπασιν. ὁ δὲ περὶ τῆς ἀναμνήσεως καὶ μαθήσεως 15
λόγος δι' ὑποθέσεως ἀξίας ἀποδέξασθαι εἴρηται. ἐρ-
ρήθη γάρ που οὕτως ἡμῶν εἶναι ἡ ψυχὴ καὶ πρὶν εἰς
σῶμα ἀφικέσθαι, ὥσπερ αὐτῆς ἔστιν ἡ οὐσία ἔχουσα
τὴν ἐπωνυμίαν τὴν τοῦ ὃ ἔστιν. ἐγὼ δὲ ταύτην, ὡς
E ἐμαυτὸν πείθω, ἱκανῶς τε καὶ ὀρθῶς ἀποδέδεγμαι. 20
ἀνάγκη οὖν μοι, ὡς ἔοικε, διὰ ταῦτα μήτε ἐμαυτοῦ
μήτε ἄλλου ἀποδέχεσθαι λέγοντος ὡς ψυχή ἐστιν
ἁρμονία.

XLII. Τί δέ, ἦ δ' ἵς, ὦ Σιμμία, τῇδε; δοκεῖ σοι
ἁρμονίᾳ ἢ ἄλλῃ τινὶ συνθέσει προσήκειν ἄλλως πως 25
ἔχειν ἢ ὡς ἂν ἐκεῖνα ἔχῃ ἐξ ὧν ἂν ξυγκέηται; Οὐδα-
93 μῶς. Οὐδὲ μὴν ποιεῖν τι, ὡς ἐγᾦμαι, οὐδέ τι πάσχειν
ἄλλο παρ' ἃ ἂν ἐκεῖνα ἢ ποιῇ ἢ πάσχῃ; Ξυνέφη.
Οὐκ ἄρα ἡγεῖσθαί γε προσήκει ἁρμονίαν τούτων ἐξ
ὧν ἂν ξυντεθῇ, ἀλλ' ἕπεσθαι. Ξυνεδόκει. Πολλοῦ 30

24 Τί δαί Bekk.: δέ Bodl. with nearly all mss. So again
p. 56, 3.

ἆρα δεῖ ἐναντία γε ἁρμονία κινηθῆναι ἢ φθέγξασθαι
ἤ τι ἄλλο ἐναντιωθῆναι τοῖς αὑτῆς μέρεσιν. Πολλοῦ
μέντοι, ἔφη. Τί δέ; οὐχ οὕτως ἁρμονία πέφυκεν εἶναι
ἑκάστη ἁρμονία, ὡς ἂν ἁρμοσθῇ; Οὐ μανθάνω, ἔφη.
5 Ἦ οὐχί, ἦ δ᾽ ὅς, ἂν μὲν μᾶλλον ἁρμοσθῇ καὶ ἐπὶ B
πλέον, εἴπερ ἐνδέχεται τοῦτο γίγνεσθαι, μᾶλλόν τε
ἂν ἁρμονία εἴη καὶ πλείων, εἰ δ᾽ ἧττόν τε καὶ ἐπ᾽
ἔλαττον, ἧττόν τε καὶ ἐλάττων; Πάνυ γε. Ἦ οὖν
ἔστι τοῦτο περὶ ψυχήν, ὥστε καὶ κατὰ τὸ σμικρότα-
10 τον [μᾶλλον] ἑτέραν ἑτέρας ψυχὴν ψυχῆς ἐπὶ πλέον
καὶ μᾶλλον ἢ ἐπ᾽ ἔλαττον καὶ ἧττον αὐτὸ τοῦτο εἶναι,
ψυχήν; Οὐδ᾽ ὁπωστιοῦν, ἔφη. Φέρε δή, ἔφη, πρὸς
Διός· λέγεται ψυχὴ ἡ μὲν νοῦν τε ἔχειν καὶ ἀρετὴν
καὶ εἶναι ἀγαθή, ἡ δὲ ἄνοιάν τε καὶ μοχθηρίαν καὶ
15 εἶναι κακή; καὶ ταῦτα ἀληθῶς λέγεται; Ἀληθῶς μέν- C
τοι. Τῶν οὖν θεμένων ψυχὴν ἁρμονίαν εἶναι τί τις
φήσει ταῦτα ὄντα εἶναι ἐν ταῖς ψυχαῖς, τήν τε ἀρετὴν
καὶ τὴν κακίαν; πότερον ἁρμονίαν αὖ τινα ἄλλην καὶ
ἀναρμοστίαν; καὶ τὴν μὲν ἡρμόσθαι, τὴν ἀγαθήν, καὶ
20 ἔχειν ἐν αὑτῇ ἁρμονίᾳ οὔσῃ ἄλλην ἁρμονίαν, τὴν δὲ
ἀνάρμοστον αὐτήν τε εἶναι καὶ οὐκ ἔχειν ἐν αὑτῇ
ἄλλην; Οὐκ ἔχω ἔγωγε, ἔφη ὁ Σιμμίας, εἰπεῖν· δῆλον
δὲ ὅτι τοιαῦτ᾽ ἄττ᾽ ἂν λέγοι ὁ ἐκεῖνο ὑποθέμενος.
Ἀλλὰ προωμολόγηται, ἔφη, μηδὲν μᾶλλον μηδ᾽ ἧττον D
25 ἑτέραν ἑτέρας ψυχὴν ψυχῆς εἶναι· τοῦτο δ᾽ ἔστι τὸ
ὁμολόγημα, μηδὲν μᾶλλον μηδ᾽ ἐπὶ πλέον μηδὲ ἧττον
μηδ᾽ ἐπ᾽ ἔλαττον ἑτέραν ἑτέρας ἁρμονίαν ἁρμονίας
εἶναι· ἦ γάρ; Πάνυ γε. Τὴν δέ γε μηδὲν μᾶλλον

5 ἂν Bodl. ἐὰν Bekk. with the other mss.    10 μᾶλ-
λον bracketed by Heusde, Heind., Bekk. and Stallb.   ψυχὴν ψυχῆς
Heusde, ψυχὴν om. mss.   16 τιθεμένων Bekk. Stallb. with most
mss. θεμένων Bodl. pr. m. Herm.   18 αὖ τιν᾽ Bekk. τινα
Bodl.

μηδὲ ἧττον ἁρμονίαν οὖσαν μήτε μᾶλλον μήτε ἧττον
ἡρμόσθαι· ἔστιν οὕτως; Ἔστιν. Ἡ δὲ μήτε μᾶλλον
μήθ᾽ ἧττον ἡρμοσμένη ἔστιν ὅ,τι πλέον ἢ ἔλαττον
ἁρμονίας μετέχει, ἢ τὸ ἴσον; Τὸ ἴσον. Οὐκοῦν ψυχὴ
E ἐπειδὴ οὐδὲν μᾶλλον οὐδὲ ἧττον ἄλλη ἄλλης αὐτὸ 5
τοῦτο ψυχή ἐστιν, οὐδὲ δὴ μᾶλλον οὐδὲ ἧττον ἥρμο-
σται; Οὕτως. Τοῦτο δέ γε πεπονθυῖα οὐδὲν πλέον
ἀναρμοστίας οὐδὲ ἁρμονίας μετέχοι ἄν; Οὐ γὰρ οὖν.
Τοῦτο δ᾽ αὖ πεπονθυῖα ἆρ᾽ ἄν τι πλέον κακίας ἢ
ἀρετῆς μετέχοι ἑτέρα ἑτέρας, εἴπερ ἡ μὲν κακία ἀναρ- 10
μοστία, ἡ δὲ ἀρετὴ ἁρμονία εἴη; Οὐδὲν πλέον. Μᾶλ-
94 λον δέ γέ που, ὦ Σιμμία, κατὰ τὸν ὀρθὸν λόγον κακίας
οὐδεμία ψυχὴ μεθέξει, εἴπερ ἁρμονία ἐστίν· ἁρμονία
γὰρ δήπου παντελῶς αὐτὸ τοῦτο οὖσα, ἁρμονία, ἀναρ-
μοστίας οὔποτ᾽ ἂν μετάσχοι. Οὐ μέντοι. Οὐδέ γε 15
δήπου ψυχή, οὖσα παντελῶς ψυχή, κακίας. Πῶς γὰρ
ἔκ γε τῶν προειρημένων; Ἐκ τούτου ἄρα τοῦ λόγου
ἡμῖν πᾶσαι ψυχαὶ πάντων ζώων ὁμοίως ἀγαθαὶ ἔσον-
ται, εἴπερ ὁμοίως ψυχαὶ πεφύκασιν αὐτὸ τοῦτο, ψυχαί,
εἶναι. Ἔμοιγε δοκεῖ, ἔφη, ὦ Σάκρατες. Ἦ καὶ καλῶς 20
B δοκεῖ, ἦ δ᾽ ὅς, οὕτω λέγεσθαι, καὶ πάσχειν ἂν ταῦτα
ὁ λόγος, εἰ ὀρθὴ ἡ ὑπόθεσις ἦν, τὸ ψυχὴν ἁρμονίαν
εἶναι; Οὐδ᾽ ὁπωστιοῦν, ἔφη.

XLIII. Τί δέ; ἦ δ᾽ ὅς· τῶν ἐν ἀνθρώπῳ πάντων
ἔσθ᾽ ὅ,τι ἄλλο λέγεις ἄρχειν ἢ ψυχήν, ἄλλως τε καὶ 25
φρόνιμον; Οὐκ ἔγωγε. Πότερον ξυγχωροῦσαν τοῖς
κατὰ τὸ σῶμα πάθεσιν ἢ καὶ ἐναντιουμένην; λέγω δὲ
τὸ τοιόνδε, οἷον καύματος ἐνόντος καὶ δίψους ἐπὶ τοὐ-
ναντίον ἕλκειν, τὸ μὴ πίνειν, καὶ πείνης ἐνούσης ἐπὶ
C τὸ μὴ ἐσθίειν, καὶ ἄλλα μυρία που ὁρῶμεν ἐναντιου- 30

1 μήτε...μήτε Stallb. μηδὲ...μηδὲ Bekk. with the mss. 6 οὐδὲν
δὴ μ. Bekk. cj. 20 εἶναι; Bekk. 24 τί δαί Bekk. against the
Bodl. and most mss. 30 που μυρία Bekk. with only one ms.

μένην τὴν ψυχὴν τοῖς κατὰ τὸ σῶμα· ἢ οὔ; Πάνυ
μὲν οὖν. Οὐκοῦν αὖ ὡμολογήσαμεν ἐν τοῖς πρόσθεν
μήποτ' ἂν αὐτήν, ἁρμονίαν γε οὖσαν, ἐναντία ᾅδειν
οἷς ἐπιτείνοιτο καὶ χαλῷτο καὶ πάλλοιτο καὶ ἄλλο
5 ὁτιοῦν πάθος πάσχοι ἐκεῖνα ἐξ ὧν τυγχάνει οὖσα, ἀλλ'
ἕπεσθαι ἐκείνοις καὶ οὔποτ' ἂν ἡγεμονεύειν; Ὡμολο-
γήσαμεν, ἔφη· πῶς γὰρ οὔ; Τί οὖν; νῦν οὐ πᾶν τοὐ-
ναντίον ἡμῖν φαίνεται ἐργαζομένη, ἡγεμονεύουσά τε
ἐκείνων πάντων ἐξ ὧν φησί τις αὐτὴν εἶναι, καὶ D
10 ἐναντιουμένη ὀλίγου πάντα διὰ παντὸς τοῦ βίου καὶ
δεσπόζουσα παντας τρόπους, τὰ μὲν χαλεπώτερον
κολάζουσα καὶ μετ' ἀλγηδόνων, τά τε κατὰ τὴν γυμ-
ναστικὴν καὶ τὴν ἰατρικήν, τὰ δὲ πραότερον, καὶ τὰ
μὲν ἀπειλοῦσα, τὰ δὲ νουθετοῦσα ταῖς ἐπιθυμίαις καὶ
15 ὀργαῖς καὶ φόβοις, ὡς ἄλλη οὖσα ἄλλῳ πράγματι
διαλεγομένη; οἷόν που καὶ Ὅμηρος ἐν Ὀδυσσείᾳ
πεποίηκεν, οὗ λέγει τὸν Ὀδυσσέα

στῆθος δὲ πλήξας κραδίην ἠνίπαπε μύθῳ·

τέτλαθι δή, κραδίη· καὶ κύντερον ἄλλο ποτ' ἔτλης. Ε
20 ἆρ' οἴει αὐτὸν ταῦτα ποιῆσαι διανοούμενον ὡς ἁρμονίας
αὐτῆς οὔσης καὶ οἵας ἄγεσθαι ὑπὸ τῶν τοῦ σώματος
παθῶν, ἀλλ' οὐχ οἵας ἄγειν τε ταῦτα καὶ δεσπόζειν,
καὶ οὔσης αὐτῆς πολὺ θειοτέρου τινὸς πράγματος ἢ
καθ' ἁρμονίαν; Νὴ Δία, ὦ Σώκρατες, ἔμοιγε δοκεῖ.
25 Οὐκ ἄρα, ὦ ἄριστε, ἡμῖν οὐδαμῇ καλῶς ἔχει ψυχὴν
ἁρμονίαν τινὰ φάναι εἶναι· οὔτε γὰρ ἄν, ὡς ἔοικεν,
Ὁμήρῳ θείῳ ποιητῇ ὁμολογοῖμεν οὔτε αὐτοὶ ἡμῖν 95
αὐτοῖς. Ἔχει οὕτως, ἔφη.

XLIV. Εἶεν δή, ἦ δ' ὃς ὁ Σωκράτης, τὰ μὲν

5 τυγχάνοι Bekk. with only one ms.   9 φήσει Bekk. with only
one ms.   28 Ἔχειν οὕτως ἔφη Bekk. with most mss. (the Bodl.
included); but ἔχει is given by Stobaeus and some mss. and justly

Ἁρμονίας ἡμῖν τῆς Θηβαϊκῆς ἵλεά πως, ὡς ἔοικε,
μετρίως γέγονε· τί δὲ δὴ τὰ Κάδμου, ἔ‡η, ὦ Κέβης,
πῶς ἱλασόμεθα καὶ τίνι λόγῳ; Σύ μοι δοκεῖς, ἔφη ὁ
Κέβης, ἐξευρήσειν· τουτονὶ γοῦν τὸν λόγον τὸν πρὸς τὴν
ἁρμονίαν θαυμαστῶς μοι εἶπες ὡς παρὰ δόξαν. Σιμ- 5
μίου γὰρ λέγοντος, ὅτε ἠπόρει, πάνυ ἐθαύμαζον, εἴ τι
B ἕξει τις χρήσασθαι τῷ λόγῳ αὐτοῦ· πάνυ οὖν μοι
ἀτόπως ἔδοξεν εὐθὺς τὴν πρώτην ἔφοδον οὐ δέξασθαι
τοῦ σοῦ λόγου. ταῦτα δὴ οὐκ ἂν θαυμάσαιμι καὶ τὸν
τοῦ Κάδμου λόγον εἰ πάθοι. Ὦ ᾿γαθέ, ἔφη ὁ Σωκρά- 10
της, μὴ μέγα λέγε, μή τις ἡμῶν βασκανία περιτρέψῃ
τὸν λόγον τὸν μέλλοντα ῥηθήσεσθαι. ἀλλὰ δὴ ταῦτα
μὲν τῷ θεῷ μελήσει, ἡμεῖς δὲ Ὁμηρικῶς ἐγγὺς ἰόντες
πειρώμεθα εἰ ἄρα τι λέγεις. ἔστι δὲ δὴ τὸ κεφάλαιον
ὧν ζητεῖς· ἀξιοῖς ἐπιδειχθῆναι ἡμῶν τὴν ψυχὴν ἀνώ- 15
C λεθρόν τε καὶ ἀθάνατον οὖσαν, εἰ φιλόσοφος ἀνὴρ
μέλλων ἀποθανεῖσθαι, θαρρῶν τε καὶ ἡγούμενος ἀπο-
θανὼν ἐκεῖ εὖ πράξειν διαφερόντως ἢ εἰ ἐν ἄλλῳ βίῳ
βιοὺς ἐτελεύτα, μὴ ἀνόητόν τε καὶ ἠλίθιον θάρρος
θαρρήσει. τὸ δὲ ἀποφαίνειν ὅτι ἰσχυρόν τί ἐστιν 20
ἡ ψυχὴ καὶ θεοειδὲς καὶ ἦν ἔτι πρότερον, πρὶν ἡμᾶς
ἀνθρώπους γενέσθαι, οὐδὲν κωλύειν φῂς πάντα ταῦτα
μηνύειν ἀθανασίαν μὲν μή, ὅτι δὲ πολυχρόνιόν τέ ἐστι
ψυχὴ καὶ ἦν που πρότερον ἀμήχανον ὅσον χρόνον
D καὶ ᾔδει τε καὶ ἔπραττε πόλλ᾿ ἄττα· ἀλλὰ γὰρ οὐδέν 25
τι μᾶλλον ἦν ἀθάνατον, ἀλλὰ καὶ αὐτὸ τὸ εἰς ἀνθρώ-
που σῶμα ἐλθεῖν ἀρχὴ ἦν αὐτῇ ὀλέθρου, ὥσπερ νόσος·
καὶ ταλαιπωρουμένη τε δὴ τοῦτον τὸν βίον ζώῃ καὶ

preferred by Stallb. and Herm.    11 ἡμῶν Bodl. and most mss.
ἡμῖν Bekk.   12 ῥηθήσεσθαι is my conj. ἔσεσθαι nearly all mss.
(Bodl. included), only the Bodl. and two other mss. have λέγε-
σθαι in the margin. The letters ρηθ having disappeared, the read-
ing of the mss. arose. λέγεσθαι Bekk. Stallb. Herm. saw that
λέγεσθαι was only a gloss.

τελευτῶσά γε ἐν τῷ καλουμένῳ θανάτῳ ἀπολλύοιτο.
διαφέρειν δὲ δὴ φῂς οὐδὲν εἴτε ἅπαξ εἰς σῶμα ἔρχεται
εἴτε πολλάκις, πρός γε τὸ ἕκαστον ἡμῶν φοβεῖσθαι·
προσήκειν γὰρ φοβεῖσθαι, εἰ μὴ ἀνόητος εἴη, τῷ μὴ
5 εἰδότι μηδ' ἔχοντι λόγον διδόναι ὡς ἀθάνατόν ἐστι.
τοιαῦτ' ἄττα ἐστίν, οἶμαι, ὦ Κέβης, ἃ λέγεις· καὶ Ε
ἐξεπίτηδες πολλάκις ἀναλαμβάνω, ἵνα μή τι διαφύγῃ
ἡμᾶς, εἴ τέ τι βούλει προσθῇς ἢ ἀφέλῃς. καὶ ὁ Κέβης,
Ἀλλ' οὐδὲν ἔγωγε ἐν τῷ παρόντι, ἔφη, οὔτ' ἀφελεῖν
10 οὔτε προσθεῖναι δέομαι· ἔστι δὲ ταῦτα ἃ λέγω.

XLV. Ὁ οὖν Σωκράτης συχνὸν χρόνον ἐπισχὼν
καὶ πρὸς ἑαυτόν τι σκεψάμενος, Οὐ φαῦλον πρᾶγμα,
ἔφη, ὦ Κέβης, ζητεῖς· ὅλως γὰρ δεῖ περὶ γενέσεως
καὶ φθορᾶς τὴν αἰτίαν διαπραγματεύσασθαι. ἐγὼ οὖν 96
15 σοι δίειμι περὶ αὐτῶν, ἐὰν βούλῃ, τά γ' ἐμὰ πάθη·
ἔπειτα ἄν τί σοι χρήσιμον φαίνηται ὧν ἂν λέγω, πρὸς
τὴν πειθὼ περὶ ὧν λέγεις χρήσει. Ἀλλὰ μήν, ἔφη
ὁ Κέβης, βούλομαί γε. Ἄκουε τοίνυν ὡς ἐροῦντος.
ἐγὼ γάρ, ἔφη, ὦ Κέβης, νέος ὢν θαυμαστῶς ὡς ἐπε-
20 θύμησα ταύτης τῆς σοφίας, ἣν δὴ καλοῦσι περὶ φύ-
σεως ἱστορίαν. ὑπερήφανος γάρ μοι ἐδόκει εἶναι, εἰδέ-
ναι τὰς αἰτίας ἑκάστου, διὰ τί γίγνεται ἕκαστον καὶ
διὰ τί ἀπόλλυται καὶ διὰ τί ἔστι· καὶ πολλάκις ἐμαυ-
τὸν ἄνω κάτω μετέβαλλον σκοπῶν πρῶτον τὰ τοιάδε, Β
25 ἆρ' ἐπειδὰν τὸ θερμὸν καὶ τὸ ψυχρὸν σηπεδόνα τινὰ
λάβῃ, ὥς τινες ἔλεγον, τότε δὴ τὰ ζῷα ξυντρέφεται·
καὶ πότερον τὸ αἷμά ἐστιν ᾧ φρονοῦμεν, ἢ ὁ ἀὴρ ἢ τὸ
πῦρ, ἢ τούτων μὲν οὐδέν, ὁ δὲ ἐγκέφαλός ἐστιν ὁ τὰς
αἰσθήσεις παρέχων τοῦ ἀκούειν καὶ ὁρᾶν καὶ ὀσφραί-
30 νεσθαι, ἐκ τούτων δὲ γίγνοιτο μνήμη καὶ δόξα, ἐκ δὲ

2 διαφέρει Bekk. against the Bodl.    4 προσήκει Bekk. with
the mss., προσήκειν Hirschig.

μνήμης καὶ δόξης λαβούσης τὸ ἠρεμεῖν κατὰ ταῦτα
γίγνεσθαι ἐπιστήμην· καὶ αὖ τούτων τὰς φθορὰς
C σκοπῶν, καὶ τὰ περὶ τὸν οὐρανόν τε καὶ τὴν γῆν πάθη,
τελευτῶν οὕτως ἐμαυτῷ ἔδοξα πρὸς ταύτην τὴν σκέψιν
ἀφυὴς εἶναι, ὡς οὐδὲν χρῆμα. τεκμήριον δέ σοι ἐρῶ 5
ἱκανόν· ἐγὼ γὰρ ἃ καὶ πρότερον σαφῶς ἠπιστάμην,
ὥς γε ἐμαυτῷ καὶ τοῖς ἄλλοις ἐδόκουν, τότε ὑπὸ ταύ-
της τῆς σκέψεως οὕτω σφόδρα ἐτυφλώθην, ὥστε
ἀπέμαθον καὶ ταῦτα ἃ πρὸ τοῦ ᾤμην εἰδέναι, περὶ
ἄλλων τε πολλῶν καὶ διὰ τί ἄνθρωπος αὐξάνεται. 10
τοῦτο γὰρ ᾤμην πρὸ τοῦ παντὶ δῆλον εἶναι, ὅτι διὰ
D τὸ ἐσθίειν καὶ πίνειν· ἐπειδὰν γὰρ ἐκ τῶν σιτίων
ταῖς μὲν σαρξὶ σάρκες προσγένωνται, τοῖς δὲ ὀστοῖς
ὀστᾶ, καὶ οὕτω κατὰ τὸν αὐτὸν λόγον καὶ τοῖς ἄλλοις
τὰ αὐτῶν οἰκεῖα ἑκάστοις προσγένηται, τότε δὴ τὸν 15
ὀλίγον ὄγκον ὄντα ὕστερον πολὺν γεγονέναι, καὶ οὕτω
γίγνεσθαι τὸν σμικρὸν ἄνθρωπον μέγαν· οὕτω τότε
ᾤμην· οὐ δοκῶ σοι μετρίως; Ἔμοιγε, ἔφη ὁ Κέβης.
Σκέψαι δὴ καὶ τάδε ἔτι. ᾤμην γὰρ ἱκανῶς μοι δοκεῖν,
ὁπότε τις φαίνοιτο ἄνθρωπος παραστὰς μέγας σμικρῷ 20
μείζων εἶναι αὐτῇ τῇ κεφαλῇ, καὶ ἵππος ἵππου· καὶ
E ἔτι γε τούτων ἐναργέστερα, τὰ δέκα μοι ἐδόκει τῶν
ὀκτὼ πλείονα εἶναι διὰ τὸ δύο αὐτοῖς προσεῖναι, καὶ
τὸ δίπηχυ τοῦ πηχυαίου μεῖζον εἶναι διὰ τὸ ἡμίσει
αὐτοῦ ὑπερέχειν. Νῦν δὲ δή, ἔφη ὁ Κέβης, τί σοι 25
δοκεῖ περὶ αὐτῶν; Πόρρω που, ἔφη, νὴ Δί᾽ ἐμὲ εἶναι
τοῦ οἴεσθαι περὶ τούτων του τὴν αἰτίαν εἰδέναι, ὅς γε
οὐκ ἀποδέχομαι ἐμαυτοῦ οὐδὲ ὡς, ἐπειδὰν ἑνί τις
προσθῇ ἕν, ἢ τὸ ἓν ᾧ προσετέθη δύο γέγονεν, ἢ τὸ προσ-

---

1 κατὰ ταῦτὰ Bekk.    19 ἔγωγε ἱκανῶς Bekk. Bodl. om. pr.
Π. (Herm.) : other mss. have ἐγώ.    20 σμικρῷ: see the exeg. comm.
23 προσθεῖναι Bodl. and other mss. προσεῖναι Bekk. Stallb. with
Bodl. corr. and many mss.

τεθὲν καὶ ᾧ προσετέθη διὰ τὴν πρόσθεσιν τοῦ ἑτέρου 97
τῷ ἑτέρῳ δύο ἐγένετο· θαυμάζω γὰρ εἰ, ὅτε μὲν ἑκάτερον
αὐτῶν χωρὶς ἀλλήλων ἦν, ἓν ἄρ᾽ ἑκάτερον ἦν καὶ οὐκ
ἤστην τότε δύο, ἐπεὶ δ᾽ ἐπλησίασαν ἀλλήλοις, αὕτη
5 ἄρα αἰτία αὐτοῖς ἐγένετο δύο γενέσθαι, ἡ ξύνοδος τοῦ
πλησίον ἀλλήλων τεθῆναι. οὐδέ γε [ὡς], ἐάν τις
ἓν διασχίσῃ, δύναμαι ἔτι πείθεσθαι ὡς αὕτη αὖ αἰτία
γέγονεν, ἡ σχίσις, τοῦ δύο γεγονέναι· ἐναντία γὰρ
γίγνεται ἢ τότε αἰτία τοῦ δύο γίγνεσθαι· τότε μὲν γὰρ Β
10 ὅτι ξυνήγετο πλησίον ἀλλήλων καὶ προσετίθετο ἕτερον
ἑτέρῳ, νῦν δ᾽ ὅτι ἀπάγεται καὶ χωρίζεται ἕτερον ἀφ᾽
ἑτέρου. οὐδέ γε δι᾽ ὅ,τι ἓν γίγνεται ὡς ἐπίσταμαι ἔτι
πείθω ἐμαυτόν, οὐδ᾽ ἄλλο οὐδὲν ἑνὶ λόγῳ, δι᾽ ὅ,τι γίγνε-
ται ἢ ἀπόλλυται ἢ ἔστι, κατὰ τοῦτον τὸν τρόπον τῆς
15 μεθόδου, ἀλλά τιν᾽ ἄλλον τρόπον αὐτὸς εἰκῇ φύρω,
τοῦτον δὲ οὐδαμῇ προσίεμαι.

XLVI. Ἀλλ᾽ ἀκούσας μέν ποτε ἐκ βιβλίου τινός,
ὡς ἔφη, Ἀναξαγόρου ἀναγιγνώσκοντος, καὶ λέγοντος C
ὡς ἄρα νοῦς ἐστιν ὁ διακοσμῶν τε καὶ πάντων αἴτιος,
20 ταύτῃ δὴ τῇ αἰτίᾳ ἥσθην τε καὶ ἔδοξέ μοι τρόπον τινὰ
εὖ ἔχειν τὸ τὸν νοῦν εἶναι πάντων αἴτιον, καὶ ἡγησά-
μην, εἰ τοῦθ᾽ οὕτως ἔχει, τόν γε νοῦν κοσμοῦντα
πάντα κοσμεῖν καὶ ἕκαστον τιθέναι ταύτῃ ὅπῃ ἂν
βέλτιστα ἔχῃ· εἰ οὖν τις βούλοιτο τὴν αἰτίαν εὑρεῖν
25 περὶ ἑκάστου, ὅπῃ γίγνεται ἢ ἀπόλλυται ἢ ἔστι, τοῦτο
δεῖν περὶ αὐτοῦ εὑρεῖν, ὅπῃ βέλτιστον αὐτῷ ἐστιν
ἢ εἶναι ἢ ἄλλο ὁτιοῦν πάσχειν ἢ ποιεῖν· ἐκ δὲ δὴ τοῦ D
λόγου τούτου οὐδὲν ἄλλο σκοπεῖν προσήκειν ἀνθρώπῳ
καὶ περὶ αὐτοῦ ἐκείνου καὶ περὶ τῶν ἄλλων, ἀλλ᾽ ἢ τὸ

---

5 αὐτοῖς αἰτία Bekk. against the Bodl.  δύο Bodl. and most mss.
δυοῖν Bekk. Stallb.   6 [ὡς] Bekk.   13 ἄλλα Herm. ἄλλο Bekk.
without note.   23 κοσμεῖν bracketed by Herm.: exeg. comm.
29 αὐτοῦ ἐκείνου Bodl. and other mss. αὐτοῦ Bekk. Stallb. in ac-
cordance with most mss.

ἄριστον καὶ τὸ βέλτιστον. ἀναγκαῖον δὲ εἶναι τὸν
αὐτὸν τοῦτον καὶ τὸ χεῖρον εἰδέναι· τὴν αὐτὴν γὰρ
εἶναι ἐπιστήμην περὶ αὐτῶν. ταῦτα δὴ λογιζόμενος
ἅσμενος εὑρηκέναι ᾤμην διδάσκαλον τῆς αἰτίας περὶ
τῶν ὄντων κατὰ νοῦν ἐμαυτῷ, τὸν Ἀναξαγόραν, καὶ 5
μοι φράσειν πρῶτον μὲν πότερον ἡ γῆ πλατεῖά ἐστιν
Ε ἢ στρογγύλη, ἐπειδὴ δὲ φράσειεν, ἐπεκδιηγήσεσθαι
τὴν αἰτίαν καὶ τὴν ἀνάγκην, λέγοντα τὸ ἄμεινον καὶ
ὅτι αὐτὴν ἄμεινον ἦν τοιαύτην εἶναι· καὶ εἰ ἐν μέσῳ
φαίη εἶναι αὐτήν, ἐπεκδιηγήσεσθαι ὡς ἄμεινον ἦν 10
αὐτὴν ἐν μέσῳ εἶναι· καὶ εἴ μοι ταῦτα ἀποφαίνοιτο,
παρεσκευάσμην ὡς οὐκέτι ποθεσόμενος αἰτίας ἄλλο
98 εἶδος. καὶ δὴ καὶ περὶ ἡλίου οὕτω παρεσκευάσμην,
ὡσαύτως πευσόμενος, καὶ σελήνης καὶ τῶν ἄλλων
ἄστρων, τάχους τε πέρι πρὸς ἄλληλα καὶ τροπῶν 15
καὶ τῶν ἄλλων παθημάτων, πῇ ποτὲ ταῦτ᾽ ἄμεινόν
ἐστιν ἕκαστον καὶ ποιεῖν καὶ πάσχειν ἃ πάσχει.
οὐ γὰρ ἄν ποτε αὐτὸν ᾤμην, φάσκοντά γε ὑπὸ νοῦ
αὐτὰ κεκοσμῆσθαι, ἄλλην τινὰ αὐτοῖς αἰτίαν ἐπε-
νεγκεῖν ἢ ὅτι βέλτιστον αὐτὰ οὕτως ἔχειν ἐστὶν 20
Β ὥσπερ ἔχει· ἑκάστῳ οὖν αὐτὸν ἀποδιδόντα τὴν αἰτίαν
καὶ κοινῇ πᾶσι τὸ ἑκάστῳ βέλτιστον ᾤμην καὶ τὸ
κοινὸν πᾶσιν ἐπεκδιηγήσεσθαι ἀγαθόν· καὶ οὐκ ἂν
ἀπεδόμην πολλοῦ τὰς ἐλπίδας, ἀλλὰ πάνυ σπουδῇ
λαβὼν τὰς βίβλους ὡς τάχιστα οἷός τ᾽ ἦ ἀνεγίγνω- 25
σκον, ἵν᾽ ὡς τάχιστα εἰδείην τὸ βέλτιστον καὶ τὸ
χεῖρον.

XLVII. Ἀπὸ δὴ θαυμαστῆς ἐλπίδος, ὦ ἑταῖρε,
ᾠχόμην φερόμενος, ἐπειδὴ προϊὼν καὶ ἀναγιγνώσκων

25 ἦ Bodl. pr. m. Bekk. Stallb. ἦν Herm.    28 ὦ ἑταῖρε,
ἐλπίδος Bekk.   The text gives the reading of the Bodl. and other
mss.

ὁρῶ ἄνδρα τῷ μὲν νῷ οὐδὲν χρώμενον οὐδέ τινας αἰτίας
ἐπαιτιώμενον εἰς τὸ διακοσμεῖν τὰ πράγματα, ἀέρας C
δὲ καὶ αἰθέρας καὶ ὕδατα αἰτιώμενον καὶ ἄλλα πολλὰ
καὶ ἄτοπα. καί μοι ἔδοξεν ὁμοιότατον πεπονθέναι
5 ὥσπερ ἂν εἴ τις λέγων ὅτι Σωκράτης πάντα ὅσα
πράττει νῷ πράττει, κἄπειτα ἐπιχειρήσας λέγειν τὰς
αἰτίας ἑκάστων ὧν πράττω, λέγοι πρῶτον μὲν ὅτι διὰ
ταῦτα νῦν ἐνθάδε κάθημαι, ὅτι ξύγκειταί μου τὸ σῶμα
ἐξ ὀστῶν καὶ νεύρων, καὶ τὰ μὲν ὀστᾶ ἐστὶ στερεὰ καὶ
10 διαφυὰς ἔχει χωρὶς ἀπ᾽ ἀλλήλων, τὰ δὲ νεῦρα οἷα
ἐπιτείνεσθαι καὶ ἀνίεσθαι, περιαμπέχοντα τὰ ὀστᾶ D
μετὰ τῶν σαρκῶν καὶ δέρματος ὃ ξυνέχει αὐτά· αἰω-
ρουμένων οὖν τῶν ὀστῶν ἐν ταῖς αὑτῶν ξυμβολαῖς
χαλῶντα καὶ ξυντείνοντα τὰ νεῦρα κάμπτεσθαί που
15 ποιεῖ οἷόν τ᾽ εἶναι ἐμὲ νῦν τὰ μέλη, καὶ διὰ ταύτην
τὴν αἰτίαν ξυγκαμφθεὶς ἐνθάδε κάθημαι· καὶ αὖ περὶ
τοῦ διαλέγεσθαι ὑμῖν ἑτέρας τοιαύτας αἰτίας λέγοι,
φωνάς τε καὶ ἀέρας καὶ ἀκοὰς καὶ ἄλλα μυρία τοιαῦτα
αἰτιώμενος, ἀμελήσας τὰς ὡς ἀληθῶς αἰτίας λέγειν, E
20 ὅτι ἐπειδὴ Ἀθηναίοις ἔδοξε βέλτιον εἶναι ἐμοῦ κατα-
ψηφίσασθαι, διὰ ταῦτα δὴ καὶ ἐμοὶ βέλτιον αὖ δέ-
δοκται ἐνθάδε καθῆσθαι, καὶ δικαιότερον παραμένοντα
ὑπέχειν τὴν δίκην ἣν ἂν κελεύσωσιν· ἐπεὶ νὴ τὸν κύνα, 99
ὡς ἐγῷμαι, πάλαι ἂν ταῦτα τὰ νεῦρά τε καὶ τὰ ὀστᾶ
25 ἢ περὶ Μέγαρα ἢ Βοιωτοὺς ἦν, ὑπὸ δόξης φερόμενα
τοῦ βελτίστου, εἰ μὴ δικαιότερον ᾤμην καὶ κάλλιον
εἶναι πρὸ τοῦ φεύγειν τε καὶ ἀποδιδράσκειν ὑπέχειν
τῇ πόλει δίκην ἥντιν᾽ ἂν τάττῃ. ἀλλ᾽ αἴτια μὲν τὰ
τοιαῦτα καλεῖν λίαν ἄτοπον· εἰ δέ τις λέγοι ὅτι ἄνευ
30 τοῦ τὰ τοιαῦτα ἔχειν, καὶ ὀστᾶ καὶ νεῦρα καὶ ὅσα

9 στερρά Bekk. with only one ms.
but τινὰς om. Bodl. and most mss.

17 ἑτέρας τινὰς Bekk.

ἄλλα ἔχω, οὐκ ἂν οἷός τ᾽ ἦν ποιεῖν τὰ δόξαντά μοι,
ἀληθῆ ἂν λέγοι· ὡς μέντοι διὰ ταῦτα ποιῶ ἃ ποιῶ
καὶ ταῦτα νῷ πράττω, ἀλλ᾽ οὐ τῇ τοῦ βελτίστου
B αἱρέσει, πολλὴ ἂν καὶ μακρὰ ῥᾳθυμία εἴη τοῦ λόγου.
τὸ γὰρ μὴ διελέσθαι οἷόν τ᾽ εἶναι ὅτι ἄλλο μέν τί 5
ἐστι τὸ αἴτιον τῷ ὄντι, ἄλλο δ᾽ ἐκεῖνο ἄνευ οὗ τὸ
αἴτιον οὐκ ἄν ποτ᾽ εἴη αἴτιον· ὃ δή μοι φαίνονται
ψηλαφῶντες οἱ πολλοὶ ὥσπερ ἐν σκότει, ἀλλοτρίῳ
ὀνόματι προσχρώμενοι, ὡς αἴτιον αὐτὸ προσαγορεύειν.
διὸ δὴ καὶ ὁ μέν τις δίνην περιτιθεὶς τῇ γῇ ὑπὸ τοῦ 10
οὐρανοῦ μένειν δὴ ποιεῖ τὴν γῆν, ὁ δὲ ὥσπερ καρδόπῳ
πλατείᾳ βάθρον τὸν ἀέρα ὑπερείδει· τὴν δὲ τοῦ ὡς οἷόν
C τε βέλτιστα αὐτὰ τεθῆναι δύναμιν οὕτω νῦν κεῖσθαι,
ταύτην οὔτε ζητοῦσιν οὔτε τινὰ οἴονται δαιμονίαν
ἰσχὺν ἔχειν, ἀλλὰ ἡγοῦνται τούτου Ἄτλαντα ἄν ποτε 15
ἰσχυρότερον καὶ ἀθανατώτερον καὶ μᾶλλον ἅπαντα
ξυνέχοντα ἐξευρεῖν καὶ ὡς ἀληθῶς τἀγαθὸν καὶ δέον
ξυνδεῖν καὶ ξυνέχειν οὐδὲν οἴονται. ἐγὼ μὲν οὖν τῆς
τοιαύτης αἰτίας, ὅπῃ ποτὲ ἔχει, μαθητὴς ὁτουοῦν
ἥδιστ᾽ ἂν γενοίμην· ἐπειδὴ δὲ ταύτης ἐστερήθην καὶ οὔτ᾽ 20
D αὐτὸς εὑρεῖν οὔτε παρ᾽ ἄλλου μαθεῖν οἷός τε ἐγενόμην,
τὸν δεύτερον πλοῦν ἐπὶ τὴν τῆς αἰτίας ζήτησιν ᾗ
πεπραγμάτευμαι, βούλει σοι, ἔφη, ἐπίδειξιν ποιήσωμαι,
ὦ Κέβης; Ὑπερφυῶς μὲν οὖν, ἔφη, ὡς βούλομαι.

XLVIII. Ἔδοξε τοίνυν μοι, ἦ δ᾽ ὅς, μετὰ ταῦτα, 25
ἐπειδὴ ἀπείρηκα τὰ ὄντα σκοπῶν, δεῖν εὐλαβηθῆναι
μὴ πάθοιμι ὅπερ οἱ τὸν ἥλιον ἐκλείποντα θεωροῦντες
καὶ σκοπούμενοι· διαφθείρονται γάρ που ἔνιοι τὰ
ὄμματα, ἐὰν μὴ ἐν ὕδατι ἤ τινι τοιούτῳ σκοπῶνται

---

1 οἷός τ᾽ ἦ Bekk. ἦν the best mss.   3 ταῦτα νῷ Bodl. and
most mss. ταύτῃ νῷ Bekk. Stallb.   8 σκότῳ Bekk. against the
Bodl.   15 ἄν ποτε Ἄτλαντα Bekk. against the Bodl.   19 τοιαύ-
της Bodl. Herm. τῆς τοιαύτης Bekk. Stallb. with many mss.

τὴν εἰκόνα αὐτοῦ. τοιοῦτόν τι καὶ ἐγὼ διενοήθην, καὶ E
ἔδεισα μὴ παντάπασι τὴν ψυχὴν τυφλωθείην βλέπων
πρὸς τὰ πράγματα τοῖς ὄμμασι καὶ ἑκάστῃ τῶν
αἰσθήσεων ἐπιχειρῶν ἅπτεσθαι αὐτῶν. ἔδοξε δή μοι
5 χρῆναι εἰς τοὺς λόγους καταφυγόντα ἐν ἐκείνοις σκο-
πεῖν τῶν ὄντων τὴν ἀλήθειαν. ἴσως μὲν οὖν ᾧ εἰκάζω
τρόπον τινὰ οὐκ ἔοικεν. οὐ γὰρ πάνυ ξυγχωρῶ τὸν
ἐν τοῖς λόγοις σκοπούμενον τὰ ὄντα ἐν εἰκόσι μᾶλλον 100
σκοπεῖν ἢ τὸν ἐν τοῖς ἔργοις· ἀλλ' οὖν δὴ ταύτῃ γε
10 ὥρμησα, καὶ ὑποθέμενος ἑκάστοτε λόγον ὃν ἂν κρίνω
ἐρρωμενέστατον εἶναι, ἃ μὲν ἄν μοι δοκῇ τούτῳ ξυμφω-
νεῖν, τίθημι ὡς ἀληθῆ ὄντα, καὶ περὶ αἰτίας καὶ περὶ τῶν
ἄλλων ἁπάντων, ἃ δ' ἂν μή, ὡς οὐκ ἀληθῆ. βούλομαι
δέ σοι σαφέστερον εἰπεῖν ἃ λέγω· οἶμαι γάρ σε νῦν οὐ
15 μανθάνειν. Οὐ μὰ τὸν Δία, ἔφη ὁ Κέβης, οὐ σφόδρα.

XLIX. Ἀλλ', ἦ δ' ὅς, ὧδε λέγω, οὐδὲν καινόν, B
ἀλλ' ἅπερ ἀεὶ καὶ ἄλλοτε καὶ ἐν τῷ παρεληλυθότι
λόγῳ οὐδὲν πέπαυμαι λέγων. ἔρχομαι γὰρ δὴ ἐπι-
χειρῶν σοι ἐπιδείξασθαι τῆς αἰτίας τὸ εἶδος ὃ πεπραγ-
20 μάτευμαι, καὶ εἶμι πάλιν ἐπ' ἐκεῖνα τὰ πολυθρύλητα
καὶ ἄρχομαι ἀπ' ἐκείνων, ὑποθέμενος εἶναί τι καλὸν
αὐτὸ καθ' αὑτὸ καὶ ἀγαθὸν καὶ μέγα καὶ τἆλλα πάντα·
ἃ εἴ μοι δίδως τε καὶ ξυγχωρεῖς εἶναι ταῦτα, ἐλπίζω
σοι ἐκ τούτων τήν τε αἰτίαν ἐπιδείξειν καὶ ἀνευρήσειν,
25 ὡς ἀθάνατον ἡ ψυχή. Ἀλλὰ μήν, ἔφη ὁ Κέβης, ὡς C
διδόντος σοι οὐκ ἂν φθάνοις περαίνων. Σκόπει δή,
ἔφη, τὰ ἑξῆς ἐκείνοις, ἐάν σοι ξυνδοκῇ ὥσπερ ἐμοί.
φαίνεται γάρ μοι, εἴ τί ἐστιν ἄλλο καλὸν πλὴν αὐτὸ
τὸ καλόν, οὐδὲ δι' ἓν ἄλλο καλὸν εἶναι ἢ διότι μετέχει
30 ἐκείνου τοῦ καλοῦ· καὶ πάντα δὴ οὕτω λέγω. τῇ
τοιᾷδε αἰτίᾳ ξυγχωρεῖς; Ξυγχωρῶ, ἔφη. Οὐ τοίνυν,
ἦ δ' ὅς, ἔτι μανθάνω οὐδὲ δύναμαι τὰς ἄλλας αἰτίας

τὰς σοφὰς ταύτας γιγνώσκειν· ἀλλ' ἐάν τίς μοι λέγῃ

D διότι καλόν ἐστιν ὁτιοῦν, ἢ χρῶμα εὐανθὲς ἔχον ἢ
σχῆμα ἢ ἄλλο ὁτιοῦν τῶν τοιούτων, τὰ μὲν ἄλλα
χαίρειν ἐῶ, ταράττομαι γὰρ ἐν τοῖς ἄλλοις πᾶσι, τοῦτο
δὲ ἁπλῶς καὶ ἀτέχνως καὶ ἴσως εὐήθως ἔχω παρ' 5
ἐμαυτῷ, ὅτι οὐκ ἄλλο τι ποιεῖ αὐτὸ καλὸν ἢ ἡ ἐκείνου
τοῦ καλοῦ εἴτε παρουσία εἴτε κοινωνία ὅπῃ δὴ καὶ
ὅπως προσγενομένη· οὐ γὰρ ἔτι τοῦτο διισχυρίζομαι,
ἀλλ' ὅτι τῷ καλῷ πάντα τὰ καλὰ γίγνεται καλά.
τοῦτο γάρ μοι δοκεῖ ἀσφαλέστατον εἶναι καὶ ἐμαυτῷ 10
ἀποκρίνασθαι καὶ ἄλλῳ, καὶ τούτου ἐχόμενος ἡγοῦμαι

E οὐκ ἄν ποτε πεσεῖν, ἀλλ' ἀσφαλὲς εἶναι καὶ ἐμοὶ
καὶ ὁτῳοῦν ἄλλῳ ἀποκρίνασθαι, ὅτι τῷ καλῷ τὰ καλὰ
γίγνεται καλά· ἢ οὐ καὶ σοὶ δοκεῖ; Δοκεῖ. Καὶ με-
γέθει ἄρα τὰ μεγάλα μεγάλα καὶ τὰ μείζω μείζω, καὶ 15
σμικρότητι τὰ ἐλάττω ἐλάττω; Ναί. Οὐδὲ σὺ ἄρ' ἂν
ἀποδέχοιο, εἴ τίς τινα φαίη ἕτερον ἑτέρου τῇ κεφαλῇ

101 μείζω εἶναι, καὶ τὸν ἐλάττω τῷ αὐτῷ τούτῳ ἐλάττω, ἀλλὰ
διαμαρτύροιο ἂν ὅτι σὺ μὲν οὐδὲν ἄλλο λέγεις ἢ ὅτι
τὸ μὲν μεῖζον πᾶν ἕτερον ἑτέρου οὐδενὶ ἄλλῳ μεῖζόν 20
ἐστιν ἢ μεγέθει, καὶ διὰ τοῦτο μεῖζον, διὰ τὸ μέγεθος,
τὸ δὲ ἔλαττον οὐδενὶ ἄλλῳ ἔλαττον ἢ σμικρότητι, καὶ
διὰ τοῦτο ἔλαττον, διὰ τὴν σμικρότητα, φοβούμενος,
οἶμαι, μή τίς σοι ἐναντίος λόγος ἀπαντήσῃ, ἐὰν τῇ
κεφαλῇ μείζονά τινα φῇς εἶναι καὶ ἐλάττω, πρῶτον 25
μὲν τῷ αὐτῷ τὸ μεῖζον μεῖζον εἶναι καὶ τὸ ἔλαττον
ἔλαττον, ἔπειτα τῇ κεφαλῇ σμικρᾷ οὔσῃ τὸν μείζω

B μείζω εἶναι, καὶ τοῦτο δὴ τέρας εἶναι, τὸ σμικρῷ τινὶ
μέγαν τινὰ εἶναι· ἢ οὐκ ἂν φοβοῖο ταῦτα; καὶ ὁ

---

2 ἢ ὅτι χρῶμα Bekk. Stallb.   ὅτι om. Bodl. pr. m. Π.   7 εἴτε
ὅπῃ the Edd. and mss.: see exeg. comm.   11 ἀποκρίνασθαι Bodl.
al. ἀποκρίνεσθαι Bekk. with many mss.   So again l. 13.

Κέβης γελάσας, Ἔγωγε, ἔφη. Οὐκοῦν, ἦ δ᾽ ὅς, τὰ
δέκα τῶν ὀκτὼ δυοῖν πλείω εἶναι, καὶ διὰ ταύτην
τὴν αἰτίαν ὑπερβάλλειν, φοβοῖο ἂν λέγειν, ἀλλὰ
μὴ πλήθει καὶ διὰ τὸ πλῆθος; καὶ τὸ δίπηχυ τοῦ
5 πηχυαίου ἡμίσει μεῖζον εἶναι, ἀλλ᾽ οὐ μεγέθει; ὁ αὐτὸς
γάρ που φόβος. Πάνυ γε, ἔφη. Τί δέ; ἑνὶ ἑνὸς
προστεθέντος τὴν πρόσθεσιν αἰτίαν εἶναι τοῦ δύο γενέ-
σθαι ἢ διασχισθέντος τὴν σχίσιν οὐκ εὐλαβοῖο ἂν C
λέγειν; καὶ μέγα ἂν βοῴης ὅτι οὐκ οἶσθα ἄλλως
10 πως ἕκαστον γιγνόμενον ἢ μετασχὸν τῆς ἰδίας οὐσίας
ἑκάστου οὗ ἂν μετάσχῃ, καὶ ἐν τούτοις οὐκ ἔχεις
ἄλλην τινὰ αἰτίαν τοῦ δύο γενέσθαι ἀλλ᾽ ἢ τὴν τῆς
δυάδος μετάσχεσιν, καὶ δεῖν τούτου μετασχεῖν τὰ
μέλλοντα δύο ἔσεσθαι, καὶ μονάδος ὃ ἂν μέλλῃ ἓν
15 ἔσεσθαι, τὰς δὲ σχίσεις ταύτας καὶ προσθέσεις καὶ
τὰς ἄλλας τὰς τοιαύτας κομψείας ἐῴης ἂν χαίρειν,
παρεὶς ἀποκρίνασθαι τοῖς σεαυτοῦ σοφωτέροις· σὺ δὲ D
δεδιὼς ἄν, τὸ λεγόμενον, τὴν ἑαυτοῦ σκιὰν καὶ τὴν
ἀπειρίαν, ἐχόμενος ἐκείνου τοῦ ἀσφαλοῦς τῆς ὑπο-
20 θέσεως, οὕτως ἀποκρίναιο ἄν. εἰ δέ τις αὐτῆς τῆς
ὑποθέσεως ἔχοιτο, χαίρειν ἐῴης ἂν καὶ οὐκ ἀποκρίναιο,
ἕως ἂν τὰ ἀπ᾽ ἐκείνης ὁρμηθέντα σκέψαιο, εἴ σοι
ἀλλήλοις ξυμφωνεῖ ἢ διαφωνεῖ· ἐπειδὴ δὲ ἐκείνης
αὐτῆς δέοι σε διδόναι λόγον, ὡσαύτως ἂν διδοίης,
25 ἄλλην αὖ ὑπόθεσιν ὑποθέμενος, ἥτις τῶν ἄνωθεν
βελτίστη φαίνοιτο, ἕως ἐπί τι ἱκανὸν ἔλθοις, ἅμα δὲ
οὐκ ἂν φύροιο ὥσπερ οἱ ἀντιλογικοὶ περί τε τῆς E
ἀρχῆς διαλεγόμενος καὶ τῶν ἐξ ἐκείνης ὡρμημένων,
εἴπερ βούλοιό τι τῶν ὄντων εὑρεῖν. ἐκείνοις μὲν γὰρ
30 ἴσως οὐδὲ εἷς περὶ τούτου λόγος οὐδὲ φροντίς· ἱκανοὶ

---

4 δυοῖν Bodl. δυεῖν Bekk.   6 Τί δαί Bekk.   19 ἑαυτοῦ
Bodl. and other mss. (Herm. Stallb.) σαυτοῦ Bekk.

γὰρ ὑπὸ σοφίας ὁμοῦ πάντα κυκῶντες ὅμως δύνασθαι
102 αὐτοὶ αὑτοῖς ἀρέσκειν· σὺ δ᾽, εἴπερ εἶ τῶν φιλοσόφων,
οἶμαι ἂν ὡς ἐγὼ λέγω ποιοῖς. Ἀληθέστατα, ἔφη,
λέγεις, ὅ τε Σιμμίας ἅμα καὶ ὁ Κέβης.

ΕΧ. Νὴ Δία, ὦ Φαίδων, εἰκότως γε· θαυμαστῶς 5
γάρ μοι δοκεῖ ὡς ἐναργῶς τῷ καὶ σμικρὸν νοῦν ἔχοντι
εἰπεῖν ἐκεῖνος ταῦτα.

ΦΑΙΔ. Πάνυ μὲν οὖν, ὦ Ἐχέκρατες, καὶ πᾶσι
τοῖς παροῦσιν ἔδοξεν.

ΕΧ. Καὶ γὰρ ἡμῖν τοῖς ἀποῦσι, νῦν δὲ ἀκούουσιν. 10
ἀλλὰ τίνα δὴ ἦν τὰ μετὰ ταῦτα λεχθέντα;

L. ΦΑΙΔ. Ὡς μὲν ἐγὼ οἶμαι, ἐπεὶ αὐτῷ ταῦτα
ξυνεχωρήθη, καὶ ὡμολογεῖτο εἶναί τι ἕκαστον τῶι
B εἰδῶν καὶ τούτων τἆλλα μεταλαμβάνοντα αὐτῶν τού-
των τὴν ἐπωνυμίαν ἴσχειν, τὸ δὴ μετὰ ταῦτα ἠρώτα, 5
Εἰ δή, ἦ δ᾽ ὅς, ταῦτα οὕτω λέγεις, ἆρ᾽ οὐχ, ὅταν
Σιμμίαν Σωκράτους φῇς μείζω εἶναι, Φαίδωνος δὲ
ἐλάττω, λέγεις τότ᾽ εἶναι ἐν τῷ Σιμμίᾳ ἀμφότερα, καὶ
μέγεθος καὶ σμικρότητα; Ἔγωγε. Ἀλλὰ γάρ, ἦ δ᾽
ὅς, ὁμολογεῖς τὸ τὸν Σιμμίαν ὑπερέχειν Σωκράτους 20
οὐχ ὡς τοῖς ῥήμασι λέγεται οὕτω καὶ τὸ ἀληθὲς ἔχειν.
οὐ γάρ που πεφυκέναι Σιμμίαν ὑπερέχειν τούτῳ
C τῷ Σιμμίαν εἶναι, ἀλλὰ τῷ μεγέθει ὃ τυγχάνει ἔχων·
οὐδ᾽ αὖ Σωκράτους ὑπερέχειν, ὅτι Σωκράτης ὁ Σω-
κράτης ἐστίν, ἀλλ᾽ ὅτι σμικρότητα ἔχει ὁ Σωκράτης 25
πρὸς τὸ ἐκείνου μέγεθος; Ἀληθῆ. Οὐδέ γε αὖ ὑπὸ
Φαίδωνος ὑπερέχεσθαι τῷ ὅτι Φαίδων ὁ Φαίδων ἐστίν,
ἀλλ᾽ ὅτι μέγεθος ἔχει ὁ Φαίδων πρὸς τὴν Σιμμίου
σμικρότητα; Ἔστι ταῦτα. Οὕτως ἄρα ὁ Σιμμίας
ἐπωνυμίαν ἔχει σμικρός τε καὶ μέγας εἶναι, ἐν μέσῳ 30
D ὢν ἀμφοτέρων, τοῦ μὲν τῷ μεγέθει ὑπερέχειν τὴν

14 ἔχειν; Bekk. Stallb.

σμικρότητα ὑπερέχων, τῷ δὲ τὸ μέγεθος τῆς σμικρό-
τητος παρέχων ὑπερέχον. καὶ ἅμα μειδιάσας, Ἔοικα,
ἔφη, καὶ ξυγγραφικῶς ἐρεῖν, ἀλλ' οὖν ἔχει γέ που ὡς
λέγω. Ξυνέφη. Λέγω δὲ τοῦδ᾽ ἕνεκα, βουλόμενος
5 δόξαι σοὶ ὅπερ ἐμοί. ἐμοὶ γὰρ φαίνεται οὐ μόνον αὐτὸ
τὸ μέγεθος οὐδέποτ᾽ ἐθέλειν ἅμα μέγα καὶ σμικρὸν
εἶναι, ἀλλὰ καὶ τὸ ἐν ἡμῖν μέγεθος οὐδέποτε προσδέχε-
σθαι τὸ σμικρὸν οὐδ᾽ ἐθέλειν ὑπερέχεσθαι, ἀλλὰ δυοῖν
τὸ ἕτερον, ἢ φεύγειν καὶ ὑπεκχωρεῖν, ὅταν αὐτῷ προσίῃ E
10 τὸ ἐναντίον, τὸ σμικρόν, ἢ προσελθόντος ἐκείνου ἀπο-
λωλέναι· ὑπομένον δὲ καὶ δεξάμενον τὴν σμικρότητα
οὐκ ἐθέλειν εἶναι ἕτερον ἢ ὅπερ ἦν. ὥσπερ ἐγὼ δεξά-
μενος καὶ ὑπομείνας τὴν σμικρότητα, καὶ ἔτι ὢν ὅσπερ
εἰμί, οὗτος ὁ αὐτὸς σμικρός εἰμι· ἐκεῖνο δὲ οὐ τετόλ-
15 μηκε μέγα ὂν σμικρὸν εἶναι· ὡς δ᾽ αὕτως καὶ τὸ
σμικρὸν τὸ ἐν ἡμῖν οὐκ ἐθέλει ποτὲ μέγα γίγνεσθαι
οὐδὲ εἶναι, οὐδὲ ἄλλο οὐδὲν τῶν ἐναντίων ἔτι ὂν ὅπερ
ἦν ἅμα τοὐναντίον γίγνεσθαί τε καὶ εἶναι, ἀλλ᾽ ἤτοι 103
ἀπέρχεται ἢ ἀπόλλυται ἐν τούτῳ τῷ παθήματι. Παν-
20 τάπασιν, ἔφη ὁ Κέβης, οὕτω φαίνεταί μοι.

LI. Καί τις εἶπε τῶν παρόντων ἀκούσας—ὅστις
δ᾽ ἦν, οὐ σαφῶς μέμνημαι—Πρὸς θεῶν, οὐκ ἐν τοῖς
πρόσθεν ἡμῖν λόγοις αὐτὸ τὸ ἐναντίον τῶν νυνὶ λεγο-
μένων ὡμολογεῖτο, ἐκ τοῦ ἐλάττονος τὸ μεῖζον γίγνε-
25 σθαι καὶ ἐκ τοῦ μείζονος τὸ ἔλαττον, καὶ ἀτεχνῶς αὕτη
εἶναι ἡ γένεσις, τοῖς ἐναντίοις ἐκ τῶν ἐναντίων; νῦν
δέ μοι δοκεῖ λέγεσθαι ὅτι τοῦτο οὐκ ἄν ποτε γένοιτο.
καὶ ὁ Σωκράτης παραβαλὼν τὴν κεφαλὴν καὶ ἀκούσας,
Ἀνδρικῶς, ἔφη, ἀπεμνημόνευκας, οὐ μέντοι ἐννοεῖς τὸ B
30 διαφέρον τοῦ τε νῦν λεγομένου καὶ τοῦ τότε. τότε μὲν

---

1  ὑπερέχων bracketed by Herm. after Vögelin Praef. ad
Phaedr. ed. min. p. 18.    9  δυοῖν all mss. but one, δυεῖν Bekk.

γὰρ ἐλέγετο ἐκ τοῦ ἐναντίου πράγματος τὸ ἐναντίον
πρᾶγμα γίγνεσθαι, νῦν δὲ ὅτι αὐτὸ τὸ ἐναντίον ἑαυτῷ
ἐναντίον οὐκ ἄν ποτε γένοιτο, οὔτε τὸ ἐν ἡμῖν οὔτε τὸ
ἐν τῇ φύσει.  τότε μὲν γάρ, ὦ φίλε, περὶ τῶν ἐχόντων
τὰ ἐναντία ἐλέγομεν, ἐπονομάζοντες αὐτὰ τῇ ἐκείνων 5
ἐπωνυμίᾳ, νῦν δὲ περὶ ἐκείνων αὐτῶν ὧν ἐνόντων ἔχει
τὴν ἐπωνυμίαν τὰ ὀνομαζόμενα· αὐτὰ δ᾽ ἐκεῖνα οὐκ
C ἄν ποτέ φαμεν ἐθελῆσαι γένεσιν ἀλλήλων δέξασθαι.
καὶ ἅμα βλέψας πρὸς τὸν Κέβητα εἶπεν, Ἆρα μή
που, ἔφη, ὦ Κέβης, καὶ σέ τι τούτων ἐτάραξεν ὧν 10
ὅδε εἶπεν; Οὐδ᾽ αὖ, ἔφη, ὁ Κέβης, οὕτως ἔχω· καίτοι
οὔτι λέγω ὡς οὐ πολλά με ταράττει. Ξυνωμολογή-
καμεν ἄρα, ἦ δ᾽ ὅς, ἁπλῶς τοῦτο, μηδέποτε ἐναντίον
ἑαυτῷ τὸ ἐναντίον ἔσεσθαι. Παντάπασιν, ἔφη.

LII.  Ἔτι δή μοι καὶ τόδε σκέψαι, ἔφη, εἰ ἄρα 15
ξυνομολογήσεις. θερμόν τι καλεῖς καὶ ψυχρόν; Ἔγωγε.
D Ἆρ᾽ ὅπερ χιόνα καὶ πῦρ; Μὰ Δί᾽ οὐκ ἔγωγε. Ἀλλ᾽
ἕτερόν τι πυρὸς τὸ θερμὸν καὶ ἕτερόν τι χιόνος τὸ
ψυχρόν; Ναί. Ἀλλὰ τόδε γ᾽ οἶμαι δοκεῖ σοι, οὐδέ-
ποτε χιόνα γ᾽ οὖσαν δεξαμένην τὸ θερμόν, ὥσπερ ἐν 20
τοῖς ἔμπροσθεν ἐλέγομεν, ἔτι ἔσεσθαι ὅπερ ἦν, χιόνα
καὶ θερμόν, ἀλλὰ προσιόντος τοῦ θερμοῦ ἢ ὑπεκχω-
ρήσειν αὐτῷ ἢ ἀπολεῖσθαι. Πάνυ γε. Καὶ τὸ πῦρ
γε αὖ προσιόντος τοῦ ψυχροῦ αὐτῷ ἢ ὑπεξιέναι ἢ
ἀπολεῖσθαι, οὐ μέντοι ποτὲ τολμήσειν δεξάμενον τὴν 25
ψυχρότητα ἔτι εἶναι ὅπερ ἦν, πῦρ καὶ ψυχρόν. Ἀλη-
E θῆ, ἔφη, λέγεις. Ἔστιν ἄρ᾽, ἦ δ᾽ ὅς, περὶ ἔνια τῶν
τοιούτων, ὥστε μὴ μόνον αὐτὸ τὸ εἶδος ἀξιοῦσθαι τοῦ
αὐτοῦ ὀνόματος εἰς τὸν ἀεὶ χρόνον, ἀλλὰ καὶ ἄλλο τι,
ὃ ἔστι μὲν οὐκ ἐκεῖνο, ἔχει δὲ τὴν ἐκείνου μορφὴν ἀεὶ 30

9 πρὸς Bodl. Π. εἰς Bekk. with the other mss.    12 οὐδ᾽ αὖ
Bekk. Stallb. with many good mss., ὁ δ᾽ αὖ Bodl. Tubing. and
others.   Herm. reads ὁ δ᾽, οὐκ αὖ from his own conj.

ὅτανπερ ᾖ. ἔτι δ' ἐν τοῖσδε ἴσως ἔσται σαφέστερον
ὃ λέγω. τὸ γὰρ περιττὸν ἀεί που δεῖ τούτου τοῦ
ὀνόματος τυγχάνειν, ὅπερ νῦν λέγομεν· ἢ οὔ; Πάνυ
γε. Ἆρα μόνον τῶν ὄντων, τοῦτο γὰρ ἐρωτῶ, ἢ καὶ
5 ἄλλο τι, ὃ ἔστι μὲν οὐχ ὅπερ τὸ περιττόν, ὅμως δὲ 104
δεῖ αὐτὸ μετὰ τοῦ ἑαυτοῦ ὀνόματος καὶ τοῦτο καλεῖν
ἀεί, διὰ τὸ οὕτω πεφυκέναι ὥστε τοῦ περιττοῦ μηδέ-
ποτε ἀπολείπεσθαι; λέγω δὲ αὐτὸ εἶναι οἷον καὶ ἡ
τριὰς πέπονθε καὶ ἄλλα πολλά. σκόπει δὲ περὶ τῆς
10 τριάδος· ἆρα οὐ δοκεῖ σοι τῷ τε αὑτῆς ὀνόματι ἀεὶ
προσαγορευτέα εἶναι καὶ τῷ τοῦ περιττοῦ, ὄντος οὐχ
οὗπερ τῆς τριάδος; ἀλλ' ὅμως οὕτω πως πέφυκε καὶ
ἡ τριὰς καὶ ἡ πεμπτὰς καὶ ὁ ἥμισυς τοῦ ἀριθμοῦ ἅπας,
ὥστε οὐκ ὢν ὅπερ τὸ περιττὸν ἀεὶ ἕκαστος αὐτῶν ἐστὶ
15 περιττός· καὶ αὖ τὰ δύο καὶ τὰ τέτταρα καὶ ἅπας B
ὁ ἕτερος αὖ στίχος τοῦ ἀριθμοῦ οὐκ ὢν ὅπερ τὸ ἄρτιον
ὅμως ἕκαστος αὐτῶν ἄρτιός ἐστιν ἀεί· ξυγχωρεῖς ἢ οὔ;
Πῶς γὰρ οὔκ; ἔφη. Ὃ τοίνυν, ἔφη, βούλομαι δηλῶ-
σαι, ἄθρει. ἔστι δὲ τόδε, ὅτι φαίνεται οὐ μόνον ἐκεῖνα
20 τὰ ἐναντία ἄλληλα οὐ δεχόμενα, ἀλλὰ καὶ ὅσα οὐκ
ὄντα ἀλλήλοις ἐναντία ἔχει ἀεὶ τἀναντία, οὐδὲ ταῦτα
ἔοικε δεχομένοις ἐκείνην τὴν ἰδέαν ἣ ἂν τῇ ἐν αὐτοῖς
οὔσῃ ἐναντία ᾖ, ἀλλ' ἐπιούσης αὐτῆς ἤτοι ἀπολλύμενα
ἢ ὑπεκχωροῦντα. ἢ οὐ φήσομεν τὰ τρία καὶ ἀπολεῖσθαι C
25 πρότερον καὶ ἄλλο ὁτιοῦν πείσεσθαι, πρὶν ὑπομεῖναι
ἔτι τρία ὄντα ἄρτια γενέσθαι; Πάνυ μὲν οὖν, ἔφη ὁ
Κέβης. Οὐδὲ μήν, ἦ δ' ὅς, ἐναντίον γέ ἐστι δυὰς τριάδι.
Οὐ γὰρ οὖν. Οὐκ ἄρα μόνον τὰ εἴδη τὰ ἐναντία οὐχ
ὑπομένει ἐπιόντα ἄλληλα, ἀλλὰ καὶ ἄλλ' ἄττα τὰ ἐναν-
30 τία οὐχ ὑπομένει ἐπιόντα. Ἀληθέστατα, ἔφη, λέγεις.

LIII. Βούλει οὖν, ἦ δ' ὅς, ἐὰν οἷοί τε ὦμεν, ὁρι-
σώμεθα ὁποῖα ταῦτ' ἐστίν; Πάνυ γε. Ἆρ' οὖν, ἔφη, D

ὦ Κέβης, τάδε εἴη ἄν, ἃ ὅ,τι ἂν κατάσχῃ μὴ μόνον
ἀναγκάζει τὴν αὑτοῦ ἰδέαν αὐτὸ ἴσχειν, ἀλλὰ καὶ
ἐναντίου αὐτῷ δεῖ τινος; Πῶς λέγεις; Ὥσπερ ἄρτι
ἐλέγομεν. οἶσθα γὰρ δήπου ὅτι ἃ ἂν ἡ τῶν τριῶν
ἰδέα κατάσχῃ, ἀνάγκη αὐτοῖς οὐ μόνον τρισὶν εἶναι, 5
ἀλλὰ καὶ περιττοῖς. Πάνυ γε. Ἐπὶ τὸ τοιοῦτον δή,
φαμέν, ἡ ἐναντία ἰδέα ἐκείνῃ τῇ μορφῇ, ἣ ἂν τοῦτο
ἀπεργάζηται, οὐδέποτ' ἂν ἔλθοι. Οὐ γάρ. Εἰργάζετο
δέ γε ἡ περιττή; Ναί. Ἐναντία δὲ ταύτῃ ἡ τοῦ
E ἀρτίου; Ναί. Ἐπὶ τὰ τρία ἄρα ἡ τοῦ ἀρτίου ἰδέα 10
οὐδέποτε ἥξει. Οὐ δῆτα. Ἄμοιρα δὴ τοῦ ἀρτίου τὰ
τρία. Ἄμοιρα. Ἀνάρτιος ἄρα ἡ τριάς. Ναί. Ὁ τοί-
νυν ἔλεγον ὁρίσασθαι, ποῖα οὐκ ἐναντία τινὶ ὄντα ὅμως
οὐ δέχεται αὐτό, τὸ ἐναντίον, οἷον νῦν ἡ τριὰς τῷ ἀρτίῳ
οὐκ οὖσα ἐναντία οὐδέν τι μᾶλλον αὐτὸ δέχεται, τὸ 15
γὰρ ἐναντίον ἀεὶ αὐτῷ ἐπιφέρει, καὶ ἡ δυὰς τῷ πε-
105 ριττῷ καὶ τὸ πῦρ τῷ ψυχρῷ καὶ ἄλλα πάμπολλα—
ἀλλ' ὅρα δὴ εἰ οὕτως ὁρίζει, μὴ μόνον τὸ ἐναντίον τὸ
ἐναντίον μὴ δέχεσθαι, ἀλλὰ καὶ ἐκεῖνο ὃ ἂν ἐπιφέρῃ
τι ἐναντίον ἐκείνῳ, ἐφ' ὅ,τι ἂν αὐτὸ ἴῃ, αὐτὸ τὸ ἐπιφέ- 20
ρον τὴν τοῦ ἐπιφερομένου ἐναντιότητα μηδέποτε δέ-
ξασθαι. πάλιν δὲ ἀναμιμνήσκου· οὐ γὰρ χεῖρον πολ-
λάκις ἀκούειν. τὰ πέντε τὴν τοῦ ἀρτίου οὐ δέξεται,
οὐδὲ τὰ δέκα τὴν τοῦ περιττοῦ, τὸ διπλάσιον· τοῦτο
μὲν οὖν καὶ αὐτὸ ἄλλῳ ἐναντίον, ὅμως δὲ τὴν τοῦ 25
B περιττοῦ οὐ δέξεται· οὐδὲ δὴ τὸ ἡμιόλιον οὐδὲ τἆλλα
τὰ τοιαῦτα, τὸ ἥμισυ, τὴν τοῦ ὅλου, καὶ τριτημόριον

3 αὐτῷ ἀεί τινος Bodl. and many mss. αὐτῷ varies its place in
many mss. and was for that reason bracketed by Herm.: the
reading of the text is due to H. Schmidt. 10 ἄρα Bekk. with
all mss. except Δ which has ἄρ' and so curiously enough Herm.
14 τὸ ἐναντίον is considered spurious by Bekk. and Herm.: see
exeg. comm. 16 ἀεὶ αὐτῷ Bodl. αὐτῷ ἀεὶ Bekk. Stallb. with
most mss.

αὖ καὶ πάντα τὰ τοιαῦτα, εἴπερ ἔπει τε καὶ ξυνδοκεῖ
σοι οὕτως.　Πάνυ σφόδρα καὶ ξυνδοκεῖ, ἔφη, καὶ
ἕπομαι.

LIV.　Πάλιν δή μοι, ἔφη, ἐξ ἀρχῆς λέγε. καὶ μή
5 μοι ὃ ἂν ἐρωτῶ ἀποκρίνου, ἀλλὰ μιμούμενος ἐμέ. λέγω
δὲ παρ᾽ ἢν τὸ πρῶτον ἔλεγον ἀπόκρισιν, τὴν ἀσφαλῆ
ἐκείνην, ἐκ τῶν νῦν λεγομένων ἄλλην ὁρῶν ἀσφάλειαν.
εἰ γὰρ ἔροιό με, ᾧ ἂν τί [ἐν τῷ σώματι] ἐγγένηται,
θερμὸν ἔσται, οὐ τὴν ἀσφαλῆ σοι ἐρῶ ἀπόκρισιν ἐκεί-
10 νην τὴν ἀμαθῆ, ὅτι ᾧ ἂν θερμότης, ἀλλὰ κομψοτέραν C
ἐκ τῶν νῦν, ὅτι ᾧ ἂν πῦρ· οὐδὲ ἂν ἔρῃ, ᾧ ἂν σώματι τί
ἐγγένηται, νοσήσει, οὐκ ἐρῶ ὅτι ᾧ ἂν νόσος, ἀλλ᾽ ᾧ ἂν
πυρετός· οὐδ᾽ ᾧ ἂν ἀριθμῷ τί ἐγγένηται, περιττὸς
ἔσται, οὐκ ἐρῶ ᾧ ἂν περιττότης, ἀλλ᾽ ᾧ ἂν μονάς,
15 καὶ τἆλλα οὕτως. ἀλλ᾽ ὅρα εἰ ἤδη ἱκανῶς οἶσθ᾽ ὅ,τι
βούλομαι.　Ἀλλὰ πάνυ ἱκανῶς, ἔφη.　Ἀποκρίνου δή,
ἦ δ᾽ ὅς, ᾧ ἂν τί ἐγγένηται σώματι, ζῶν ἔσται; Ὧι ἂν
ψυχή, ἔφη.　Οὐκοῦν ἀεὶ τοῦτο οὕτως ἔχει; Πῶς γὰρ
οὐχί; ἦ δ᾽ ὅς.　Ἡ ψυχὴ ἄρα ὅ,τι ἂν αὐτὴ κατάσχῃ, D
20 ἀεὶ ἥκει ἐπ᾽ ἐκεῖνο φέρουσα ζωήν; Ἥκει μέντοι, ἔφη.
Πότερον δ᾽ ἔστι τι ζωῇ ἐναντίον ἢ οὐδέν; Ἔστιν,
ἔφη.　Τί; Θάνατος.　Οὐκοῦν ἡ ψυχὴ τὸ ἐναντίον ᾧ
αὐτὴ ἐπιφέρει ἀεὶ οὐ μή ποτε δέξηται, ὡς ἐκ τῶν
πρόσθεν ὡμολόγηται; Καὶ μάλα σφόδρα, ἔφη ὁ
25 Κέβης.

LV.　Τί οὖν; τὸ μὴ δεχόμενον τὴν τοῦ ἀρτίου
ἰδέαν τί νῦν δὴ ὠνομάζομεν; Ἀνάρτιον, ἔφη.　Τὸ δὲ
δίκαιον μὴ δεχόμενον καὶ ὃ ἂν μουσικὸν μὴ δέχηται;
Ἄμουσον, ἔφη, τὸ δὲ ἄδικον.　Εἶεν· ὃ δ᾽ ἂν θάνατον E

5 ᾧ ἂν Bekk. against the Bodl.　ἀλλ᾽ ἄλλῳ Bekk.　ἄλλῳ om.
Bodl. and most mss.　ἄλλο Hirschig.　8 ἐν τῷ σώματι bracketed
by Herm.　This first question is more general than the following
ones.　24 μάλα ἔφη σφόδρα Bekk. with nearly all mss.

μὴ δέχηται, τί καλοῦμεν; Ἀθάνατον, ἔφη. Οὐκοῦν
ἡ ψυχὴ οὐ δέχεται θάνατον; Οὔ. Ἀθάνατον ἄρα ἡ
ψυχή; Ἀθάνατον. Εἶεν, ἔφη· τοῦτο μὲν δὴ ἀποδε-
δεῖχθαι φῶμεν· ἢ πῶς δοκεῖ; Καὶ μάλα γε ἱκανῶς, ὦ
Σώκρατες. Τί οὖν, ἦ δ' ὅς, ὦ Κέβης; εἰ τῷ ἀναρτίῳ 5
106 ἀναγκαῖον ἦν ἀνωλέθρῳ εἶναι, ἄλλο τι τὰ τρία ἢ ἀνώ-
λεθρα ἂν ἦν; Πῶς γὰρ οὔ; Οὐκοῦν εἰ καὶ τὸ ἄθερμον
ἀναγκαῖον ἦν ἀνώλεθρον εἶναι, ὁπότε τις ἐπὶ χιόνα
θερμὸν ἐπαγάγοι, ὑπεξῄει ἂν ἡ χιὼν οὖσα σῶς καὶ
ἄτηκτος; οὐ γὰρ ἂν ἀπώλετό γε, οὐδ' αὖ ὑπομένουσα 10
ἐδέξατ' ἂν τὴν θερμότητα. Ἀληθῆ, ἔφη, λέγεις. Ὡς
δ' αὕτως, οἶμαι, κἂν εἰ τὸ ἄψυκτον ἀνώλεθρον ἦν,
ὁπότε ἐπὶ τὸ πῦρ ψυχρόν τι ἐπίοι, οὔποτ' ἂν ἀπεσβέν-
νυτο οὐδ' ἀπώλλυτο, ἀλλὰ σῶν ἂν ἀπελθὸν ᾤχετο.
B Ἀνάγκη, ἔφη. Οὐκοῦν καὶ ὧδε, ἔφη, ἀνάγκη περὶ 15
τοῦ ἀθανάτου εἰπεῖν; εἰ μὲν τὸ ἀθάνατον καὶ ἀνώλε-
θρόν ἐστιν, ἀδύνατον ψυχῇ, ὅταν θάνατος ἐπ' αὐτὴν
ἴῃ, ἀπόλλυσθαι· θάνατον μὲν γὰρ δὴ ἐκ τῶν προειρη-
μένων οὐ δέξεται οὐδ' ἔσται τεθνηκυῖα, ὥσπερ τὰ
τρία οὐκ ἔσται, ἔφαμεν, ἄρτιον, οὐδέ γ' αὖ τὸ περιττόν, 20
οὐδὲ δὴ τὸ πῦρ ψυχρόν, οὐδέ γε ἡ ἐν τῷ πυρὶ θερμό-
της. ἀλλὰ τί κωλύει, φαίη ἄν τις, ἄρτιον μὲν τὸ
περιττὸν μὴ γίγνεσθαι ἐπιόντος τοῦ ἀρτίου, ὥσπερ
C ὡμολόγηται, ἀπολομένου δὲ αὐτοῦ ἀντ' ἐκείνου ἄρτιον
γεγονέναι; τῷ ταῦτα λέγοντι οὐκ ἂν ἔχοιμεν διαμά- 25
χεσθαι ὅτι οὐκ ἀπόλλυται· τὸ γὰρ ἀνάρτιον οὐκ ἀνώ-
λεθρόν ἐστιν· ἐπεὶ εἰ τοῦτο ὡμολόγητο ἡμῖν, ῥᾳδίως
ἂν διεμαχόμεθα ὅτι ἐπελθόντος τοῦ ἀρτίου τὸ περιττὸν

6 τρία ἢ Bodl. with most mss. Stallb. Herm. ἢ om. Bekk.
11 f. Ὡς δ' αὕτως Bekk. Stallb., but Herm. prefers Ὡσαύτως ou
the authority of the Bodl. and Tub.    13 ἐπῄει all mss. but one.
ἐποίη Δ, ἐπίοι Bekk. Stallb.    24 ἀπολομένου Bodl. Stallb. Herm.
ἀπολλυμένου Bekk.

καὶ τὰ τρία οἴχεται ἀπιόντα· καὶ περὶ πυρὸς καὶ
θερμοῦ καὶ τῶν ἄλλων οὕτως ἂν διεμαχόμεθα. ἢ οὔ;
Πάνυ μὲν οὖν. Οὐκοῦν καὶ νῦν περὶ τοῦ ἀθανάτου,
εἰ μὲν ἡμῖν ὁμολογεῖται καὶ ἀνώλεθρον εἶναι, ψυχὴ
5 ἂν εἴη πρὸς τῷ ἀθάνατος εἶναι καὶ ἀνώλεθρος· εἰ δὲ
μή, ἄλλου ἂν δέοι λόγου. Ἀλλ᾽ οὐδὲν δεῖ, ἔφη, τούτου D
γε ἕνεκα· σχολῇ γὰρ ἄν τι ἄλλο φθορὰν μὴ δέχοιτο,
εἴ γε τὸ ἀθάνατον ἀΐδιον ὂν φθορὰν δέξεται.

LVI. Ὁ δέ γε θεός, οἶμαι, ἔφη ὁ Σωκράτης, καὶ
10 αὐτὸ τὸ τῆς ζωῆς εἶδος καὶ εἴ τι ἄλλο ἀθάνατόν ἐστι,
παρὰ πάντων ἂν ὁμολογηθείη μηδέποτε ἀπόλλυσθαι.
Παρὰ πάντων μέντοι νὴ Δία, ἔφη, ἀνθρώπων τέ γε
καὶ ἔτι μᾶλλον, ὡς ἐγῷμαι, παρὰ θεῶν. Ὁπότε δὴ
τὸ ἀθάνατον καὶ ἀδιάφθορόν ἐστιν, ἄλλο τι ψυχὴ ἤ, εἰ E
15 ἀθάνατος τυγχάνει οὖσα, καὶ ἀνώλεθρος ἂν εἴη; Πολ-
λὴ ἀνάγκη. Ἐπιόντος ἄρα θανάτου ἐπὶ τὸν ἄνθρωπον
τὸ μὲν θνητόν, ὡς ἔοικεν, αὐτοῦ ἀποθνήσκει, τὸ δ᾽
ἀθάνατον σῶν καὶ ἀδιάφθορον οἴχεται ἀπιόν, ὑπεκχω-
ρῆσαν τῷ θανάτῳ. Φαίνεται. Παντὸς μᾶλλον ἄρα,
20 ἔφη, ὦ Κέβης, ψυχὴ ἀθάνατον καὶ ἀνώλεθρον, καὶ τῷ 107
ὄντι ἔσονται ἡμῶν αἱ ψυχαὶ ἐν Ἅιδου. Οὐκ οὖν
ἔγωγε, ὦ Σώκρατες, ἔφη, ἔχω παρὰ ταῦτα ἄλλο τι
λέγειν οὐδέ πῃ ἀπιστεῖν τοῖς λόγοις. ἀλλ᾽ εἰ δή τι
Σιμμίας ὅδε ἤ τις ἄλλος ἔχει λέγειν, εὖ ἔχει μὴ κατα-
25 σιγῆσαι· ὡς οὐκ οἶδα εἰς ὅντινά τις ἄλλον καιρὸν
ἀναβάλλοιτο ἢ τὸν νῦν παρόντα, περὶ τῶν τοιούτων
βουλόμενος ἤ τι εἰπεῖν ἢ ἀκοῦσαι. Ἀλλὰ μήν, ἦ δ᾽
ὃς ὁ Σιμμίας, οὐδ᾽ αὐτὸς ἔχω ἔτι ὅπη ἀπιστῶ ἔκ γε
τῶν λεγομένων· ὑπὸ μέντοι τοῦ μεγέθους περὶ ὧν οἱ

8 εἰ τό γε Bekk. Stallb. against the Bodl. ἀθάνατον καὶ ἀΐδιον
Bekk.: but καὶ om. Bodl. and Stobæus. ὂν om. Bekk. with the
mss. of the second class. 12 τέ γε Bodl. Stallb. Herm. τε
alone Bekk. 14 ψυχὴ ἤ Bodl. ἤ om. Bekk. 25 ὅντινά τις
Bodl. and most mss. ὅντιν᾽ ἄν τις Bekk.

λόγοι εἰσί, καὶ τὴν ἀνθρωπίνην ἀσθένειαν ἀτιμάζων,
B ἀναγκάζομαι ἀπιστίαν ἔτι ἔχειν παρ' ἐμαυτῷ περὶ
τῶν εἰρημένων. Οὐ μόνον γ', ἔφη, ὦ Σιμμία, ὁ Σω-
κράτης, ἀλλὰ ταῦτά τε εὖ λέγεις, καὶ τὰς ὑποθέσεις
τὰς πρώτας, καὶ εἰ πισταὶ ὑμῖν εἰσίν, ὅμως ἐπισκε- 5
πτέαι σαφέστερον· καὶ ἐὰν αὐτὰς ἱκανῶς διέλητε, ὡς
ἐγῷμαι, ἀκολουθήσετε τῷ λόγῳ, καθ' ὅσον δυνατὸν
μάλιστα ἀνθρώπῳ ἐπακολουθῆσαι· κἂν τοῦτο αὐτὸ
σαφὲς γένηται, οὐδὲν ζητήσετε περαιτέρω. Ἀληθῆ,
ἔφη, λέγεις.                                                    10

LVII. Ἀλλὰ τόδε γ', ἔφη, ὦ ἄνδρες, δίκαιον δια-
C νοηθῆναι, ὅτι, εἴπερ ἡ ψυχὴ ἀθάνατος, ἐπιμελείας δὴ
δεῖται οὐχ ὑπὲρ τοῦ χρόνου τούτου μόνον, ἐν ᾧ κα-
λοῦμεν τὸ ζῆν, ἀλλ' ὑπὲρ τοῦ παντός, καὶ ὁ κίνδυνος
νῦν δὴ καὶ δόξειεν ἂν δεινὸς εἶναι, εἴ τις αὐτῆς ἀμελήσει. 15
εἰ μὲν γὰρ ἦν ὁ θάνατος τοῦ παντὸς ἀπαλλαγή, ἕρμαιον
ἂν ἦν τοῖς κακοῖς ἀποθανοῦσι τοῦ τε σώματος ἅμα
ἀπηλλάχθαι καὶ τῆς αὐτῶν κακίας μετὰ τῆς ψυχῆς·
νῦν δὲ ἐπειδὴ ἀθάνατος φαίνεται οὖσα, οὐδεμία ἂν εἴη
αὐτῇ ἄλλη ἀποφυγὴ κακῶν οὐδὲ σωτηρία πλὴν τοῦ 20
D ὡς βελτίστην τε καὶ φρονιμωτάτην γενέσθαι. οὐδὲν
γὰρ ἄλλο ἔχουσα εἰς Ἅιδου ἡ ψυχὴ ἔρχεται πλὴν
τῆς παιδείας τε καὶ τροφῆς, ἃ δὴ καὶ μέγιστα λέγεται
ὠφελεῖν ἢ βλάπτειν τὸν τελευτήσαντα εὐθὺς ἐν ἀρχῇ
τῆς ἐκεῖσε πορείας. λέγεται δὲ οὕτως, ὡς ἄρα τελευ- 25
τήσαντα ἕκαστον ὁ ἑκάστου δαίμων, ὅσπερ ζῶντα
εἰλήχει, οὗτος ἄγειν ἐπιχειρεῖ εἰς δή τινα τόπον, οἷ δεῖ
τοὺς ξυλλεγέντας διαδικασαμένους εἰς Ἅιδου πορεύε-
E σθαι μετὰ ἡγεμόνος ἐκείνου ᾧ δὴ προστέτακται τοὺς
ἐνθένδε ἐκεῖσε πορεῦσαι· τυχόντας δ' ἐκεῖ ὧν δεῖ τυχεῖν 30

12 ἀθάνατος Herm. ἐστιν add. Bekk., but om. Bodl. and most
good mss.      23 μέγιστα λέγεται Bodl. λέγεται μέγιστα Bekk.

καὶ μείναντας ὃν χρὴ χρόνον ἄλλος δεῦρο πάλιν ἡγεμὼν
κομίζει ἐν πολλαῖς χρόνου καὶ μακραῖς περιόδοις. ἔστι
δὲ ἄρα ἡ πορεία οὐχ ὡς ὁ Αἰσχύλου Τήλεφος λέγει· 108
ἐκεῖνος μὲν γὰρ ἁπλῆν οἰμόν φησιν εἰς Ἅιδου φέρειν,
5 ἡ δ᾽ οὔτε ἁπλῆ οὔτε μία φαίνεταί μοι εἶναι. οὐδὲ γὰρ
ἂν ἡγεμόνων ἔδει· οὐ γάρ πού τις ἂν διαμάρτοι οὐδα-
μόσε μιᾶς ὁδοῦ οὔσης. νῦν δὲ ἔοικε σχίσεις τε καὶ
περιόδους πολλὰς ἔχειν· ἀπὸ τῶν ὁσίων τε καὶ νομί-
μων τῶν ἐνθάδε τεκμαιρόμενος λέγω. ἡ μὲν οὖν κοσμία
10 τε καὶ φρόνιμος ψυχὴ ἕπεταί τε καὶ οὐκ ἀγνοεῖ τὰ
παρόντα· ἡ δὲ ἐπιθυμητικῶς τοῦ σώματος ἔχουσα,
ὅπερ ἐν τῷ ἔμπροσθεν εἶπον, περὶ ἐκεῖνο πολὺν χρόνον
ἐπτοημένη καὶ περὶ τὸν ὁρατὸν τόπον, πολλὰ ἀντιτεί- B
νασα καὶ πολλὰ παθοῦσα, βίᾳ καὶ μόγις ὑπὸ τοῦ
15 προστεταγμένου δαίμονος οἴχεται ἀγομένη. ἀφικο-
μένην δὲ ὅθιπερ αἱ ἄλλαι, τὴν μὲν ἀκάθαρτον καί τι
πεποιηκυῖαν τοιοῦτον, ἢ φόνων ἀδίκων ἡμμένην ἢ ἄλλ᾽
ἄττα τοιαῦτα εἰργασμένην, ἃ τούτων ἀδελφά τε καὶ
ἀδελφῶν ψυχῶν ἔργα τυγχάνει ὄντα, ταύτην μὲν
20 ἅπας φεύγει τε καὶ ὑπεκτρέπεται καὶ οὔτε ξυνέμπορος
οὔτε ἡγεμὼν ἐθέλει γίγνεσθαι, αὐτὴ δὲ πλανᾶται ἐν
πάσῃ ἐχομένη ἀπορίᾳ, ἕως ἂν δή τινες χρόνοι γένων- C
ται, ὧν ἐξελθόντων ὑπ᾽ ἀνάγκης φέρεται εἰς τὴν αὐτῇ
πρέπουσαν οἴκησιν· ἡ δὲ καθαρῶς τε καὶ μετρίως
25 τὸν βίον διεξελθοῦσα, καὶ ξυνεμπόρων καὶ ἡγεμόνων
θεῶν τυχοῦσα, ᾤκησε τὸν αὐτῇ ἑκάστη τόπον προσή-
κοντα. εἰσὶ δὲ πολλοὶ καὶ θαυμαστοὶ τῆς γῆς τόποι,
καὶ αὐτὴ οὔτε οἷα οὔτε ὅση δοξάζεται ὑπὸ τῶν περὶ
γῆς εἰωθότων λέγειν, ὡς ἐγὼ ὑπό τινος πέπεισμαι.
30  LVIII.  Καὶ ὁ Σιμμίας, Πῶς ταῦτα, ἔφη, λέγεις, D
ὦ Σώκρατες; περὶ γάρ τοι τῆς γῆς καὶ αὐτὸς πολλὰ

16 ὅθιπερ all mss. and edd. οἷπερ Cobet, Nov. Lect. p. 624.

δὴ ἀκήκοα, οὐ μέντοι ταῦτα ἃ σὲ πείθει· ἡδέως ἂν οὖν
ἀκούσαιμι. Ἀλλὰ μέντοι, ὦ Σιμμία, οὐχ ἡ Γλαύκου
τέχνη γέ μοι δοκεῖ εἶναι διηγήσασθαι ἅ γ᾽ ἐστίν· ὡς
μέντοι ἀληθῆ, χαλεπώτερόν μοι φαίνεται ἢ κατὰ τὴν
Γλαύκου τέχνην, καὶ ἅμα μὲν ἐγὼ ἴσως οὐδ᾽ ἂν οἷός 5
τε εἴην, ἅμα δέ, εἰ καὶ ἠπιστάμην, ὁ βίος μοι δοκεῖ
ὁ ἐμός, ὦ Σιμμία, τῷ μήκει τοῦ λόγου οὐκ ἐξαρκεῖν.
Ε τὴν μέντοι ἰδέαν τῆς γῆς, οἵαν πέπεισμαι εἶναι, καὶ
τοὺς τόπους αὐτῆς οὐδέν με κωλύει λέγειν. Ἀλλ᾽, ἔφη
ὁ Σιμμίας, καὶ ταῦτα ἀρκεῖ. Πέπεισμαι τοίνυν, ἦ δ᾽ 10
ὅς, ἐγὼ ὡς πρῶτον μέν, εἰ ἔστιν ἐν μέσῳ τῷ οὐρανῷ
περιφερὴς οὖσα, μηδὲν αὐτῇ δεῖν μήτε ἀέρος πρὸς τὸ
109 μὴ πεσεῖν μήτε ἄλλης ἀνάγκης μηδεμιᾶς τοιαύτης,
ἀλλὰ ἱκανὴν εἶναι αὐτὴν ἴσχειν τὴν ὁμοιότητα τοῦ
οὐρανοῦ αὐτοῦ ἑαυτῷ πάντῃ καὶ τῆς γῆς αὐτῆς τὴν 15
ἰσορροπίαν· ἰσόρροπον γὰρ πρᾶγμα ὁμοίου τινὸς ἐν
μέσῳ τεθὲν οὐχ ἕξει μᾶλλον οὐδ᾽ ἧττον οὐδαμόσε
κλιθῆναι, ὁμοίως δ᾽ ἔχον ἀκλινὲς μενεῖ. πρῶτον μέν,
ἦ δ᾽ ὅς, τοῦτο πέπεισμαι. Καὶ ὀρθῶς γε, ἔφη ὁ Σιμ-
μίας. Ἔτι τοίνυν, ἔφη, πάμμεγά τι εἶναι αὐτό, καὶ 20
Β ἡμᾶς οἰκεῖν τοὺς μέχρι Ἡρακλείων στηλῶν ἀπὸ
Φάσιδος ἐν σμικρῷ τινι μορίῳ, ὥσπερ περὶ τέλμα
μύρμηκας ἢ βατράχους περὶ τὴν θάλατταν οἰκοῦντας,
καὶ ἄλλους ἄλλοθι πολλοὺς ἐν πολλοῖς τοιούτοις τό-
ποις οἰκεῖν. εἶναι γὰρ πανταχῇ περὶ τὴν γῆν πολλὰ 25
κοῖλα καὶ παντοδαπὰ καὶ τὰς ἰδέας καὶ τὰ μεγέθη, εἰς
ἃ ξυνερρυηκέναι τό τε ὕδωρ καὶ τὴν ὁμίχλην καὶ τὸν
ἀέρα· αὐτὴν δὲ τὴν γῆν καθαρὰν ἐν καθαρῷ κεῖσθαι
τῷ οὐρανῷ, ἐν ᾧπερ ἐστὶ τὰ ἄστρα, ὃν δὴ αἰθέρα
C ὀνομάζειν τοὺς πολλοὺς τῶν περὶ τὰ τοιαῦτα εἰωθότων 30

2 Γλαύκου γέ μοι τέχνη Bekk. The order varies in the mss.:
I follow the Bodl. 18 πρῶτον μὲν τοίνυν Bekk.: τοίνυν om.
Bodl. and the best mss

λέγειν· οὗ δὴ ὑποστάθμην ταῦτα εἶναι καὶ ξυρρεῖν
ἀεὶ εἰς τὰ κοῖλα τῆς γῆς. ἡμᾶς οὖν οἰκοῦντας ἐν τοῖς
κοίλοις αὐτῆς λεληθέναι καὶ οἴεσθαι ἄνω ἐπὶ τῆς γῆς
οἰκεῖν, ὥσπερ ἂν εἴ τις ἐν μέσῳ τῷ πυθμένι τοῦ πε-
5 λάγους οἰκῶν οἴοιτό τε ἐπὶ τῆς θαλάττης οἰκεῖν καὶ
διὰ τοῦ ὕδατος ὁρῶν τὸν ἥλιον καὶ τὰ ἄλλα ἄστρα
τὴν θάλατταν ἡγοῖτο οὐρανὸν εἶναι, διὰ δὲ βραδυτῆτά
τε καὶ ἀσθένειαν μηδεπώποτε ἐπὶ τὰ ἄκρα τῆς θα- D
λάττης ἀφιγμένος μηδὲ ἑωρακὼς εἴη, ἐκδὺς καὶ ἀνακύ-
10 ψας ἐκ τῆς θαλάττης εἰς τὸν ἐνθάδε τόπον, ὅσῳ καθα-
ρώτερος καὶ καλλίων τυγχάνει ἂν τοῦ παρὰ σφίσι,
μηδὲ ἄλλου ἀκηκοὼς εἴη τοῦ ἑωρακότος. ταὐτὸν δὴ
τοῦτο καὶ ἡμᾶς πεπονθέναι· οἰκοῦντας γὰρ ἔν τινι
κοίλῳ τῆς γῆς οἴεσθαι ἐπάνω αὐτῆς οἰκεῖν, καὶ τὸν
15 ἀέρα οὐρανὸν καλεῖν, ὡς διὰ τούτου οὐρανοῦ ὄντος τὰ
ἄστρα χωροῦντα· τὸ δὲ εἶναι τοιοῦτον, ὑπ᾽ ἀσθενείας E
καὶ βραδυτῆτος οὐχ οἵους τε εἶναι ἡμᾶς διεξελθεῖν ἐπ᾽
ἔσχατον τὸν ἀέρα· ἐπεί, εἴ τις αὐτοῦ ἐπ᾽ ἄκρα ἔλθοι
ἢ πτηνὸς γενόμενος ἀναπτοῖτο, κατιδεῖν ἂν ἀνακύ-
20 ψαντα, ὥσπερ ἐνθάδε οἱ ἐκ τῆς θαλάττης ἰχθύες
ἀνακύπτοντες ὁρῶσι τὰ ἐνθάδε, οὕτως ἄν τινα καὶ
τὰ ἐκεῖ κατιδεῖν, καὶ εἰ ἡ φύσις ἱκανὴ εἴη ἀνέχεσθαι
θεωροῦσα, γνῶναι ἂν ὅτι ἐκεῖνός ἐστιν ὁ ἀληθῶς οὐ-
ρανὸς καὶ τὸ ἀληθῶς φῶς καὶ ἡ ὡς ἀληθῶς γῆ. ἥδε 110
25 μὲν γὰρ ἡ γῆ καὶ οἱ λίθοι καὶ ἅπας ὁ τόπος ὁ ἐνθάδε
διεφθαρμένα ἐστὶ καὶ καταβεβρωμένα, ὥσπερ τὰ ἐν τῇ
θαλάττῃ ὑπὸ τῆς ἅλμης, καὶ οὔτε φύεται οὐδὲν ἄξιον
λόγου ἐν τῇ θαλάττῃ, οὔτε τέλειον, ὡς ἔπος εἰπεῖν,
οὐδέν ἐστι, σήραγγες δὲ καὶ ἄμμος καὶ πηλὸς ἀμήχα-

---

16 εἶναι τοιοῦτον is Heindorf's conj. εἶναι ταυτὸν mss. τὸ δὲ
δεινότατον Herm.    19 ἀνάπτοιτο Bekk. ἀνάπτοῖτο Bodl.    κατιδεῖν
ἂν : ἂν add. Stephanus.    27 φύεται and the other words are
given in the order of the Bodl. φύεται ἄξιον λόγου οὐδὲν Bekk.

νος καὶ βόρβοροί εἰσιν, ὅπου ἂν καὶ γῆ ᾖ, καὶ πρὸς
τὰ παρ' ἡμῖν κάλλη κρίνεσθαι οὐδ' ὁπωστιοῦν ἄξια·
ἐκεῖνα δὲ αὖ τῶν παρ' ἡμῖν πολὺ ἂν ἔτι πλέον φανείη
B διαφέρειν. εἰ γὰρ δεῖ καὶ μῦθον λέγειν [καλόν], ἄξιον
ἀκοῦσαι, ὦ Σιμμία, οἷα τυγχάνει τὰ ἐπὶ τῆς γῆς ὑπὸ 5
τῷ οὐρανῷ ὄντα. Ἀλλὰ μήν, ἔφη ὁ Σιμμίας, ὦ Σώ-
κρατες, ἡμεῖς γε τούτου τοῦ μύθου ἡδέως ἂν ἀκού-
σαιμεν.

LIX. Λέγεται τοίνυν, ἔφη, ὦ ἑταῖρε, πρῶτον μὲν
εἶναι τοιαύτη ἡ γῆ αὐτὴ ἰδεῖν, εἴ τις ἄνωθεν θεῷτο 10
αὐτήν, ὥσπερ αἱ δωδεκάσκυτοι σφαῖραι, ποικίλη, χρώ-
μασι διειλημμένη, ὧν καὶ τὰ ἐνθάδε εἶναι χρώματα
C ὥσπερ δείγματα, οἷς δὴ οἱ γραφεῖς καταχρῶνται· ἐκεῖ
δὲ πᾶσαν τὴν γῆν ἐκ τοιούτων εἶναι, καὶ πολὺ ἔτι ἐκ
λαμπροτέρων καὶ καθαρωτέρων ἢ τούτων· τὴν μὲν γὰρ 15
ἁλουργῆ εἶναι καὶ θαυμαστὴν τὸ κάλλος, τὴν δὲ χρυσοει-
δῆ, τὴν δὲ ὅση λευκὴ γύψου ἢ χιόνος λευκοτέραν, καὶ ἐκ
τῶν ἄλλων χρωμάτων ξυγκειμένην ὡσαύτως, καὶ ἔτι
πλειόνων καὶ καλλιόνων ἢ ὅσα ἡμεῖς ἑωράκαμεν. καὶ
γὰρ αὐτὰ ταῦτα τὰ κοῖλα αὐτῆς, ὕδατός τε καὶ ἀέρος ἔκ- 20
πλεα ὄντα, χρώματός τι εἶδος παρέχεσθαι στίλβοντα
D ἐν τῇ τῶν ἄλλων χρωμάτων ποικιλίᾳ, ὥστε ἕν τι αὐτῆς
εἶδος ξυνεχὲς ποικίλον φαντάζεσθαι. ἐν δὲ ταύτῃ οὔσῃ
τοιαύτῃ ἀνὰ λόγον τὰ φυόμενα φύεσθαι, δένδρα τε καὶ
ἄνθη καὶ τοὺς καρπούς· καὶ αὖ τὰ ὄρη ὡσαύτως καὶ 25
τοὺς λίθους ἔχειν ἀνὰ τὸν αὐτὸν λόγον τήν τε λειότητα
καὶ τὴν διαφάνειαν καὶ τὰ χρώματα καλλίω· ὧν καὶ τὰ
ἐνθάδε λιθίδια εἶναι ταῦτα τὰ ἀγαπώμενα μόρια, σάρ-
διά τε καὶ ἰάσπιδας καὶ σμαράγδους καὶ πάντα τὰ
E τοιαῦτα, ἐκεῖ δὲ οὐδὲν ὅ,τι οὐ τοιοῦτον εἶναι καὶ ἔτι 30

1 καὶ ἡ γῆ Bekk. ἡ om. Stallb. Herm. with the support of a
few mss. of the second class.    4 καλὸν om. Bodl. pr. m. and Π.
20 ἔκπλεα Bodl. and many good mss.    ἔμπλεα Bekk.

τούτων καλλίω. τὸ δ' αἴτιον τούτου εἶναι, ὅτι ἐκεῖνοι
οἱ λίθοι εἰσὶ καθαροὶ καὶ οὐ κατεδηδεσμένοι οὐδὲ δια-
φθαρμένοι ὥσπερ οἱ ἐνθάδε ὑπὸ σηπεδόνος καὶ ἅλμης
ὑπὸ τῶν δεῦρο ξυνερρυηκότων, ἃ καὶ λίθοις καὶ γῇ καὶ
5 τοῖς ἄλλοις ζώοις τε καὶ φυτοῖς αἴσχη τε καὶ νόσους
παρέχει. τὴν δὲ γῆν αὐτὴν κεκοσμῆσθαι τούτοις τε
ἅπασι καὶ ἔτι χρυσῷ τε καὶ ἀργύρῳ καὶ τοῖς ἄλλοις 111
αὖ τοῖς τοιούτοις. ἐκφανῆ γὰρ αὐτὰ πεφυκέναι, ὄντα
πολλὰ πλήθει καὶ μεγάλα καὶ πολλαχοῦ τῆς γῆς,
10 ὥστε αὐτὴν ἰδεῖν εἶναι θέαμα εὐδαιμόνων θεατῶν. ζῶα
δ' ἐπ' αὐτῆς εἶναι ἄλλα τε πολλὰ καὶ ἀνθρώπους, τοὺς
μὲν ἐν μεσογαίᾳ οἰκοῦντας, τοὺς δὲ περὶ τὸν ἀέρα,
ὥσπερ ἡμεῖς περὶ τὴν θάλατταν, τοὺς δὲ ἐν νήσοις ἃς
περιρρεῖν τὸν ἀέρα πρὸς τῇ ἠπείρῳ οὔσας· καὶ ἑνὶ
15 λόγῳ, ὅπερ ἡμῖν τὸ ὕδωρ καὶ ἡ θάλαττά ἐστι πρὸς
τὴν ὑμετέραν χρείαν, τοῦτο ἐκεῖ τὸν ἀέρα, ὃ δὲ ἡμῖν
ὁ ἀήρ, ἐκείνοις τὸν αἰθέρα. τὰς δὲ ὥρας αὐτοῖς κρᾶσιν Β
ἔχειν τοιαύτην, ὥστε ἐκείνους ἀνόσους εἶναι καὶ χρόνον
τε ζῆν πολὺ πλείω τῶν ἐνθάδε, καὶ ὄψει καὶ ἀκοῇ καὶ
20 φρονήσει καὶ πᾶσι τοῖς τοιούτοις ἡμῶν ἀφεστάναι τῇ
αὐτῇ ἀποστάσει, ᾗπερ ἀήρ τε ὕδατος ἀφέστηκε καὶ
αἰθὴρ ἀέρος πρὸς καθαρότητα. καὶ δὴ καὶ θεῶν ἄλση
τε καὶ ἱερὰ αὐτοῖς εἶναι, ἐν οἷς τῷ ὄντι οἰκητὰς θεοὺς
εἶναι, καὶ φήμας τε καὶ μαντείας καὶ αἰσθήσεις τῶν
25 θεῶν καὶ τοιαύτας ξυνουσίας γίγνεσθαι αὐτοῖς πρὸς
αὐτούς· καὶ τόν γε ἥλιον καὶ σελήνην καὶ ἄστρα ὁρᾶ- C

1 καλλίω Bodl. with most mss. (Stallb. Herm.) κάλλιον Bekk.
with only one ms. 2 εἰσὶ καθαροὶ Bodl. καθαροί εἰσι Bekk. with the
other mss. 4 ὑπὸ τῶν δεῦρο ξυνερρυηκότων is considered spurious
by Cobet, Var. Lect. p. 231. 9 πολλαχοῦ Bodl. πανταχοῦ Bekk.
with the other mss. 11 ἐπ' αὐτῆς Bekk. Stallb. with several mss.
ἐπ' αὐτῇ Herm. with the Bodl. 20 φρονήσει Bekk. Stallb. with
all mss. but one, ὀσφρήσει Herm. with the August.: see comm.
22 ἄλση Bodl. ἕδη Bekk. with other mss. 26 αὐτοὺς Bodl. and
nearly all mss.

σθαι ὑπ᾽ αὐτῶν οἷα τυγχάνει ὄντα, καὶ τὴν ἄλλην
εὐδαιμονίαν τούτων ἀκόλουθον εἶναι.

LX. Καὶ ὅλην μὲν δὴ τὴν γῆν οὕτω πεφυκέναι καὶ
τὰ περὶ τὴν γῆν· τόπους δ᾽ ἐν αὐτῇ εἶναι κατὰ τὰ
ἔγκοιλα αὐτῆς κύκλῳ περὶ ὅλην πολλούς, τοὺς μὲν 5
βαθυτέρους καὶ ἀναπεπταμένους μᾶλλον ἢ ἐν ᾧ ἡμεῖς
οἰκοῦμεν, τοὺς δὲ βαθυτέρους ὄντας τὸ χάσμα αὐτοὺς
D ἔλαττον ἔχειν τοῦ παρ᾽ ἡμῖν τόπου, ἔστι δ᾽ οὓς καὶ
βραχυτέρους τῷ βάθει τοῦ ἐνθάδε εἶναι καὶ πλατυτέ-
ρους· τούτους δὲ πάντας ὑπὸ γῆν εἰς ἀλλήλους συντε- 10
τρῆσθαί τε πολλαχῇ καὶ κατὰ στενότερα καὶ εὐρύτερα,
καὶ διεξόδους ἔχειν, ᾗ πολὺ μὲν ὕδωρ ῥεῖν ἐξ ἀλλήλων
εἰς ἀλλήλους ὥσπερ εἰς κρατῆρας, καὶ ἀενάων ποτα-
μῶν ἀμήχανα μεγέθη ὑπὸ τὴν γῆν καὶ θερμῶν ὑδάτων
καὶ ψυχρῶν, πολὺ δὲ πῦρ καὶ πυρὸς μεγάλους ποτα- 15
μούς, πολλοὺς δὲ ὑγροῦ πηλοῦ καὶ καθαρωτέρου καὶ
E βορβορωδεστέρου, ὥσπερ ἐν Σικελίᾳ οἱ πρὸ τοῦ ῥύακος
πηλοῦ ῥέοντες ποταμοὶ καὶ αὐτὸς ὁ ῥύαξ· ὧν δὴ καὶ
ἑκάστους τοὺς τόπους πληροῦσθαι, ὧν ἂν ἑκάστοις
τύχῃ ἑκάστοτε ἡ περιρροὴ γιγνομένη. ταῦτα δὲ πάντα 20
κινεῖν ἄνω καὶ κάτω ὥσπερ αἰώραν τινὰ ἐνοῦσαν ἐν
τῇ γῇ· ἔστι δὲ ἄρα αὕτη ἡ αἰώρα διὰ φύσιν τοιάνδε
τινά. ἔν τι τῶν χασμάτων τῆς γῆς ἄλλως τε μέγιστον
112 τυγχάνει ὂν καὶ διαμπερὲς τετρημένον δι᾽ ὅλης τῆς γῆς,
τοῦτο ὅπερ Ὅμηρος εἶπε, λέγων αὐτὸ 25
τῆλε μάλ᾽, ἧχι βάθιστον ὑπὸ χθονός ἐστι βέρεθρον·
ὃ καὶ ἄλλοθι καὶ ἐκεῖνος καὶ ἄλλοι πολλοὶ τῶν ποιη-
τῶν Τάρταρον κεκλήκασιν. εἰς γὰρ τοῦτο τὸ χάσμα
συρρέουσί τε πάντες οἱ ποταμοὶ καὶ ἐκ τούτου πάλιν
ἐκρέουσι· γίγνονται δὲ ἕκαστοι τοιοῦτοι δι᾽ οἵας ἂν καὶ 30

7 αὑτῶν Tubing. αὐτῶν Heindorf and Bekk. 11 στενώτερα
Bekk. 19 ἑκάστους Bekk. Stallb. with the mss. ἐκείνους Herm. cj.

G—2

τῆς γῆς ῥέωσιν. ἡ δ' αἰτία ἐστὶ τοῦ ἐκρεῖν τε ἐντεῦθεν Β
καὶ εἰσρεῖν πάντα τὰ ῥεύματα, ὅτι πυθμένα οὐκ ἔχει
οὐδὲ βάσιν τὸ ὑγρὸν τοῦτο. αἰωοεῖται δὴ καὶ κυμαίνει
ἄνω καὶ κάτω, καὶ ὁ ἀὴρ καὶ τὸ πνεῦμα τὸ περὶ αὐτὸ
5 ταὐτὸν ποιεῖ· ξυνέπεται γὰρ αὐτῷ καὶ ὅταν εἰς τὸ ἐπ'
ἐκεῖνα τῆς γῆς ὁρμήσῃ καὶ ὅταν εἰς τὸ ἐπὶ τάδε, καὶ
ὥσπερ τῶν ἀναπνεόντων ἀεὶ ἐκπνεῖ τε καὶ ἀναπνεῖ
ῥέον τὸ πνεῦμα, οὕτω καὶ ἐκεῖ ξυναιωρούμενον τῷ ὑγρῷ
τὸ πνεῦμα δεινούς τινας ἀνέμους καὶ ἀμηχάνους παρέ-
10 χεται καὶ εἰσιὸν καὶ ἐξιόν. ὅταν τε οὖν [ὁρμῆσαν]
ὑποχωρήσῃ τὸ ὕδωρ εἰς τὸν τόπον τὸν δὴ κάτω κα- C
λούμενον, τοῖς κατ' ἐκεῖνα τὰ ῥεύματα διὰ τῆς γῆς
εἰσρεῖ τε καὶ πληροῖ αὐτὰ ὥσπερ οἱ ἐπαντλοῦντες·
ὅταν τε αὖ ἐκεῖθεν μὲν ἀπολίπῃ, δεῦρο δὲ ὁρμήσῃ, τὰ
15 ἐνθάδε πληροῖ αὖθις, τὰ δὲ πληρωθέντα ῥεῖ διὰ τῶν
ὀχετῶν καὶ δια τῆς γῆς, καὶ εἰς τοὺς τόπους ἕκαστα
ἀφικνούμενα, εἰς οὓς ἑκάστους ὁδοποιεῖται, θαλάττας
τε καὶ λίμνας καὶ ποταμοὺς καὶ κρήνας ποιεῖ· ἐντεῦθεν
δὲ πάλιν δυόμενα κατὰ τῆς γῆς, τὰ μὲν μακροτέρους
20 τόπους περιελθόντα καὶ πλείους, τὰ δὲ ἐλάττους καὶ D
βραχυτέρους, πάλιν εἰς τὸν Τάρταρον ἐμβάλλει, τὰ
μὲν πολὺ κατωτέρω ἢ ἐπηντλεῖτο, τὰ δὲ ὀλίγον· πάντα
δὲ ὑποκάτω εἰσρεῖ τῆς ἐκροῆς. καὶ ἔνια μὲν κατατ-
τικρὺ ᾗ εἰσρεῖ ἐξέπεσεν, ἔνια δὲ κατὰ τὸ αὐτὸ μέρος·
25 ἔστι δὲ ἃ παντάπασι κύκλῳ περιελθόντα, ἢ ἅπαξ ἢ
καὶ πλεονάκις περιελιχθέντα περὶ τὴν γῆν ὥσπερ οἱ
ὄφεις, εἰς τὸ δυνατὸν κάτω καθέντα πάλιν ἐμβάλλει.
δυνατὸν δ' ἐστὶν ἑκατέρωσε μέχρι τοῦ μέσου καθιέναι, Ε
πέρα δ' οὔ· ἄναντες γὰρ ἀμφοτέροις τοῖς ῥεύμασι τὸ
30 ἑκατέρωθεν γίγνεται μέρος.

10 [ὁρμῆσαν] om. Bodl. pr. m. bracketed by Stallb. and Herm.
25 ἔστι δὲ καὶ Bekk. with two mss.

LXI. Τὰ μὲν οὖν δὴ ἄλλα πολλά τε καὶ μεγάλα
καὶ παντοδαπὰ ῥεύματά ἐστι· τυγχάνει δ' ἄρα ὄντα
ἐν τούτοις τοῖς πολλοῖς τέτταρ' ἄττα ῥεύματα, ὧν τὸ
μὲν μέγιστον καὶ ἐξωτάτω ῥέον περὶ κύκλῳ ὁ καλού-
μενος Ὠκεανός ἐστι, τούτου δὲ καταντικρὺ καὶ ἐναν- 5
τίως ῥέων Ἀχέρων, ὃς δι' ἐρήμων τε τόπων ῥεῖ ἄλλων
113 καὶ δὴ καὶ ὑπὸ γῆν ῥέων εἰς τὴν λίμνην ἀφικνεῖται
τὴν Ἀχερουσιάδα, οὗ αἱ τῶν τετελευτηκότων ψυχαὶ
τῶν πολλῶν ἀφικνοῦνται καί τινας εἱμαρμένους χρό-
νους μείνασαι, αἱ μὲν μακροτέρους, αἱ δὲ βραχυτέρους 10
πάλιν ἐκπέμπονται εἰς τὰς τῶν ζῴων γενέσεις. τρίτος
δὲ ποταμὸς τούτων κατὰ μέσον ἐκβάλλει, καὶ ἐγγὺς
τῆς ἐκβολῆς ἐκπίπτει εἰς τόπον μέγαν πυρὶ πολλῷ
καιόμενον, καὶ λίμνην ποιεῖ μείζω τῆς παρ' ἡμῖν
θαλάττης, ζέουσαν ὕδατος καὶ πηλοῦ· ἐντεῦθεν δὲ 15
B χωρεῖ κύκλῳ θολερὸς καὶ πηλώδης, περιελιττόμενος δὲ
[τῇ γῇ] ἄλλοσέ τε ἀφικνεῖται καὶ παρ' ἔσχατα τῆς
Ἀχερουσιάδος λίμνης, οὐ ξυμμιγνύμενος τῷ ὕδατι·
περιελιχθεὶς δὲ πολλάκις ὑπὸ γῆς ἐμβάλλει κατωτέρω
τοῦ Ταρτάρου· οὗτος δ' ἐστὶν ὃν ἐπονομάζουσι Πυρι- 20
φλεγέθοντα, οὗ καὶ οἱ ῥύακες ἀποσπάσματα ἀναφυ-
σῶσιν ὅπῃ ἂν τύχωσι τῆς γῆς. τούτου δ' αὖ καταν-
τικρὺ ὁ τέταρτος ἐκπίπτει εἰς τόπον πρῶτον δεινόν τε
καὶ ἄγριον, ὡς λέγεται, χρῶμα δὲ ἔχοντα ὅλον οἷον ὁ
C κυανός, ὃν δὴ ἐπονομάζουσι Στύγιον, καὶ τὴν λίμνην, 25
ἣν ποιεῖ ὁ ποταμὸς ἐμβάλλων, Στύγα· ὁ δ' ἐμπεσὼν
ἐνταῦθα καὶ δεινὰς δυνάμεις λαβὼν ἐν τῷ ὕδατι, δὺς
κατὰ τῆς γῆς, περιελιττόμενος χωρεῖ ἐναντίος τῷ Πυ-

4 περὶ Bekk. πέρι Herm.      14 καιόμενον the mss. καόμενον
Bekk. Stallb.      17 τῇ γῇ bracketed by Heind. and Herm., these
words being om. by Theodor. and Euseb. who quote the passage.
20 ἐπονομάζουσι most mss. ἔτι ὀνομάζουσι Bodl. ὃν ὀνομ. Herm.
28 ἐναντίως Bekk. here and p. 86, 3, against the Bodl. and the
good mss.

ριφλεγέθοντι καὶ ἀπαντᾷ ἐν τῇ Ἀχερουσιάδι λίμνῃ ἐξ
ἐναντίας· καὶ οὐδὲ τὸ τούτου ὕδωρ οὐδενὶ μίγνυται,
ἀλλὰ καὶ οὗτος κύκλῳ περιελθὼν ἐμβάλλει εἰς τὸν
Τάρταρον ἐναντίος τῷ Πυριφλεγέθοντι· ὄνομα δὲ τούτῳ
5 ἐστίν, ὡς οἱ ποιηταὶ λέγουσι, Κωκυτός.

LXII.   Τούτων δὲ οὕτω πεφυκότων, ἐπειδὰν ἀφί- D
κωνται οἱ τετελευτηκότες εἰς τὸν τόπον οἷ ὁ δαίμων
ἕκαστον κομίζει, πρῶτον μὲν διεδικάσαντο οἵ τε καλῶς
καὶ ὁσίως βιώσαντες καὶ οἱ μή. καὶ οἱ μὲν ἂν δόξωσι
10 μέσως βεβιωκέναι, πορευθέντες ἐπὶ τὸν Ἀχέροντα,
ἀναβάντες ἃ δὴ αὐτοῖς ὀχήματά ἐστιν, ἐπὶ τούτων
ἀφικνοῦνται εἰς τὴν λίμνην, καὶ ἐκεῖ οἰκοῦσί τε καὶ
καθαιρόμενοι τῶν τε ἀδικημάτων διδόντες δίκας ἀπο-
λύονται, εἴ τίς τι ἠδίκηκε, τῶν τε εὐεργεσιῶν τιμὰς
15 φέρονται κατὰ τὴν ἀξίαν ἕκαστος· οἳ δ' ἂν δόξωσιν E
ἀνιάτως ἔχειν διὰ τὰ μεγέθη τῶν ἁμαρτημάτων, ἢ
ἱεροσυλίας πολλὰς καὶ μεγάλας ἢ φόνους ἀδίκους
καὶ παρανόμους πολλοὺς ἐξειργασμένοι, ἢ ἄλλα ὅσα
τοιαῦτα τυγχάνει ὄντα, τούτους δὲ ἡ προσήκουσα
20 μοῖρα ῥίπτει εἰς τὸν Τάρταρον, ὅθεν οὔποτε ἐκβαίνου-
σιν. οἳ δ' ἂν ἰάσιμα μέν, μεγάλα δὲ δόξωσιν ἡμαρτη-
κέναι ἁμαρτήματα, οἷον πρὸς πατέρα ἢ μητέρα ὑπ'
ὀργῆς βίαιόν τι πράξαντες, καὶ μεταμέλον αὐτοῖς τὸν 114
ἄλλον βίον βιῶσιν, ἢ ἀνδροφόνοι τοιούτῳ τινὶ ἄλλῳ
25 τρόπῳ γένωνται, τούτους δὲ ἐμπεσεῖν μὲν εἰς τὸν
Τάρταρον ἀνάγκη, ἐμπεσόντας δὲ αὐτοὺς καὶ ἐνιαυτὸν
ἐκεῖ γενομένους ἐκβάλλει τὸ κῦμα, τοὺς μὲν ἀνδρο-
φόνους κατὰ τὸν Κωκυτόν, τοὺς δὲ πατραλοίας καὶ
μητραλοίας κατὰ τὸν Πυριφλεγέθοντα· ἐπειδὰν δὲ
30 φερόμενοι γένωνται κατὰ τὴν λίμνην τὴν Ἀχερου-
σιάδα, ἐνταῦθα βοῶσί τε καὶ καλοῦσιν, οἱ μὲν οὓς
ἀπέκτειναν, οἱ δὲ οὓς ὕβρισαν, καλέσαντες δ' ἱκετεύ-

Β ουσι καὶ δέονται ἐᾶσαι σφᾶς ἐκβῆναι εἰς τὴν λίμνην
καὶ δέξασθαι, καὶ ἐὰν μὲν πείσωσιν, ἐκβαίνουσί τε καὶ
λήγουσι τῶν κακῶν, εἰ δὲ μή, φέρονται αὖθις εἰς τὸν
Τάρταρον κἀκεῖθεν πάλιν εἰς τοὺς ποταμούς, καὶ ταῦτα
πάσχοντες οὐ πρότερον παύονται, πρὶν ἂν πείσωσιν 5
οὓς ἠδίκησαν· αὕτη γὰρ ἡ δίκη ὑπὸ τῶν δικαστῶν
αὐτοῖς ἐτάχθη. οἳ δὲ δὴ ἂν δόξωσι διαφερόντως πρὸς τὸ
ὁσίως βιῶναι, οὗτοί εἰσιν οἱ τῶνδε μὲν τῶν τόπων τῶν
ἐν τῇ γῇ ἐλευθερούμενοί τε καὶ ἀπαλλαττόμενοι ὥσπερ
Γ δεσμωτηρίων, ἄνω δὲ εἰς τὴν καθαρὰν οἴκησιν ἀφικνού- 10
μενοι καὶ ἐπὶ τῆς γῆς οἰκιζόμενοι. τούτων δὲ αὐτῶν
οἱ φιλοσοφίᾳ ἱκανῶς καθηράμενοι ἄνευ τε σωμάτων
ζῶσι τὸ παράπαν εἰς τὸν ἔπειτα χρόνον, καὶ εἰς οἰκή-
σεις ἔτι τούτων καλλίους ἀφικνοῦνται, ἃς οὔτε ῥᾴδιον
δηλῶσαι οὔτε ὁ χρόνος ἱκανὸς ἐν τῷ παρόντι. ἀλλὰ 15
τούτων δὴ ἕνεκα χρὴ ὧν διεληλύθαμεν, ὦ Σιμμία, πᾶν
ποιεῖν, ὥστε ἀρετῆς καὶ φρονήσεως ἐν τῷ βίῳ μετα-
σχεῖν· καλὸν γὰρ τὸ ἆθλον καὶ ἡ ἐλπὶς μεγάλη.

Δ  LXIII. Τὸ μὲν οὖν ταῦτα διισχυρίσασθαι οὕτως
ἔχειν, ὡς ἐγὼ διελήλυθα, οὐ πρέπει νοῦν ἔχοντι ἀνδρί· 20
ὅτι μέντοι ἢ ταῦτ' ἐστὶν ἢ τοιαῦτ' ἄττα περὶ τὰς
ψυχὰς ἡμῶν καὶ τὰς οἰκήσεις, ἐπείπερ ἀθάνατόν γε ἡ
ψυχὴ φαίνεται οὖσα, τοῦτο καὶ πρέπειν μοι δοκεῖ
καὶ ἄξιον κινδυνεῦσαι οἰομένῳ οὕτως ἔχειν· καλὸς γὰρ
ὁ κίνδυνος· καὶ χρὴ τὰ τοιαῦτα ὥσπερ ἐπᾴδειν ἑαυτῷ, 25
διὸ δὴ ἔγωγε καὶ πάλαι μηκύνω τὸν μῦθον. ἀλλὰ
τούτων δὴ ἕνεκα θαρρεῖν χρὴ περὶ τῇ ἑαυτοῦ ψυχῇ
Ε ἄνδρα, ὅστις ἐν τῷ βίῳ τὰς μὲν ἄλλας ἡδονὰς τὰς περὶ
τὸ σῶμα καὶ τοὺς κόσμους εἴασε χαίρειν, ὡς ἀλλοτρί-
ους τε ὄντας καὶ πλέον θάτερον ἡγησάμενος ἀπεργά- 30

6 ἠδίκησαν Bodl. and nearly all mss.  ἠδικήκασιν Bekk. with
three mss.  11 ἐπὶ τῆς γῆς. Bekk from Stobaeus, Theodor. and
Euseb. τῆς om. in all mss. and by Herm.

ζεσθαι, τὰς δὲ περὶ τὸ μανθάνειν ἐσπούδασέ τε καὶ
κοσμήσας τὴν ψυχὴν οὐκ ἀλλοτρίῳ ἀλλὰ τῷ αὐτῆς
κόσμῳ, σωφροσύνῃ τε καὶ δικαιοσύνῃ καὶ ἀνδρείᾳ καὶ
ἐλευθερίᾳ καὶ ἀληθείᾳ, οὕτω περιμένει τὴν εἰς Ἅιδου 115
5 πορείαν, ὡς πορευσόμενος ὅταν ἡ εἱμαρμένη καλῇ.
ὑμεῖς μὲν οὖν, ἔφη, ὦ Σιμμία τε καὶ Κέβης καὶ οἱ
ἄλλοι, εἰσαῦθις ἔν τινι χρόνῳ ἕκαστοι πορεύσεσθε·
ἐμὲ δὲ νῦν ἤδη καλεῖ, φαίη ἂν ἀνὴρ τραγικός, ἡ εἱμαρ-
μένη, καὶ σχεδόν τί μοι ὥρα τραπέσθαι πρὸς τὸ λου-
10 τρόν· δοκεῖ γὰρ δὴ βέλτιον εἶναι λουσάμενον πιεῖν τὸ
φάρμακον καὶ μὴ πράγματα ταῖς γυναιξὶ παρέχειν
νεκρὸν λούειν.

LXIV.  Ταῦτα δὴ εἰπόντος αὐτοῦ ὁ Κρίτων, Εἶεν,
ἔφη, ὦ Σώκρατες· τί δὲ τούτοις ἢ ἐμοὶ ἐπιστέλλεις ἢ Β
15 περὶ τῶν παίδων ἢ περὶ ἄλλου του, ὅ,τι ἄν σοι ποιοῦν-
τες ἡμεῖς ἐν χάριτι μάλιστα ποιοῖμεν; Ἅπερ ἀεὶ
λέγω, ἔφη, ὦ Κρίτων, οὐδὲν καινότερον· ὅτι ὑμῶν
αὐτῶν ἐπιμελούμενοι ὑμεῖς καὶ ἐμοὶ καὶ τοῖς ἐμοῖς καὶ
ὑμῖν αὐτοῖς ἐν χάριτι ποιήσετε ἅττ' ἂν ποιῆτε, κἂν μὴ
20 νῦν ὁμολογήσητε· ἐὰν δὲ ὑμῶν μὲν αὐτῶν ἀμελῆτε, καὶ
μὴ θέλητε ὥσπερ κατ' ἴχνη κατὰ τὰ νῦν τε εἰρημένα
καὶ τὰ ἐν τῷ ἔμπροσθεν χρόνῳ ζῆν, οὐδ' ἐὰν πολλὰ
ὁμολογήσητε ἐν τῷ παρόντι καὶ σφόδρα, οὐδὲν πλέον C
ποιήσετε.  Ταῦτα μὲν τοίνυν προθυμηθησόμεθα, ἔφη,
25 οὕτω ποιεῖν· θάπτωμεν δέ σε τίνα τρόπον; Ὅπως ἄν,
ἔφη, βούλησθε, ἐάνπερ γε λάβητέ με καὶ μὴ ἐκφύγω
ὑμᾶς.  γελάσας δὲ ἅμα ἡσυχῇ καὶ πρὸς ἡμᾶς ἀποβλέ-
ψας εἶπεν, Οὐ πείθω, ἔφη, ὦ ἄνδρες, Κρίτωνα, ὡς ἐγώ
εἰμι οὗτος ὁ Σωκράτης, ὁ νυνὶ διαλεγόμενος καὶ διατάτ-
30 των ἕκαστον τῶν λεγομένων, ἀλλ' οἴεταί με ἐκεῖνον

17  ἔφη λέγω Bekk. against the Bodl.    20  ὑμῶν μὲν αὐτῶν
Herm. with the Bodl.  μὲν om. Bekk. Stallb. with many mss.

εἶναι, ὃν ὄψεται ὀλίγον ὕστερον νεκρόν, καὶ ἐρωτᾷ δή,
D πῶς με θάπτῃ. ὅτι δὲ ἐγὼ πάλαι πολὺν λόγον πε-
ποίημαι, ὡς, ἐπειδὰν πίω τὸ φάρμακον, οὐκέτι ὑμῖν
παραμενῶ, ἀλλ᾽ οἰχήσομαι ἀπιὼν εἰς μακάρων δή
τινας εὐδαιμονίας, ταῦτά μοι δοκῶ αὐτῷ ἄλλως λέγειν, 5
παραμυθούμενος ἅμα μὲν ὑμᾶς, ἅμα δ᾽ ἐμαυτόν. ἐγ-
γυήσασθε οὖν με πρὸς Κρίτωνα, ἔφη, τὴν ἐναντίαν
ἐγγύην ἢ ἣν οὗτος πρὸς τοὺς δικαστὰς ἠγγυᾶτο. οὗτος
μὲν γὰρ ἦ μὴν παραμενεῖν· ὑμεῖς δὲ ἦ μὴν μὴ παρα-
μενεῖν ἐγγυήσασθε, ἐπειδὰν ἀποθάνω, ἀλλὰ οἰχήσε- 10
E σθαι ἀπιόντα, ἵνα Κρίτων ῥᾷον φέρῃ, καὶ μὴ ὁρῶν μου
τὸ σῶμα ἢ καιόμενον ἢ κατορυττόμενον ἀγανακτῇ
ὑπὲρ ἐμοῦ ὡς δεινὰ πάσχοντος, μηδὲ λέγῃ ἐν τῇ ταφῇ,
ὡς ἢ προτίθεται Σωκράτη ἢ ἐκφέρει ἢ κατορύττει.
εὖ γὰρ ἴσθι, ἦ δ᾽ ὅς, ὦ ἄριστε Κρίτων, τὸ μὴ καλῶς 15
λέγειν οὐ μόνον εἰς αὐτὸ τοῦτο πλημμελές, ἀλλὰ καὶ
κακόν τι ἐμποιεῖ ταῖς ψυχαῖς. ἀλλὰ θαρρεῖν τε χρὴ
116 καὶ φάναι τοὐμὸν σῶμα θάπτειν, καὶ θάπτειν οὕτως
ὅπως ἄν σοι φίλον ᾖ καὶ μάλιστα ἡγῇ νόμιμον εἶναι.

LXV. Ταῦτ᾽ εἰπὼν ἐκεῖνος μὲν ἀνίστατο εἰς οἴ- 20
κημά τι ὡς λουσόμενος, καὶ ὁ Κρίτων εἵπετο αὐτῷ,
ἡμᾶς δ᾽ ἐκέλευε περιμένειν. περιεμένομεν οὖν πρὸς
ἡμᾶς αὐτοὺς διαλεγόμενοι περὶ τῶν εἰρημένων καὶ
ἀνασκοποῦντες, τοτὲ δ᾽ αὖ περὶ τῆς ξυμφορᾶς διεξ-
ιόντες, ὅση ἡμῖν γεγονυῖα εἴη, ἀτεχνῶς ἡγούμενοι 25
ὥσπερ πατρὸς στερηθέντες διάξειν ὀρφανοὶ τὸν ἔπειτα
B βίον. ἐπειδὴ δὲ ἐλούσατο καὶ ἠνέχθη παρ᾽ αὐτὸν τὰ
παιδία—δύο γὰρ αὐτῷ υἱεῖς σμικροὶ ἦσαν, εἷς δὲ μέγας
—καὶ αἱ οἰκεῖαι γυναῖκες ἀφίκοντο, [ἐκείναις] ἐναντίον
τοῦ Κρίτωνος διαλεχθείς τε καὶ ἐπιστείλας ἄττα ἐβού- 30

12 καιόμενον Bekk. with several mss.   13 δεῖν ἄττα Bekk.
ἄττα om. Bodl. and many other mss.   29 ἐκείναις bracketed by
Herm.   ἐναντίον ἐκεῖναι Bodl. pr. m.

λετο, τὰς μὲν γυναῖκας καὶ τὰ παιδία ἀπιέναι ἐκέλευ-
σεν, αὐτὸς δὲ ἧκε παρ᾽ ἡμᾶς. καὶ ἦν ἤδη ἐγγὺς ἡλίου
δυσμῶν· χρόνον γὰρ πολὺν διέτριψεν ἔνδον. ἐλθὼν
δ᾽ ἐκαθέζετο λελουμένος, καὶ οὐ πόλλ᾽ ἄττα μετὰ ταῦτα
5 διελέχθη, καὶ ἧκεν ὁ τῶν ἕνδεκα ὑπηρέτης καὶ στὰς
παρ᾽ αὐτόν, Ὦ Σώκρατες, ἔφη, οὐ καταγνώσομαι σοῦ C
ὅπερ ἄλλων καταγιγνώσκω, ὅτι μοι χαλεπαίνουσι καὶ
καταρῶνται, ἐπειδὰν αὐτοῖς παραγγέλλω πίνειν τὸ
φάρμακον ἀναγκαζόντων τῶν ἀρχόντων. σὲ δ᾽ ἐγὼ
10 καὶ ἄλλως ἔγνωκα ἐν τούτῳ τῷ χρόνῳ γενναιότατον
καὶ πρᾳότατον καὶ ἄριστον ἄνδρα ὄντα τῶν πώποτε
δεῦρο ἀφικομένων, καὶ δὴ καὶ νῦν εὖ οἶδ᾽ ὅτι οὐκ ἐμοὶ
χαλεπαίνεις, γιγνώσκεις γὰρ τοὺς αἰτίους, ἀλλ᾽ ἐκεί-
νοις. νῦν οὖν, οἶσθα γὰρ ἃ ἦλθον ἀγγέλλων, χαῖρέ τε
15 καὶ πειρῶ ὡς ῥᾷστα φέρειν τὰ ἀναγκαῖα. καὶ ἅμα D
δακρύσας μεταστρεφόμενος ἀπῄει. καὶ ὁ Σωκράτης
ἀναβλέψας πρὸς αὐτόν, Καὶ σύ, ἔφη, χαῖρε, καὶ ἡμεῖς
ταῦτα ποιήσομεν. καὶ ἅμα πρὸς ἡμᾶς, Ὡς ἀστεῖος,
ἔφη, ὁ ἄνθρωπος· καὶ παρὰ πάντα μοι τὸν χρόνον
20 προσῄει καὶ διελέγετο ἐνίοτε καὶ ἦν ἀνδρῶν λῷστος,
καὶ νῦν ὡς γενναίως με ἀποδακρύει. ἀλλ᾽ ἄγε δή,
ὦ Κρίτων, πειθώμεθα αὐτῷ, καὶ ἐνεγκάτω τις τὸ
φάρμακον, εἰ τέτριπται· εἰ δὲ μή, τριψάτω ὁ ἄνθρω-
πος. καὶ ὁ Κρίτων, Ἀλλ᾽ οἶμαι, ἔφη, ἔγωγε, ὦ Σώ- E
25 κρατες, ἔτι ἥλιον εἶναι ἐπὶ τοῖς ὄρεσι καὶ οὔπω δεδυ-
κέναι. καὶ ἅμα ἐγὼ οἶδα καὶ ἄλλους πάνυ ὀψὲ πίνον-
τας, ἐπειδὰν παραγγελθῇ αὐτοῖς, δειπνήσαντάς τε καὶ
πιόντας εὖ μάλα, καὶ ξυγγενομένους γ᾽ ἐνίους ὧν ἂν
τύχωσιν ἐπιθυμοῦντες. ἀλλὰ μηδὲν ἐπείγου· ἔτι γὰρ

6 καταγνώσομαί γε Bekk. γε om. Bodl. and three other mss.
7 ἄλλων Bodl. τῶν ἄλλων Bekk. with four mss. 13 χαλεπαίνεις
Bodl. χαλεπανεῖς Bekk. Stallb. with two mss. 14 ἀγγέλλων Bodl.
and many mss. ἀγγελῶν Bekk. and Cobet, Var. Lect. p. 99.

ἐγχωρεῖ. καὶ ὁ Σωκράτης, Εἰκότως γ᾽, ἔφη, ὦ Κρίτων,
ἐκεῖνοί τε ταῦτα ποιοῦσιν, οὓς σὺ λέγεις, οἴονται γὰρ
κερδανεῖν ταῦτα ποιήσαντες, καὶ ἔγωγε ταῦτα εἰκότως
117 οὐ ποιήσω· οὐδὲν γὰρ οἶμαι κερδαίνειν ὀλίγον ὕστερον
πιὼν ἄλλο γε ἢ γέλωτα ὀφλήσειν παρ᾽ ἐμαυτῷ, γλι-   5
χόμενος τοῦ ζῆν καὶ φειδόμενος οὐδενὸς ἔτι ἐνόντος.
ἀλλ᾽ ἴθι, ἔφη, πιθοῦ καὶ μὴ ἄλλως ποίει.

LXVI.  Καὶ ὁ Κρίτων ἀκούσας ἔνευσε τῷ παιδὶ
πλησίον ἑστῶτι, καὶ ὁ παῖς ἐξελθὼν καὶ συχνὸν χρόνον
διατρίψας ἧκεν ἄγων τὸν μέλλοντα διδόναι τὸ φάρ-  10
μακον, ἐν κύλικι φέροντα τετριμμένον· ἰδὼν δὲ ὁ Σω-
κράτης τὸν ἄνθρωπον, Εἶεν, ἔφη, ὦ βέλτιστε, σὺ γὰρ
τούτων ἐπιστήμων, τί χρὴ ποιεῖν; Οὐδὲν ἄλλο, ἔφη,
B ἢ πιόντα περιιέναι, ἕως ἄν σου βάρος ἐν τοῖς σκέλεσι
γένηται, ἔπειτα κατακεῖσθαι· καὶ οὕτως αὐτὸ ποιήσει. 15
καὶ ἅμα ὤρεξε τὴν κύλικα τῷ Σωκράτει· καὶ ὃς λαβὼν
καὶ μάλα ἵλεως, ὦ Ἐχέκρατες, οὐδὲν τρέσας οὐδὲ
διαφθείρας οὔτε τοῦ χρώματος οὔτε τοῦ προσώπου,
ἀλλ᾽ ὥσπερ εἰώθει ταυρηδὸν ὑποβλέψας πρὸς τὸν
ἄνθρωπον, Τί λέγεις, ἔφη, περὶ τοῦδε τοῦ πώματος 20
πρὸς τὸ ἀποσπεῖσαί τινι; ἔξεστιν, ἢ οὔ; Τοσοῦτον,
ἔφη, ὦ Σώκρατες, τρίβομεν, ὅσον οἰόμεθα μέτριον εἶναι
C πιεῖν.  Μανθάνω, ἦ δ᾽ ὅς· ἀλλ᾽ εὔχεσθαί γέ που τοῖς
θεοῖς ἔξεστί τε καὶ χρή, τὴν μετοίκησιν τὴν ἐνθένδε
ἐκεῖσε εὐτυχῆ γενέσθαι· ἃ δὴ καὶ ἐγὼ εὔχομαί τε καὶ 25
γένοιτο ταύτῃ. καὶ ἅμα εἰπὼν ταῦτα ἐπισχόμενος καὶ
μάλα εὐχερῶς καὶ εὐκόλως ἐξέπιε.  καὶ ἡμῶν οἱ πολ-
λοὶ τέως μὲν ἐπιεικῶς οἷοί τε ἦσαν κατέχειν τὸ μὴ

3  εἰκότως is considered spurious by Cobet, Nov. Lect. p. 102;
some mss. have εἰκότως ταῦτα.     10  διδόναι Bodl. II.    δώσειν
Bekk. with the other mss.    20  πόματος the mss. Stallb. prefers
πώματος.   τί λέγεις περὶ τοῦ πώματος;  ἀποσπεῖσαί τινι ἔξεστιν ἢ οὔ;
Cobet, Var. Lect. p. 106.   24  μετοίκισιν Cobet, Var. Lect. p. 108.

δακρύειν, ὡς δὲ εἴδομεν πίνοντά τε καὶ πεπωκότα,
οὐκέτι, ἀλλ' ἐμοῦ γε βίᾳ καὶ αὐτοῦ ἀστακτὶ ἐχώρει τὰ
δάκρυα, ὥστε ἐγκαλυψάμενος ἀπέκλαιον ἐμαυτόν· οὐ
γὰρ δὴ ἐκεῖνόν γε, ἀλλὰ τὴν ἐμαυτοῦ τύχην, οἴου ἀν-
5 δρὸς ἑταίρου ἐστερημένος εἴην· ὁ δὲ Κρίτων ἔτι πρότε- D
ρος ἐμοῦ, ἐπειδὴ οὐχ οἷός τ' ἦν κατέχειν τὰ δάκρυα,
ἐξανέστη. Ἀπολλόδωρος δὲ καὶ ἐν τῷ ἔμπροσθεν χρόνῳ
οὐδὲν ἐπαύετο δακρύων, καὶ δὴ καὶ τότε ἀναβρυχησά-
μενος κλαίων καὶ ἀγανακτῶν οὐδένα ὄντινα οὐ κατέ-
10 κλασε τῶν παρόντων, πλήν γε αὐτοῦ Σωκράτους. ἐκεῖ-
νος δέ, Οἷα, ἔφη, ποιεῖτε, ὦ θαυμάσιοι. ἐγὼ μέντοι
οὐχ ἥκιστα τούτου ἔνεκα τὰς γυναῖκας ἀπέπεμψα, ἵνα
μὴ τοιαῦτα πλημμελοῖεν· καὶ γὰρ ἀκήκοα, ὅτι ἐν E
εὐφημίᾳ χρὴ τελευτᾶν. ἀλλ' ἡσυχίαν τε ἄγετε καὶ
15 καρτερεῖτε. καὶ ἡμεῖς ἀκούσαντες ᾐσχύνθημέν τε καὶ
ἐπέσχομεν τοῦ δακρύειν. ὁ δὲ περιελθών, ἐπειδή οἱ
βαρύνεσθαι ἔφη τὰ σκέλη, κατεκλίθη ὕπτιος· οὕτω
γὰρ ἐκέλευεν ὁ ἄνθρωπος· καὶ ἅμα ἐφαπτόμενος αὐτοῦ
οὗτος ὁ δοὺς τὸ φάρμακον, διαλιπὼν χρόνον ἐπεσκόπει
20 τοὺς πόδας καὶ τὰ σκέλη, κἄπειτα σφόδρα πιέσας αὐ-
τοῦ τὸν πόδα ἤρετο, εἰ αἰσθάνοιτο· ὁ δ' οὐκ ἔφη· καὶ
μετὰ τοῦτο αὖθις τὰς κνήμας· καὶ ἐπανιὼν οὕτως ἡμῖν 118
αὐτοῖς ἐπεδείκνυτο, ὅτι ψύχοιτό τε καὶ πηγνύοιτο. καὶ
αὐτὸς ἥπτετο καὶ εἶπεν ὅτι, ἐπειδὰν πρὸς τῇ καρδίᾳ
25 γένηται αὐτῷ, τότε οἰχήσεται. ἤδη οὖν σχεδόν τι
αὐτοῦ ἦν τὰ περὶ τὸ ἦτρον ψυχόμενα, καὶ ἐκκαλυψά-
μενος, ἐνεκεκάλυπτο γάρ, εἶπεν, ὃ δὴ τελευταῖον
ἐφθέγξατο, Ὦ Κρίτων, ἔφη, τῷ Ἀσκληπιῷ ὀφείλομεν
ἀλεκτρυόνα· ἀλλ' ἀπόδοτε καὶ μὴ ἀμελήσητε. Ἀλλὰ

3 ἀπέκλαον Bekk. with one ms.　　9 κλάων Bekk.　　22 ἡμῖν
αὐτοῖς Bodl. αὐτοῖς om. Bekk. Stallb.　　23 πήγνυτο Bodl. pr. m.
πηγνύοιτο Bodl. corr. and other mss.　πήγνυτο Bekk. Stallb. Herm.

ταῦτα, ἔφη, ἔσται, ὁ Κρίτων· ἀλλ' ὅρα, εἴ τι ἄλλο
λέγεις.  ταῦτα ἐρομένου αὐτοῦ οὐδὲν ἔτι ἀπεκρίνατο,
ἀλλ' ὀλίγον χρόνον διαλιπὼν ἐκινήθη τε καὶ ὁ ἄνθρω-
πος ἐξεκάλυψεν αὐτόν, καὶ ὃς τὰ ὄμματα ἔστησεν·
ἰδὼν δὲ ὁ Κρίτων ξυνέλαβε τὸ στόμα τε καὶ τοὺς 5
ὀφθαλμούς. ἥδε ἡ τελευτή, ὦ Ἐχέκρατες, τοῦ ἑταίρου
ἡμῖν ἐγένετο, ἀνδρός, ὡς ἡμεῖς φαῖμεν ἄν, τῶν τότε ὧν
ἐπειράθημεν ἀρίστου καὶ ἄλλως φρονιμωτάτου καὶ
δικαιοτάτου.

# NOTES.

**I. p. 1, 1.** Αὐτός 'personally.' The word is emphatically
placed at the beginning of the first sentence and of the whole
dialogue in order to vindicate greater authenticity to the whole
relation. See also Don. p. 375.   **5** τί—ἐστιν ἄττα κ.τ.λ. 'of what
nature were the things he said:' τί stands for τίνα according to an
idiom frequent enough in Plato, cf. Gorg. 508 c, σκεπτέον, τί τὰ
συμβαίνοντα or Hipp. mai. 285 D, τί μήν ἐστιν ἃ ἡδέως σου ἀκροῶνται
or Euthyphr. 15 A, ἀλλὰ τί δή ποτ᾽ ἂν εἴη ταῦτα; See also Riddell
§ 20.  Jelf § 381.  But it would be perverse to correct those pas-
sages in which we find the regular construction : e. g. here 58 c,
τίνα ἦν τὰ λεχθέντα, a phrase recurring also 102 A, at the beginning
of ch. L.: see also Aeschin. adv. Timarch. § 154, τίνα ποτ᾽ ἐστὶν ἃ
ἀντιγέγραμμαι.  The mss. often vary in such passages, and it is
therefore advisable to adopt the reading given by the best au-
thority.   **6** ἐγώ 'I for my part:' ἐγώ is omitted in many mss.,
but given by the Bodl. and five other mss.; most editors omit it
(Stallb. says 'nescio quo modo molestum ac paene inurbanum
videtur'): but surely we have no right to do so against the autho-
rity of the best ms.   **7** τῶν πολιτῶν Φλιασίων: we should
expect τῶν Φλιασίων, and Hirschig actually has so in his text : but
where the latter substantive is the name of a country or of the
inhabitants of a country or city, the article is in Plato habitually
omitted: see the instances quoted by Riddell, § 36.   **8** ἐπιχω-
ριάζει literally 'stays,' but as this is only the result of previous
going, we have Ἀθήναζε; comp. the constr. παρεῖναι εἴς τι and note
on Apol. p. 25, 9.   τὰ νῦν: we should suppose, a short time after
the death of Socr. Phaedo is on his way from Athens to his native
city Elis, and stops at Phlius on his route.  This supposition
affords a very natural occasion for the discourse.   **9** χρόνου

συχνοῦ 'for a long time:' comp. Sympos. 172 c, πολλῶν ἐτῶν
'Αγάθων ἐνθάδε οὐκ ἐπιδεδήμηκεν.——ὅστις ἂν—οἷός τ᾽ ἦν: comp. Eur.
Med. 1311, οὐκ ἔστιν ἥτις τοῦτ᾽ ἂν Ἑλληνὶς γυνὴ ᾽Ἔτλη ποθ᾽, and
Aristoph. Lys. 109, οὐκ εἶδον οὐδ᾽ ὄλισβον ὀκτωδάκτυλον, ᾽Ος ἦν ἂν
ἡμῖν σκυτίνη ᾽πικουρία.    **13** τὰ περὶ τῆς δίκης is an expression
complete in itself, to which ὃν τρόπον ἐγένετο is added as an
epexegesis. Heindorf justly says that it might also be οὐδ᾽ ἄρα
ἐπύθ. ὃν τρόπον ἐγένετο τὰ περὶ τὴν δίκην. Similar passages are Xen.
Cyrop. 5, 3, 26 ἐπεὶ πύθοιτο τὰ περὶ τοῦ φρουρίου. Anab. 2, 5, 37
ὅπως μάθῃ τὰ περὶ Προξένου. See below the beginning of ch. II.
**15** ταῦτα μὲν without a subsequent δέ, but the antithesis ἐκεῖνα
δ᾽ οὔ is readily understood by the reader. Or we have here one of
the cases in which μὲν stands in the sense of μήν: see on Crito
p. 40, 16.    **16** πολλῷ ὕστερον: thirty days after the trial:
*triginta dies in carcere et in expectatione mortis exegit*, says Seneca
Epist. 8, 1 (70), 9. See the passage from Xenophon quoted
on 2, 12.    p. 2, **2** ἐστεμμένη with laurel-wreaths, laurel being
the sacred tree of Apollo.    **6** Θησεύς ποτε κ.τ.λ.: for a de-
tailed account of this see Plut. Thes. c. 15 ff.    **10** καὶ νῦν ἔτι:
cf. also Plut. Thes. c. 23 f. who says that the ship was in existence
until the time of Demetrius the Phalerean: τὸ δὲ πλοῖον ἐν ᾧ μετὰ
τῶν ἠιθέων ἔπλευσε καὶ πάλιν ἐσώθη, τὴν τριακόντορον, ἄχρι τῶν
Δημητρίου τοῦ Φαληρέως χρόνων διεφύλαττον οἱ Ἀθηναῖοι. It is
uncertain if the custom itself was observed after that time.    **12**
καθαρεύειν 'to be pure:' Plutarch in a passage somewhat resem-
bling the one in Plato, Phocion p. 758 F, says ἐφάνη—ἀνοσιώτατον
γεγονέναι τὸ μηδ᾽ ἐπίσχειν τὴν ἡμέραν ἐκείνην, μηδὲ καθαρεῦσαι
δημοσίου φόνου τὴν πόλιν ἑορτάζουσαν. See also below 67 A.
**12** f. δημοσίᾳ μηδένα ἀποκτ.: comp. Xenophon's account Mem. 4,
8, 2 ἀνάγκη μὲν γὰρ ἐγένετο αὐτῷ μετὰ τὴν κρίσιν τριάκοντα ἡμέρας
βιῶναι διὰ τὸ Δήλια μὲν ἐκείνου τοῦ μηνὸς εἶναι, τὸν δὲ νόμον μηδένα
ἐᾶν δημοσίᾳ ἀποθνήσκειν, ἕως ἂν ἡ θεωρία ἐκ Δήλου ἐπαν-
έλθῃ.    **15** ἀπολαβόντες is the technical word of ships being
detained by contrary winds: so Herod. 2, 115, 2 ὑπ᾽ ἀνέμων ἀπο-
λαμφθέντες. Thuc. 6, 22, ἤν που ὑπὸ ἀπλοίας ἀπολαμβανώμεθα. Plato
himself, Menex. 406 F, ἀπειλημμένων ἐν Μιτυλήνῃ τῶν νεῶν.    **16**
αὐτούς, i.e. τοὺς ναύτας or πλέοντας which is easily got from the
πλοῖον mentioned just before.

II. p. 2, **23** τίνα is given on the authority of the Bodl.
besides which it is also found in four other mss.: see n. on p.
1, 5.    **24** ἐπιτηδείων = ἑταίρων (Moeris' gloss. p. 164 with express

reference to this passage). So Plut. de tranq. an. 466 E, καὶ
Σωκράτης μὲν ἐν δεσμωτηρίῳ φιλοσοφῶν διελέγετο τοῖς ἑταίροις.  **25**
οἱ ἄρχοντες, viz. οἱ ἕνδεκα, merely denoted by the same name in
the Apology 39 E, cf. also ib. 37 c where τοῖς ἕνδεκα is a gloss on
τῇ ἀεὶ καθισταμένῃ ἀρχῇ.  **27** καὶ πολλοί γε: καὶ is here used
in an emphatic sense 'and even,' *atque adeo* or *atque* alone in
Latin: see n. on Apol. p. 10, 7. Gorg. 455 c ὡς ἐγώ τινας σχεδὸν
καὶ συχνοὺς αἰσθάνομαι.  p. 3, **1** ἀλλὰ σχολάζω γε = ἀλλ' ἔγωγε
σχολάζω.  **5** τοὺς ἀκουσομένους—ἔχεις, 'you have listeners of
the very same disposition:' so Lach. 200 A, αὐτὸς ἄρτι ἐφάνης ἀν-
δρίας πέρι οὐδὲν εἰδώς, ἀλλ' εἰ καὶ ἐγὼ ἕτερος τοιοῦτος φανήσομαι, πρὸς
τοῦτο βλέπεις. Literally ἕτερος τοιοῦτος is 'just such another.'
The phrase is Herodotean: see 1, 120, 191. 3, 79. The plural
shows that Echecrates was not the only auditor of Phaedo. Geddes
compares below 102 A, ἡμῖν ἀποῦσι, νῦν δὲ ἀκούουσιν.  **9** παρόντα
με—ἔλεος εἰσῄει: here we have the verb with an accus. just as in
Eur. Med. 931 we find the analogous expression εἰσῆλθέ μ' οἶκτος
or Iph. Aul. 491 μ' ἔλεος εἰσῆλθε. Directly afterwards we have the
same verb with a dative: 59 A.  **10** ἀνήρ: comp. above 57 A
ὁ ἀνήρ. The Bodl. and many other mss. read ἀνήρ, while the
article ὁ is added by inferior mss.: ἀνήρ is maintained by Hermann
who refers to 98 B beg. of ch. XLVII, but without much reason,
as our note on that passage will show, and on the other hand
Stallb. justly points out that in the oblique cases the article is
never omitted, if ὁ ἀνήρ stands in the general sense of the pronoun
αὐτὸς or ἐκεῖνος. Riddell § 38 quotes the similar indefinite use
of ἄνθρωπος in three passages of Aeschines.  **11** τοῦ τρόπου
κ.τ.λ. 'on account of his conduct and on account of his words.'
For this genitive of cause see Don. p. 480 (β). Jelf § 495.  **11 f.**
ὡς—ἐτελεύτα is a sentence added by way of epexegesis. γενναίως
'bravely:' οὐδὲν ἀγεννὲς ἢ ταπεινὸν ἔπραξεν, says Themistius (Or. 2
p. 58) of Socrates' conduct after his condemnation.  **12** παρί-
στασθαι 'to appear,' cf. Eur. Rhes. 780, καί μοι καθ' ὕπνον δόξα τις
παρίσταται and here below 66 B, beg. of ch. XI.  **13** μηδ' εἰς
Ἅιδου 'not even—,' because Socr.'s disciples considered him to be
especially favoured by the gods, (θεοφιλοῦς μοίρας τετύχηκε Σω-
κράτης, Xen. Apol. 32), on account of Apollo's oracle (see on Apol. p.
7, 7) and perhaps also of the mysterious δαιμόνιον which seemed to
establish a kind of communication between the gods and Socr.
Plutarch (Mor. t. 2 p. 499 Wytt.) has the present passage in mind
when writing ἀποθνήσκοντα δὲ αὐτὸν ἐμακάριζον οἱ ζῶντες ὡς οὐδ' ἐν

PLAT. PH. 7

"Αιδου θείας ἄνευ μοίρας ἐσόμενον. This expression means 'without the gods ordaining it.' 16 παρόντι is, as it seems to me, justly referred to μοι by Heindorf so that the sense is εἰκὸς ἂν δόξειεν εἶναί μοι παρόντι πένθει ἐλεεινὸν εἰσιέναι. Stallb. prefers understanding παρόντι πένθει as a general sentence, saying 'latet enim in hoc participio persona indefinita.' Whichever way we take it, the two datives παρόντι πένθει are certainly awkward, and it is difficult to understand why Plato did not rather prefer οὐδὲν πάνυ με ἐλεεινὸν εἰσῄει, ὡς εἰκὸς ἂν δόξειεν εἶναι παρόντα πένθει. (This reading is, as I find now, actually proposed by F. Jacobs in his Additam. in Athen. p. 97.) 17 ἐν φιλοσοφίᾳ εἶναι lit. 'in philosophia versari,' i. e. 'to hold philosophical conversations: so Soph. Oed. T. 562, ὁ μάντις ἦν ἐν τῇ τέχνῃ 'was engaged on his art,' and Plato himself Meno 91 E, τετταράκοντα ἔτη ἐν τῇ τέχνῃ ὄντα. Comp. also ἐν λόγοις εἶναι Xen. Cyrop. 4, 3, 23. Jelf § 622, 3 b. 18 τοιοῦτοί τινες 'somewhat of that character.' 19 ἀτεχνῶς may be translated 'somehow or other:' see n. on Apol. p. 3, 10. 23 γελῶντες and δακρύοντες are participles added in explanation of οὕτω, to which we should not supply διεκείμεθα, as the construction διάκειμαι γελῶν is not found in Greek: Heindorf quotes Soph. Oed. T. 10, τίνι τρόπῳ καθίστατε; δείσαντες ἢ στέρξαντες, where it is again impossible to assume a construction δείσας καθέστηκα. (See also Jelf § 693.) 24 Ἀπολλόδωρος called ὁ μανικός on account of his enthusiastic attachment to Socr.: n. on Apol. p. 20, 18. p. 4, 3 Ἑρμογένης: it is uncertain what Hermogenes is meant. Crito is said (Laërt. 2, 121) to have had four sons: Critobulus, Hermogenes, Epigenes and Ctesippus. In the circle of Socr. we find, however, another Hermogenes and Epigenes: Ἑρμ. τοῦ Ἱππονίκου Xen. Mem. 4, 8, 4, the poor son of a rich father, as the whole fortune had been inherited by another son, see Plato Crat. 384 c. 319 c. Then Ἐπιγένης, the son of Antiphon ὁ Κηφισιεύς occurs Apol. 33 E: from Xen. Mem. 3, 12, 1, we learn that he was young and his health delicate.—Αἰσχίνης occurs also in the Apol. 33 E, where see note. Fischer quotes Laërt. 3, 37, αὐτοῦ (Αἰσχίνου) Πλάτων οὐδαμόθι τῶν ἑαυτοῦ συγγραμμάτων μνήμην πεποίηται, ὅτι μὴ ἐν τῷ περὶ ψυχῆς καὶ Ἀπολογίᾳ. 4 Ἀντισθένης became the founder of the Cynic sect. ἦν stands here emphatically in the sense of παρῆν which Heindorf proposes as an emendation of the ms. reading. But see Jelf, § 650, 6 Obs. Κτήσιππος ὁ Παιανιεύς is also mentioned Euthyd. 273 A, and Lysis 203 A, 206 c. ff. 5 Μενέξενος is the same whose name is given to one of Plato's

dialogues. He was rich and above all an admirer of Ctesippus.—
Πλάτων—ἠσθένει: it is a good observation by Forster that Plato
means here to show the extent of his great love for Socr., by
giving us to understand that the trial and the subsequent proceed-
ings had so much shaken his health, that he was unable to be
present at the last act of the drama. Xenophon is not mentioned
here, as he was then in Asia Minor where he had gone a year
before Socr.'s death.    8 Σιμμίας ὁ Θηβαῖος καὶ Κέβης, both
νεανίσκοι at the time (89 A), play important parts in the dialogue.
In Xen. Mem. 1, 2, 48, we have the same list as here: καὶ Σιμμίας
καὶ Κέβης καὶ Φαιδώνδης, only the latter is in our text called
Φαιδωνίδης according to the authority of the Bodl. and other good
mss., but as he was most probably a Theban as well as the other
two with whom his name is coupled, he was no doubt really called
Φαιδώνδας.    9 Εὐκλείδης, the founder of the Megaric branch of
the Socratic philosophy, in which the dialectic part became most
prominent. In the Theaetetus Euclides converses with Terpsion,
of whom nothing further is known.    11 Ἀρίστιππος the chief of
the Cyrenaic school.—Κλεόμβροτος is most probably ὁ Ἀμβρακιώτης
who did not come to see Socr. in his prison, but on reading Socr.'s
Phaedo killed himself by throwing himself into the sea. (See
Cic. Tusc. 1, 34, 84, who relates this on the authority of Calli-
machus.) No doubt Plato intends here to record a censure on
the conduct of both Aristippus and Cleombrotus who though near
enough, yet delayed coming to assist at their master's last moments.
There seems also to be a slight indication of this in the verb
ἐλέγοντο, inasmuch as this shows that at the time there was not
much communication between the two and the rest of the disci-
ples. This was also the impression the ancients themselves gained
from this passage: cf. Laert. 2, 65 (of Aristippus) ἐκάκισεν αὐτὸν
καὶ Πλάτων ἐν τῷ περὶ ψυχῆς, and Demetr. de Eloc. § 306 quotes
this as a good instance of an innuendo.

III. p. 4, 21 πλησίον γὰρ ἦν: cf. Plato Legg. 10, 908 A, δεσμωτη-
ρίων δὲ ὄντων ἐν τῇ πόλει τριῶν, ἑνὸς μὲν, κοινοῦ τοῖς πλείστοις, περὶ
ἀγοράν κ.τ.λ. It was in the ἀγορὰ where the ἡλιασταί sat.    23
ἀνεῴγετο, the rarer form in Attic Greek, ἀνεῴγνυντο being the ap-
proved form in the best writers, and ἠνοίγετο in the κοινὴ, though
we find ἤνοιγε as early as Xenophon (e.g. Hell. 1, 1, 2. 5, 13. 6, 21).
24 πρῴ is the Platonic form, not πρωΐ, s. on Crito, p. 39, 1.—
ἀνοιχθείη: both here and above the optative denotes the repetition
of the action.  εἰσῆμεν is probably the form used by Plato himself,

7—2

although the Bodl. and other good mss. read εἰσῄειμεν: but see
Protag. 316 A (προσῆμεν), ib. 362 (ἀπῆμεν): Krüger, Grammar § 38,
3, 1.      p. 5, 3 ἡμέρᾳ is considered spurious by Hermann, but
Stallb. justly compares Herod. 9, 22, τῇ ὑστεραίῃ ἡμέρῃ, Thuc. 5, 73,
3, τῇ τε προτεραίᾳ ἡμέρᾳ, and Eur. Hipp. 275, τριταίαν ἡμέραν, Hec.
32, τριταῖον φέγγος.      7 περιμένειν 'to wait,' the same expression
as above περιεμένομεν. So Arist. Thesmoph. 70, περίμεν' ὣς ἐξέρχε-
ται. See Riddell's elaborate note on the difference between ἐπι-
μένειν and περιμένειν, § 127.      7 f. μὴ πρότερον—ἕως ἂν—:
instead of this we expect rather πρὶν ἄν, but Stallb. justly com-
pares Lys. contra Eratosth. § 71, οὐ πρότερον εἴασε τὴν ἐκκλησίαν
γενέσθαι ἕως ὁ καιρὸς ἐπιμελῶς ὑπ' αὐτοῦ ἐτηρήθη, and other pas-
sages in which the same construction appears.      11 ἐκέλευσε
is the reading of the Bodl. pr. m., to which Hermann prefers
ἐκέλευε, the reading of the second hand and many other mss.:
but it is easy to perceive that this is the correction of a gramma-
rian who endeavoured to make the construction smoother by
having two imperfects, ἧκε and ἐκέλευε. But comp. below 61 A,
ἐπειδὴ—ἐγένετο καὶ—διεκώλυε, and ib. D, καθῆκε—καὶ—διελέγετο.
εἰσιόντες significantly repeats the last word of the preceding sen-
tence.      13 γιγνώσκεις γάρ is to a certain extent ironical : 'for
you know her.' The complaints of a foolish, though affectionate
woman disturb the serene harmony of the whole scene. See
below 117 D, ἐν εὐφημίᾳ χρὴ τελευτᾶν.      14 τὸ παιδίον αὐτοῦ
'his youngest child:' most probably Socr.'s son Menexenus.
Lamprocles, the eldest, was νεανίσκος at the time : Xen. Mem. 2,
2, 1.      15 ἀνευφήμησε 'moaned out aloud:' the verb εὐφημεῖν
is often used where rather the opposite δυσφημεῖν would seem
appropriate: cf. Soph. Trach. 783 f. ἅπας δ' ἀνευφήμησεν οἰμωγῇ
λεώς, Τοῦ μὲν νοσοῦντος, τοῦ δὲ διαπεπραγμένου. Eur. Or. 1335,
ἀνευφημεῖ δόμος, and Aeschyl. fr. 38, εὐφήμοις γόοις.      16 ὕστατον
δή: δή is just as expressive as *ergo* in Horace's well-known *ergo
Quintilium perpetuus sopor urget;* in the same way Ajax says in
Soph. 857 f. τὸν διφρευτὴν Ἥλιον προσεννέπω, Πανύστατον δὴ κοὖποτ'
αὖθις ὕστερον.      20 τῶν τοῦ Κρίτωνος sc. ἀκολούθων. The ἀκό-
λουθοι are the Roman *pedisequi.*  Below, 116 B, Xanthippe returns
to Socrates.      21 ἀνακαθιζόμενος 'seating himself in an erect
position.'      23 τρίβων ἅμα 'whilst rubbing:' below, 61 C, we
have the opposite order ἅμα λέγων, but generally ἅμα stands behind
the participle, e.g. Herod. 1, 179 ὀρύσσοντες ἅμα τὴν τάφρον ἐπλίν-
θευον τὴν γῆν, and Xen. Anab. 3, 3, 7, φεύγοντες ἅμα ἐτίτρωσκον.

See Don. p. 579, § 576. Jelf, § 696, Obs. 5.—ἄτοπον 'curious,
queer.'  24 f.  ὡς θαυμ. πέφυκε πρὸς—' in what a marvellous
relation does it stand to —;' the dative of the infinitive which
follows adds the reason; translate τῷ 'inasmuch as:' see below,
74 D.  A similar sentence occurs in Livy 5, 4, *labor voluptasque
dissimillima natura societate quadam inter se naturali sunt iuncta.*
26 ἐθέλειν if used of inanimate objects, imparts to the sentence
the value of a general observation: comp. Her. 1, 74, 3, ἄνευ
ἀναγκαίης ἰσχυρῆς συμβάσιες ἰσχυραὶ οὐκ ἐθέλουσι συμμένειν, and so
also in the same writer 7, 50. 157. 8, 60.  In Thucydides the word
never has any other meaning: comp. e.g. 2, 89, 8, ἡσσημένων δὲ
ἀνδρῶν οὐκ ἐθέλουσιν αἱ γνῶμαι πρὸς τοὺς αὐτοὺς κινδύνους ὁμοῖαι εἶναι.
p. 6, 2 ἐκ μιᾶς κορυφῆς κ.τ.λ.: cf. Gellius N. A. 6, 1, *namque
itidem sunt bona et mala, felicitas et infortunitas, dolor et voluptas:
alterum enim ex altero, sicut Plato ait, verticibus inter se contrariis
deligatum est.*  6 αὐτοῖς is the dative of reference, as to
the sense nearly equal to αὐτῶν which is the reading of inferior
mss. and editions.  See Riddell, § 28.  8 Hirschig writes
ἐπακολουθεῖν, saying, ' subiunguntur enim haec tanquam e mente
Aesopi.'  It is, however, easy to see that there is no cogent reason
for making this change.  ὥσπερ οὖν—ἔοικεν=κατ' ἐμὸν νόον Theocr.
7, 30.  There is an abundance of expression in φαίνεται in the
main clause; but this should be attributed to the unrestrained
and somewhat careless style of conversational language.  It is
true, the instance which Stallb. quotes from Lysis 221 E is not to
the purpose: but a similar redundance of expression may be
observed in Arist. Plut. 826, δῆλον ὅτι τῶν χρηστῶν τις ὡς ἔοικας εἶ.

IV. p. 6, 14 ἐντείνειν is the technical term of adapting words
to metre or melody: Protag. 326 B εἰς τὰ κιθαρίσματα ἐντείνοντες,
and Plutarch relates of Solon τοὺς νόμους ἐπεχείρησεν ἐντείνας εἰς
ἔπος ἐξενεγκεῖν.  Diog. Laërt. 2, 41, gives the beginning of one of
Socr.'s μῦθοι: Αἴσωπός ποτ' ἔλεξε Κορίνθιον ἄστυ νέμουσι, Μὴ κρίνειν
ἀρετὴν λαοδίκῳ σοφίῃ.  The same writer has also preserved the
first line of the προοίμιον (or, as he calls it, παιάν) on Apollo: Δῆλι'
Ἄπολλον, χαῖρε, καὶ Ἄρτεμι, παῖδε κλεεινώ.  It was still in exist-
ence at the time of Themistius (+ c. 390 A.D.) who speaks of it
Or. p. 32, Dind.  But from Diog. Laërt. himself we learn that the
ancients were not quite sure of the authenticity of the poem which
went under Socr.'s name.  16 Εὐηνός: see on Apol. p. 6, 28.
17 ἐποίησας is the technical term of the occupation of the ποιητής

(the 'maker' in old English): comp. especially such a passage as
Euthyphr. 12 A, λέγω τὸ ἐναντίον ᾗ ὁ ποιητὴς ἐπόνησεν, ὁ ποιήσας
κ.τ.λ.        19 τοῦ ἔχειν ἀποκρ. *me habere quod respondeam*, 'that
I may know how to answer.' οὐκ ἐκείνῳ βουλόμενος κ.τ.λ. : here
ἐκείνῳ refers to the same person as αὐτῷ before and αὐτοῦ after-
wards. Instances of this kind occur frequently in Plato; see
Riddell § 49 F.        23 ἀντίτεχνος 'rival.'        23 f. οὐ ῥᾴδιον εἴη:
it is difficult to decide if this is a sincere expression of Socr.'s
opinion, or his accustomed irony. In the Apology Socr. certainly
appears not to think very highly of Euenus, and here also Cebes
seems to represent the man as jealous of competition and of
an inquisitive nature.        25 ἀφοσιούμενος: Socr. was afraid of
doing something ἀνόσιον in neglecting the injunction of the dream.
—πολλάκις 'perhaps,' a sense of the word of the most frequent
occurrence in Plato: see e.g. 61 A, especially after εἰ ἄρα, comp.
Lach. 179 B. Polit. 264 B.  Comp. *cum saepe* Virg. Aen. 1, 148.  In
the following clause πολλάκις stands of course in its common
sense.        28 ὄψις 'appearance, shape.'        29 μουσικὴν ποίει καὶ
ἐργάζου 'h. e. *musicam fac atque tracta*. ποίει ita accepit primum
Socr. pro simplici *fac*, deinde sensu exquisitiore ad poesin et ver-
suum compositionem retulit.' WYTT.        p. 7, 4 ὅπερ ἔπραττον
'what I made the task of my life:' for this emphatic sense of
πράττω see n. on Crito p. 45, 22.—παρακελεύεσθαι is 'to exhort
to do a thing,' ἐπικελεύειν 'to encourage when one is doing it'
(ἐπί denoting here 'after'). So Xen. Cyrop. 6, 3, 27, τοῖς τὸ δέον
ποιοῦσιν ἐπικελεύειν.        5 φιλοσοφίας μὲν οὔσης μεγίστης μουσι-
κῆς, cf. Strabo 10, p. 717 B, μουσικὴν ἐκάλεσεν ὁ Πλάτων καὶ ἔτι
πρότερον οἱ Πυθαγόρειοι τὴν φιλοσοφίαν, and especially the beauti-
ful passage Laches 188 C, ὅταν—ἀκούω ἀνδρὸς περὶ ἀρετῆς διαλεγο-
μένου ἢ περί τινος σοφίας, ὡς ἀληθῶς ὄντος ἀνδρὸς καὶ ἀξίου τῶν
λόγων ὧν λέγει, χαίρω ὑπερφυῶς, θεώμενος ἅμα τόν τε λέγοντα καὶ
τὰ λεγόμενα ὅτι πρέποντα ἀλλήλοις καὶ ἁρμόττοντά ἐστι· καὶ κομιδῇ
μοι δοκεῖ μουσικὸς ὁ τοιοῦτος εἶναι, ἁρμονίαν καλλίστην ἡρμοσμένος,
οὐ λύραν οὐδὲ παιδιᾶς ὄργανα, ἀλλὰ τῷ ὄντι ζῆν ἡρμοσμένος οὗ αὐτὸς
αὐτοῦ τὸν βίον σύμφωνον τοῖς λόγοις πρὸς τὰ ἔργα ἀτεχνῶς Δωριστί,
ἀλλ' οὐκ Ἰαστί κ.τ.λ.        9 τὴν δημώδη=ἣν ὁ δῆμος (οἱ πολλοὶ)
καλεῖ μουσικήν.        11 ἀφοσιώσασθαι=τὰ ὅσια ποιήσασθαι.
13 ἐποίησα 'wrote a poem.'        15 f. μύθους, ἀλλ' οὐ λόγους:
yet above, D, Cebes himself speaks of Αἰσώπου λόγοι; but Socr.
takes here the two words in a stricter sense, according to which

λόγος means a true and μῦθος a fictitious or invented relation of
something. So Aphthon. Progymn. μῦθός ἐστι λόγος ψευδής, εἰκονί-
ζων ἀλήθειαν. Longus 2, p. 48, πάνυ ἐτέρφθησαν ὥσπερ μῦθον, οὐ
λόγον, ἀκούοντες. ποιεῖν stands of course again in the same sense as
just before.—In αὐτὸς οὐκ ᾖ μυθ. we notice a transition to direct
speech, else we should expect οὐκ εἴην. The form ᾖ instead of ᾖν
occurs in other places in Plato and is here expressly attested by
Photius in his lexicon s. v. ῍Ην. 17 ἠπιστάμην 'I knew, was
acquainted with.' Protagoras (Prot. 339 B) quoting the beginning
of a poem by Simonides adds, τοῦτο ἐπίστασαι τὸ ᾆσμα (do you
know the poem) ᾖ πᾶν σοι διεξέλθω; 18 οἷς πρώτοις ἐνέτυχον is,
strictly speaking, superfluous after οὓς προχείρους εἶχον with which
it is nearly identical in sense. But it would be perverse to suspect
an interpolation, as the Platonic style is naturally profuse and
redundant.

V—VII. CONVERSATION ON THE WILLINGNESS OF TRUE PHILO-
SOPHERS TO ESCAPE FROM THE PRISON OF THE BODY, THOUGH IT
IS SINFUL TO DESTROY ONE'S OWN LIFE.

V. p. 7, 20 ὡς τάχιστα is given in our edition in conformity with
the best mss. Heindorf considers these words as an interpolation,
because in his opinion Socr. is not speaking of voluntary death, but
of the θανάτου μελέτη peculiar to philosophers. But Stallb. justly
says ' Socr. consulto per dilogiam loquitur, unde sermo deinde
flectitur ad mortem voluntariam.' The author of the Epist. Socr.
xiv p. 35, refers to this passage so as to support the reading of the
Bodl. : Εὐηνὸν τὸν ποιητὴν παρεκάλει δι' ἡμῶν, εἰ εὖ γιγνώσκοι, ἰέναι
θᾶττον παρ' αὐτόν, ἐπειδὴ φιλόσοφός ἐστι διὰ τὴν ποίησιν.
22 οἷον παρ. 'What is it that you advise,' etc. See below, 117 D,
οἷον ποιεῖς. 23 πολλά 'on many occasions' and so = πολλάκις:
cf. Parm. 126 B, Ζήνωνος ἑταίρῳ πολλὰ ἐντετύχηκε, and similarly
Lach. 197 D, ὁ Δάμων τῷ Προδίκῳ πολλὰ πλησιάζει. Crat. 396 D,
ἕωθεν πολλὰ αὐτῷ συνῆν. Xen. Cyrop. 1, 5, 14, πολλά μοι συνόντες
ἐπίστασθε κ.τ.λ. 24 οὐδ' ὁπωστιοῦν : cf. Apol. 17 B (p. 1, 9).
25 ἑκὼν εἶναι : see n. on Apol. p. 31, 5. Krüger § 55, 1, 1, quotes
from Xenophon τὸ ἐπ' ἐκείνοις εἶναι ἀπολώλατε, 'as far as it de-
pends upon them, you are undone.' 25 πείσεται : after this
ἄν is added in some mss., but see Jelf § 424. δ (note). 25 φι-
λόσοφος, in reality a σοφιστής, as which he is mentioned in the
Apology, 20 C. 28 πρᾶγμα 'study :' see on Apol. p. 6, 5.
βιάσεται αὐτὸν sc. ἀποθανεῖν = ἀποκτενεῖ ἑαυτόν. 29 φασι: sc.

φιλόσοφοι and especially the Pythagoreans. But by using the word φασί, Socr. insinuates that for him this is still an open question. p. 8, 1 [ἀπὸ τῆς κλίνης] see crit. note. Stallb.'s argument 'verba genuina videntur vel propterea, quod ea opponuntur superioribus illis p. 60 B, ἐπὶ τὴν κλίνην συνέκ.' is anything but cogent: on the contrary, this very consideration would lead an interpolator to add the words. 2 οὕτως is not necessarily required after the participle, but serves to enforce its meaning: Heindorf quotes Rep. 9, 576 E, καταδύντες εἰς ἅπασαν (πόλιν) καὶ ἰδόντες, οὕτω δόξαν ἀποφαινώμεθα, and Lys. in Agorat. § 39, ἵνα τὰ ὕστατα ἀσπασάμενοι τοὺς αὑτῶν οὕτω τὸν βίον τελευτήσειαν. See also here below, 67 E. 4 Hirschig writes here αὐτὸν ἑαυτὸν βιάζεσθαι, and this seems very probable: see below, l. 15. Hirschig adds 'non opus pronomine hoc personali, ubi subiectum intelligendum in superioribus latet, uti in c οὐ μέντοι γ᾽ ἴσως βιάσεται αὐτόν, scil. Εὐηνός.' 5 τῷ ἀποθνήσκοντι 'a dying man:' the article with a participle often stands in a general sense, if a certain act is attributed to an uncertain person, cf. Krüger § 50, 4, 3. 7 Φιλολάῳ συγγεγονότες 'having been pupils of Ph.:' for συγγίγνεσθαι and similar expressions see n. on Apol. p. 5, 5. Philolaus was a contemporary of Socr.; the fragments commonly attributed to him are, however, of somewhat doubtful authority: see Mr I. Bywater 'On the fragments attributed to Philolaus the Pythagorean' in the (New) Journal of Philology, Vol. I. p. 21—53. 8 σαφῶς sc. ἀκηκόαμεν: cf. Euthyphr. 7 A, εἰ μέντοι ἀληθῶς, to which we have to supply ἀπεκρίνω from the preceding sentence. Stallb. approves of σαφές, the reading of the mss. of the second class; he says 'apparet enim rem ipsam ut incertam notari, non audiendi modum;' but the latter is the consequence of the former, as Cebes could not distinctly understand (ἀκούειν) Philolaus' doctrine on account of the manner in which it was put forth: cf. what the Scholiast says δι᾽ αἰνιγμάτων ἐδίδασκε, καθάπερ ἦν ἔθος τοῖς Πυθαγορείοις. 9 φθόνος οὐδεὶς λέγειν 'ea vobis non invidebo'=I will not withhold it from you: cf. Soph. 217 B. Legg. 2, 644 A. 10 καὶ μάλιστα 'especially.' 11 μέλλοντα ἐκ. ἀποδ. forms the subject accusative for διασκοπεῖν καὶ μυθολογεῖν. ἐκεῖσε of course=εἰς Ἅιδου, but this is intentionally avoided. μυθολογεῖν is like διαμυθολογεῖν, for which see n. on Apol. p. 35, 15: but it includes also, no doubt, a hint as to the μῦθος which follows later on in the dialogue. 12 ἐκεῖ stands for ἐκεῖσε: cf. Herod. 9, 108, ἐκεῖ ἀπίκετο. Hirschig reads ἐκεῖσε and compares below, 107 D, and 117 C.

VI. p. 8, 17 νῦν δή is explained πρὸ ὀλίγου χρόνου by Timaeus. δὴ νῦν has a different meaning, 'this very minute.' 21 ἀκούσαις has the emphatic sense of ' understanding:' see above l. 8. μόνον τῶν ἄλλων ἀπάντων is an expression not strictly logical, but easily understood. We have two constructions mixed up here : μόνον ἀπάντων and διαφερόντως τῶν ἄλλων. See also Riddell § 172. 23 ἁπλοῦν ' of a simple nature, without ambiguity,' since other things may be good or bad, true or untrue, according to cir- cumstances : cf. Symp. 318 D, πᾶσα γὰρ πρᾶξις ὧδ' ἔχει· αὐτὴ ἐφ' ἑαυτῆς πραττομένη οὔτε καλὴ οὔτε αἰσχρά ... οὐκ ἔστι τούτων αὐτὸ καθ' αὑτὸ καλὸν οὐδέν, ἀλλ' ἐν τῇ πράξει, ὡς ἂν πραχθῇ, τοιοῦτον ἀπέβη. 23 οὐδέποτε τυγχάνει is also dependent on εἰ, and per- haps we should therefore expect μηδέποτε, but we may here again notice a confusion between direct and indirect speech, of which so many and various instances occur in the best writers. τυγχάνει is used without a participle (ὄντα or ἔχοντα or διακείμενα) : see Apol. 38 A ; Gorg. 502 B ; Protag. 313 E ; Phaedr. 230 A. 24 καὶ τἆλλα is taken = κατὰ τἆλλα by Stallb.; but whichever way we may explain the difficult words which follow, it seems more natural to take τἆλλα as a nom. = ὥσπερ τἆλλα τυγχάνει ὄντα. Socr. says, ' This alone we maintain to be true under any circumstances, and not like other things which may sometimes be good, sometimes bad.' ἔστιν ὅτε κ.τ.λ. This is a very difficult passage which has been commented on recently by more than one scholar: see crit. note. Instead of wearying the reader with their different opinions, we will rather record what we consider a satisfactory explanation. In the first place then it is clear that ἔστιν οἷς is added in a loose manner after the dative τῷ ἀνθρώπῳ : this was felt by the scribe of one of the mss. in which we find τῶν ἀνθρώπων, but see Heindorf : 'τῶν ἀν- θρώπων iunctum sequenti οἷς praeferrem, ni intercederet ἔστιν ὅτε.' Socr. has stated before that, in his opinion, a man is not allowed to kill himself, and this he maintains to be true, be the circum- stances of each individual case ever so different. This, he goes on, may perhaps appear strange to you, and you may think that to some men and under certain circumstances, death may be preferable to life. It is true that Geddes states that this sense 'is at variance with the drift of the passage, as well as with the spirit of Platonic sentiment:' but τοῦτο clearly refers to the beginning of the chapter = τὸ μὴ θεμιτὸν εἶναι αὐτὸν ἑαυτὸν ἀποκτιννύναι; and again, the next clause does *not* admit the possibility of the reverse 25 φαίνεται : Hirschig's conjecture φανεῖται is plausible and per-

haps true, though not necessarily so.　　28 ἵττω Ζεύς : so Cebes
says as a Boeotian (βοιωτιάζων τῇ φωνῇ, Xen. Anab. 3, 1, 26).　The
same expression is quoted from Arist. Acharn. 911, but there the
genuine Boeotian ἵττω Δεύς appears now in the texts in accordance
with the best ms. ἵττω=ἴστω.　Olympiodorus has here a good
observation, καὶ εἰκότως ἐγχωρίᾳ γλώττῃ ἐχρήσατο, ἐνδεικνύμενος τὸ
φυσικὸν καὶ ἐγχώριον θαῦμα ὃ εἶχε πρὸς τὸν Σωκράτην.

p. 9, 1 οὕτω γε 'at first sight,' i.e. before it is properly con-
sidered.　　2 ἐν ἀπορρήτοις : the most natural explanation of this
seems to be of the ἀπόρρητα or 'esoteric' precepts of the Pytha-
goreans.　So Socr. says of Protagoras, Theaet. 152 c, ἡμῖν μὲν
ᾐνίξατο τῷ πολλῷ συρφετῷ, τοῖς δὲ μαθηταῖς ἐν ἀπορρήτῳ τὴν ἀλή-
θειαν ἔλεγε.　Such ἀπόρρητα are attributed to almost all schools of
philosophy by Clemens Alexandr. Strom. 5, p. 575 A, and of Plato
himself ἄγραφα are mentioned by Aristotle Phys. Auscult. 4, 2 and
by others.　Numenius wrote a book περὶ τῶν παρὰ Πλάτωνι ἀπορ-
ρήτων (Euseb. Praep. Ev. 13, 5, p. 650 D).　　3 ἔν τινι φρουρᾷ :
cf. Cic. Cato M. c. 20, *ita fit ut illud breve vitae relicuum nec avide
appetendum senibus nec sine causa deserendum sit, vetatque Pytha-
goras iniussu imperatoris, id est dei, de praesidio et statione vitae
decedere*.　But φρουρά is not *statio* or *praesidium*, but ' prison.'
On the fragment attributed to Philolaus μαρτυρέονται δὲ καὶ οἱ
παλαιοὶ θεολόγοι τε καὶ μάντεις, ὡς διά τινας τιμωρίας ἡ ψυχὴ τῷ
σώματι συνέζευκται καὶ καθάπερ ἐν σήματι τούτῳ τέθαπται see Mr
Bywater l. c. p. 47.　　5 μέγας τις ' rather profound : ' τὶς enforces
the adjective ; see a similar instance Crito p. 41, 2.　　9 τοῖς θεοῖς
(dative of reference) ' with regard to the gods.'　Riddell § 28.　As
for the sentiment, comp. Legg. 906 A, ἡμεῖς δ' αὖ κτήματα θεῶν καὶ
δαιμόνων. κτημάτων ' of your slaves: ' see Porson's note on Eur.
Med. 48 παλαιὸν οἴκων κτῆμα.　　12 βούλει : according to the rules
of indirect speech we should expect βούλοιο, but again we observe
here the intrusion of the forms of direct speech.　Heindorf quotes
Gorg. 464 D, ὥστ' εἰ δέοι—διαγωνίζεσθαι—πότερος ἐπαΐει περὶ τῶν
χρηστῶν—λιμῷ ἂν ἀποθανεῖν τὸν ἰατρόν.　　16 πρὶν—ἐπιπέμψῃ :
here Heindorf and Bekker insert ἄν after πρίν.　Heindorf says :
'apud poetas Atticos πρὶν subiunctivo saepius iungitur : apud
prosae scriptores corrigi huiusmodi omnia debent.'　But it be-
comes then necessary to correct a great many passages.　Not to
mention Herodotus (1, 19. 136 ; 6, 133 ; 7, 8) who might here be
supposed to side with poetical usage, we may quote Thuc. 8, 9 οἱ
Κορίνθιοι—οὐ προεθυμήθησαν ξυμπλεῖν πρὶν τὰ Ἴσθμια—διεορτάσωσιν

and ibid. οὐ βουλόμενοί πω πολέμιον ἔχειν, πρίν τι καὶ ἰσχυρὸν λάβωσι. In two instances in Plato, Tim. 57 B, and Theaet. 169 B, the editors add ἄν, but see also Legg. 9, 873 A. In the orators we find instances of πρίν with a subj.: Aeschin. adv. Ctesiph. § 60 (where, however, Reisig and Franke read πρὶν ἄν against the mss.), and Hyperid. p. 7 Bab. although Schneidewin there too corrects πρὶν ἂν αὐτό. (See also Riddell § 63.)

VII. p. 9, 2 ῥᾳδίως 'easily,' i.e. 'willingly.' We have the word directly afterwards in the same meaning, 63 A.  **22** For ἀγανακτεῖν ἀπιόντας see Jelf, § 549 c.  **24** ἄριστοί εἰσι τῶν ὄντων ἐπιστάται: cf. Legg. 10, 902 B, θεῶν γε μὴν κτήματά φαμεν εἶναι πάντα ὁπόσα θνητὰ ζῶα, ὥσπερ καὶ τὸν οὐρανὸν ὅλον—ἤδη τοίνυν σμικρὰ ἢ μεγάλα τις φάτω ταῦτα εἶναι τοῖς θεοῖς· οὐδετέρως γὰρ τοῖς κεκτημένοις ἡμᾶς ἀμελεῖν ἂν εἴη προσῆκον, ἐπιμελεστάτοις γε οὖσι καὶ ἀρίστοις.  **25** αὐτός sc. ὁ φρονιμώτατος: the construction changes from the plural in the preceding sentence to the singular, and in general transitions of this kind are not rare in Plato: cf. e.g. Protag. 319 D, 324 A, 334 c.  **27** ταῦτα where we should expect τοῦτο: so we have it below, 70 D. Other instances are collected by Riddell, § 41 B; Jelf, § 383 Obs.  **28** ἀπὸ τοῦ δεσπότου 'from his master.' The peculiar foolishness is here the act of running away from a man whom you detest for the sole reason of him being your master.  p. 10, **8** πραγματεία: 'τὴν πραγματειώδη ἀπορίαν πραγματείαν ἐκάλεσεν ὁ Πλάτων.' Olympiodorus. **9** ἐπιβλέψας no doubt with an ironical expression of the face. This irony is also perceptible in τινάς. ἀεί τοι: Geddes justly observes that there is a certain playfulness in this expression, marked also by the imitation of Homeric language, e.g. Il. 5, 83, αἰεί τοι ῥίγιστα θεοὶ τετληότες εἶμεν. Below, 77 A, Cebes is described as καρτερώτατος πρὸς τὸ ἀπιστεῖν τοῖς λόγοις.  **11** f. μοι—αὐτῷ is more emphatic than ἐμαυτῷ. About the phrase τὶ λέγειν see n. on Crito p. 45, 3.  **13** ἄνδρες σοφοὶ ὡς ἀληθῶς: the more usual order of words would be ἄνδρες ὡς ἀλ. σοφοί: cf. below, p. 12, 17, οἱ ὡς ἀληθῶς φιλόσοφοι, 66 B, ὁ γνησίως φιλόσοφος, but 67 D, ὁ φιλοσοφῶν ὀρθῶς. **13** ἀμείνους αὐτῶν is given by the mss., not αὑτῶν, which is the arbitrary change of many editors. Stallb. justly compares 107 c, below, τῆς αὑτῶν κακίας where again some editions read αὐτῶν.

VIII. SOCRATES ADVANCES THE PROPOSITION THAT BY DEATH WE ARE NOT REMOVED FROM THE PROTECTION OF THE GODS, AND AFTER A FRUITLESS WARNING OF THE EXECUTIONER, THAT THE

EXCITEMENT OF A DISPUTATION MIGHT RENDER DEATH MORE
PAINFUL, SOCRATES BEGINS THE DISCUSSION.

p. 10, 21 πιθανώτερον, because the judges pronounced sentence
against Socr. 26 οὐκ ἀγανακτῶν: but Olympiodorus reads μὴ
ἀγ. There is, however, no doubt as to the choice between these
two readings. Socr. says 'I should be wrong not to grieve,' but
as in reality he does not grieve, he must use οὐκ, not μή. (See
also Jelf, § 746, 1.) 27 ἄνδρας τε: as if καὶ παρὰ θεοὺς
should follow; but instead of this the construction is varied.
p. 11, 1 ὅτι—ἥξειν: the infinitive is owing to the continued in-
fluence of ἐλπίζω—though we might also quote Jelf, § 804, Obs. 7.
Hirschig brackets ἥξειν; his note is as follows 'pessum dederunt
Atticum sermonem explendo ellipsin: repetendum est et ἀφί-
ξεσθαι (=ἥξειν) et ἐλπίζω: itaque, quod partim expleverunt, eo
certius deprehenduntur interpolatores.' 3 οὐχ ὁμοίως viz.
as I should grieve, if I were without that hope. 4 εἶναί τι
'that there is something in store for:' so below, 91 B, εἰ δὲ μηδέν
ἐστι τελευτήσαντι. 5 καὶ πάλαι in the ancient beliefs and
traditions of the Greeks: cf. Gorg. 523 AB, ἦν νόμος ὅδε περὶ ἀνθρώ-
πων ἐπὶ Κρόνου καὶ ἀεὶ καὶ νῦν ἔτι ἐστὶν ἐν τοῖς θεοῖς, τῶν ἀνθρώπων
τὸν μὲν δικαίως τὸν βίον διελθόντα καὶ ὁσίως, ἐπειδὰν τελευτήσῃ εἰς
μακάρων νήσους ἀπιόντα οἰκεῖν ἐν πάσῃ εὐδαιμονίᾳ ἐκτὸς κακῶν· τὸν δὲ
ἀδίκως καὶ ἀθέως, εἰς τὸ τῆς τίσεώς τε καὶ δίκης δεσμωτήριον, ὃ δὴ
τάρταρον καλοῦσιν, ἰέναι. 7 αὐτός may stand in its usual sense
'you yourself,' but the antithesis to the following μετ᾽ αδοίης be-
comes more marked by taking αὐτὸς in the meaning 'alone' (Apol.
p. 10, 23). See Jelf, § 656, 3 a. 11 πρῶτον i.e. before I
enter upon my arguments. The prolepsis in Κρίτωνα τόνδε is
easily understood. 13 τί δὲ—ἄλλο γε sc. ἐστίν, after which we
ought to have ἢ ὅτι πάλαι κ.τ.λ. Comp. Arist. Eccles. 769, τί γὰρ
ἄλλο γ᾽ ἢ φέρειν παρεσκευασμένοι Τὰ χρήματ᾽ εἰσίν. This elliptical
phrase seems to have belonged more particularly to conversational
language, and wherever it occurs, betrays a certain impatience on
the part of the speaker. Crito is annoyed at the repeated requests
of the servant. 14 ὁ μέλλων δώσειν κ.τ.λ.: comp. below,
117 A, beginning of ch. LXVI, no doubt a slave of the state, called
ὁ δημόσιος by Plut. Phoc. 37, where he relates that the poison not
taking effect upon Phocion, he asked for another draught: καὶ
ὁ δημόσιος οὐκ ἔφη τρίψειν ἕτερον, εἰ μὴ λάβοι δώδεκα δραχμάς, ὅσου
τὴν ὁλκὴν ὠνεῖται. χρόνου δὲ γενομένου καὶ διατριβῆς, ὁ Φωκίων
καλέσας τινὰ τῶν φίλων καὶ εἰπὼν ὅτι μηδὲ ἀποθανεῖν Ἀθήνησι δωρεάν

ἐστιν, ἐκέλευσε τῷ ἀνθρώπῳ δοῦναι τὸ κερμάτιον. **16** μᾶλλον ' too
much.' **17** εἰ δὲ μὴ 'otherwise, else:' we should expect εἰ δὲ
(sc. προσφέροιεν), but after a negative clause we sometimes have
in Greek a condition expressed as negative which ought to be
affirmative: cf. Xen. Anab. 7, 1, 8, μὴ ποιήσῃς ταῦτα· εἰ δὲ μή,
αἰτίαν ἕξεις. Soph. Trach. 586 f. εἴ τι μὴ δοκῶ Πράσσειν μάταιον· εἰ
δὲ μή, πεπαύσομαι. **20** τὸ ἑαυτοῦ 'his own affair:' Hirschig
unnecessarily conjectures τοσοῦτον. **21** σχεδὸν μέν τι ἤδη, ' I
knew something of the kind,' viz. would be your answer: τί
belongs to σχεδόν though separated from it by μέν : comp. Laches
192 c, σχεδὸν γάρ τι οἶδα. ἤδη is expressly given for this passage
by Photius Lex. p. 50, though all the mss. have ᾔδειν: but see n.
on Apol. p. 23, 8. ἀλλά at the beginning of the sentence expresses
Crito's impatience, πράγματα παρέχει ' he bothers me.'
**25** τῷ ὄντι i.e. seriously, with profit to himself, cf. below, 66 B,
ὁ γνησίως φιλόσοφος, and p. 12, 17, ὁ ἀληθῶς φιλόσοφος.—εἰκότως
may be translated 'with good reason,' or 'consistently.'
**26** ἐκεῖ = ἐν Ἅιδου.

IX—XI. DEATH BEING THE SEPARATION OF THE SOUL FROM
THE BODY, AND THE PHILOSOPHER'S LIFE A PREPARATION FOR DEATH,
BY WHICH HE IS FREED FROM THE SERVITUDE OF THE BODY, IT
FOLLOWS THAT DEATH IS NOT TO BE MET WITH REPINING. BUT
ON THE PURITY ATTAINED IN THE PRESENT LIFE HAPPINESS IN
DEATH DEPENDS.

IX. p. 12, **1** κινδυνεύουσιν ὅσοι κ.τ.λ., is justly explained by Rid-
dell, § 186, to be an attraction for κινδυνεύει λεληθέναι τοὺς ἄλλους ὅτι
ὅσοι κ.τ.λ. **3** ἐπιτηδεύουσιν κ.τ.λ.: cf. Cic. Tusc. 1, 30, *tota
philosophorum vita, ut ait idem, commentatio mortis est;* see also
below, 67 D. ἀποθνήσκειν denotes the act by which one passes into
the state expressed by τεθνάναι. **6** ἀγανακτεῖν δ—: the constr.
ἀγανακτεῖν τι occurs in several passages in Demosthenes and
Lysias (26, 1), and is quite in harmony with the analogous constr.
δυσχεραίνειν τι (Krüger, § 48, 8, 1). **8** γελασείω 'I wish to
laugh.' **9** ἄν is anticipated hyperbatically with οἶμαι: Riddell,
§ 296. **12** παρ' ἡμῖν : the only natural explanation of this is
that Simmias means his own fellow-citizens; i.e. the Thebans.
The Boeotians had in general an unfavourable name for their
aversion to literature and intellectual pursuits. **13** θανατῶσι
= θανάτου ἐπιθυμοῦσι (Schol.). λελήθασιν, where we should expect
λέληθε, but the verb is made to agree with the subject φιλόσοφοι

110· NOTES.

which is common to the preceding and succeeding sentence.
Stallb. quotes Xen. Oec. 1, 19, ὅτι πονηρότατοί γέ εἰσιν, οὐδὲ σὲ
λανθάνουσιν. Add Isocr. Panegyr. 12, οὗτοι οὖν οὐ λελήθασιν ὅτι
τούτους ἐπαινοῦσιν κ.τ.λ.    **14** τοῦτο πάσχειν i. e. ἀποθνήσκειν.
**20** ἄλλο τι sc. ἡγούμεθα (to be supplied from the preceding sen-
tence).    **26** f. καὶ σοὶ ξ. ἄπερ καὶ ἐμοί: the two καί are correla-
tive; see a similar instance Apol. p. 9, 16, and below, 76 E.
**29** ἐσπουδακέναι ' to have made it his especial study.'    **30** οἷον
' e. g. :' this word always stands outside the construction of the
sentence, see Riddell, § 16, who quotes also below, 73 c, πῶς λέγεις;
—οἷον τὰ τοιάδε. 78 D, τῶν πολλῶν καλῶν οἷον ἀνθρώπων. 83 B, κακὸν
ἔπαθεν ἀπ' αὐτῶν...οἷον ἢ νοσήσας ἢ κ.τ.λ.       p. 13, **4** ἱματίων
διαφερόντων, 'splendid clothes;' very much in contrast to Socr.'s
own dress, which Xen. Mem. 1, 6, 2, calls ἱμάτιον φαῦλον. As
to ὑποδήματα, Socr. dispensed with them altogether: Symp. 220 B,
Xen. Mem. 1, 6, 2.    Arist. Clouds, 103.    **10** ἀφεστάναι αὐτοῦ
' keep aloof from it :' sc. τοῦ περὶ τὸ σῶμα.    **16** μηδὲ μετέχει :
before this we should supply καὶ ὅς, but according to an almost
constant idiom the relative pronoun is not repeated even with
verbs which require different cases: see n. on Crito, p. 47, 5, and
add Rep. 5, 465 E. 8, 559 A, Gorg. 492 B, 496 B, and here below,
82 D. (See also Jelf, § 743, 2.)

X. p. 13, **20** φρονήσεως : for the meaning of this word cf. Cic. Off.
1, 43, 153 *prudentiam, quam Graeci φρόνησιν dicunt, aliam quan-
dam intelligimus quae est rerum expetendarum fugiendarumque
scientia.*    **22** οἷον τὸ τοιόνδε λέγω is another expression to de-
note ' e. g.,' for which παραδείγματος χάριν is the later formula : cf.
Charmid. 168 D, λέγω δὲ τὸ τοιόνδε οἷον ἡ ἀκοή. Euthyphr. 13 B,
οἷον τοιόνδε &c. See also Don. p. 352.    **23** ἔχει has almost the
sense of παρέχει.    **24** οἱ ποιηταί : according to Olympiodorus
on this passage Plato means more particularly Parmenides, Em-
pedocles, and Epicharmus : of the latter he quotes a line also
known from other sources νοῦς ὁρῇ καὶ νοῦς ἀκούει· τἆλλα κωφὰ καὶ
τυφλά.    **25** θρυλοῦσιν is the spelling of the Bodl. and other
good mss., so also below 100 B the best mss. are in favour of πολυ-
θρύλητα : see also 76 D. Eustathius on Il. 23, 396 says of this
word ἡ πλείων χρῆσις οἶδε δι' ἑνὸς λ προφέρειν.    **27** μὴ σαφεῖς
and therefore not leading to σοφία. The two words σαφής and
σοφός belong to the same root.       p. 14, **3** λογίζεσθαι *ratiocinari.*
**5** f. On μήτε...μήτε...μήτε...μηδέ (according to the Bodl.) see Rid-
dell § 52.    **9** τοῦ ὄντος ' *the really* or *absolutely true.*'    **13**

αὐτὸ is not necessary, but serves to enforce the idea of existing before οὐδέν. Olympiodorus justly explains τὸ δίκαιον by ἡ ἰδέα τοῦ δικαίου. **13** f. φαμὲν μέντοι νὴ Δία, a most emphatic answer in the affirmative : cf. below 68 B. 73 D. **19** ἑνὶ λόγῳ 'in one word,' i. e. to sum up, so also Gorg. 524 D.—The order in this sentence seems at first sight unusual; the sense is of course καὶ περὶ τῆς οὐσίας τῶν ἄλλων ἑνὶ λόγῳ ἁπάντων, ὃ τυγχάνει ἕκαστον ὄν. But in the best writers (very frequently in Thucydides) a genitive may be placed directly after a preposition before the noun on which it is dependent ; so Thucyd. 3, 46 says δεῖ τὴν φυλακὴν μὴ ἀπὸ τῶν νόμων τῆς δεινότητος ποιεῖσθαι, ἀλλ' ἀπὸ τῶν ἔργων τῆς ἐπιμελείας.— οὐσία is the 'true being,' *essentia* in the Latin of later philosophers. The same idea is afterwards denoted by τἀληθέστατον. Geddes justly observes that οὐσία was probably a term then newly introduced into philosophy and therefore needing explanation. **22** αὐτὸ ἕκαστον 'each taken by itself' as to its own peculiar being. **26** παρατιθέμενος lit. 'putting alongside of himself' as an instrument of which he can avail himself at any time. **27** ἐφέλκιον 'dragging behind' as an encumbrance. **30** θηρεύειν : the metaphorical use of the word is easily understood. Comp. Polit. 264 A. Theaet. 198 A. So p. 15, 17, ἡ τοῦ ὄντος θήρα. In the same way Cic. de nat. deor. 1, 30 calls a 'physicus' *speculator venatorque naturae.* p. 15, **1** ὡς ἔπος εἰπεῖν 'generally speaking:' see n. on Apol. p. 1, 4. **6** ὑπερφυῶς ὡς : comp. below 96 A, θαυμαστῶς ὡς.

**XI.** p. 15, **9.** On ὅτι before a direct speech see n. on Apol. p. 20, 6. Crito p. 51, 9. **10** κινδυνεύει κ. τ. λ. 'It seems then that one might say a small pathway leads us out of the difficulty by the help of logical reasoning in this consideration, that —.' This seems to be the natural explanation of this difficult passage. The word ἀτραπός is here used in a figurative sense : we have lost our way, wandering about in a labyrinth (i. e. trying to find truth by means of our senses), when a small pathway leads us back into the right road. This metaphorical use is also indicated by ὥσπερ and τις, to which Stallb. well compares Rep. 2, 427 δοκεῖ μοι εἶναι (ἡ πόλις) ὥσπερ ὑγιής τις. The simile which we have assumed to underlie the whole passage, is moreover preserved in the verb ἐκφέρειν, see Soph. Aj. 7 εὖ δέ σ' ἐκφέρει Κυνὸς Λακαίνης ὥς τις εὔρινος βάσις. The words μετὰ τοῦ λόγου have been considered by some as an interpolation, but there is no cogent reason for assuming this although they seem at first sight to be almost identical in meaning with ἐν τῇ σκέψει. Stallb. assumes an allusion to some Pythagorean precept φεύγειν τὰς λεωφόρους, and explains ἀτραπός as the small pathway that leads us out of life, i.e. death. I add his Latin translation so as to enable the student to form his own opinion on the merit of his explanation 'videtur sane tamquam semita quaedam (h. e. via arctior nec vero lata, qualis est via regia) nobis relicta esse, cuius ope in quaerenda rerum veritate, cum sensuum perturbationes maximae sint, ad propositum, h. e. ad veritatis cognitionem educamur.' The explanation which I have adopted agrees in the main with that given by C. F. Hermann 'Gesammelte Abhandlungen' etc. (Gött. 1849) p. 70 f. ἐν τῇ σκέψει can be explained and should not be changed, yet the sense would be plainer if we had εἰς τὴν σκέψιν as it were ' a small path leads us with the help of logical reasoning to the consideration that—.' 13 οὐ μή ποτε κτησώμεθα: see n. on Apol. p. 20, 8. Jelf § 748, c. Obs. 3.—ἱκανῶς 'to a satisfactory degree,' because we may obtain an uncertain knowledge of truth even by means of our senses. 14 τοῦτο sc. οὗ ἐπιθυμοῦμεν. 16 ἄν τινες νόσοι προσπέσωσι 'if e. g. maladies happen;' for this force of τὶς see Riddell § 50. G. a. 18 φλυαρίας 'nonsense:' φλυαρίαν καλεῖ ὁ Πλάτων πᾶν τὸ περιττόν, οὐ μόνον τὸ ἐν λόγοις, ἀλλὰ καὶ τὸ ἐν ἔργοις. (Olympiodorus). 19 τὸ λεγόμενον 'as the saying is,' shows that the expression ὑπ' αὐτοῦ οὐδὲ φρονῆσαι ἡμῖν ἐγγίγνεται οὐδέποτε οὐδέν was proverbial. ὡς ἀληθῶς and τῷ ὄντι are often, each by itself, added to proverbial phrases or quotations of well-known sayings; here they are joined in order to make the passage more emphatic: cf. Lach. 183 D, ἐν τῇ ἀληθείᾳ ὡς ἀληθῶς ἐπιδεικνύμενον. 25 ἐκ τούτου is again parallel with διὰ πάντα ταῦτα, but it would be perverse to doubt the genuineness of the text which rests on the authority of the mss.—ἀσχολίαν ἄγομεν φιλοσοφίας πέρι means 'we are too busy for philosophy,' cannot occupy ourselves with philosophical speculations. 28 ἀπ' αὐτοῦ sc. τοῦ σώματος. 29 παραπίπτειν 'dicitur de iis quae interveniunt casu et fortuito atque adeo tempore alieno.' Fischer.

p. 16, 5 φρονήσεως instead of φρόνησις owing to assimilation to the case of the relative (attraction): see note on Apol. p. 37, 3. Riddell § 192. 6 ὁ λόγος σημαίνει: cf. p. 15, 10, μετὰ τοῦ λόγου. 8 For the accusative δυοῖν θάτερον see Riddell § 23. a. 11 ἐν ᾧ ἂν ζῶμεν 'while we live:' Hirschig doubts if this be Greek and writes ἕως ἂν ζῶμεν, comp. below 84 A. 14 ἀναπίμπλασθαι is from the antithesis καθαρεύειν easily understood to have here the more special sense ' to allow oneself to be infected:'

see n. on Apol. p. 24, 16. Riddell § 88.   **17** μετὰ τοιούτων i. e.
καθαρῶν. Riddell § 54.   **19** ἴσως 'it is to be hoped :' so we
find this word sometimes in assertions of a very definite character,
where there is no trace of doubt.—μὴ καθαρῷ—θεμιτὸν ᾖ: cf. note
on Apol. p. 21, 18.

XII. DEATH IS SHOWN TO BE BUT THE DELIVERANCE DESIRED
BY THE TRUE PHILOSOPHER, WHO CERTAINLY OUGHT TO CONQUER
THE FEAR OF DEATH BY HIS DESIRE OF PERFECT KNOWLEDGE,
SINCE EVEN ORDINARY MEN HAVE OVERCOME THIS FEAR BY THE
POWER OF LOVE.

XII. p. 16, **25** f. ἐλπὶς—κτήσασθαι, the inf. aor., though we
should expect either the future or the aor. with ἄν : but instances
without ἄν are by no means scarce, see below E, ἐλπίς ἐστι—τυχεῖν.
Sympos. 193 D, ὃς εἰς τὸ ἔπειτα ἐλπίδας μεγίστας παρέχεται καταστή-
σας ἡμᾶς εἰς τὴν ἀρχαίαν φύσιν καὶ ἰασάμενος μακαρίους καὶ εὐδαίμονας
ποιῆσαι.   **27** παρελθόντι 'past,' as we obtain this boon after
our death. The reading of inferior mss., παρόντι, is simpler, but
has no authority.   **29** καὶ ἄλλῳ ἀνδρί: Socr. himself has
already declared his conviction and anticipation of a better life
after death, and here καὶ 'also' implies ἐμοί, which would, more-
over, have been awkward after νῦν μοι προστεταγμένη.   **29** f.
οἱ παρεσκευάσθαι 'sibi comparatam esse;' the perf. infin. denotes
that he has his pure mind in readiness; ὥσπερ is added, because
κεκαθαρμένη is originally used of a vessel when cleansed.

p. 17, **1** ξυμβαίνει 'appears:' the construction here differs
from the one used below 74 A, ἆρ' οὖν ξυμβαίνει τὴν ἀνάμνησιν εἶναι
μὲν ἀφ' ὁμοίων κ.τ.λ.  Instances of either construction are found in
the best writers.   **4** συναγείρεσθαι "τουτέστιν ἀπὸ τῆς σωματοειδοῦς
ζωῆς ἐπιστρέφεσθαι:" ἀθροίζεσθαι "τουτέστιν ἀπὸ τῆς δοξαστικῆς"
Olympiodorus.   **6** μόνην καθ' αὑτήν is said in the same way
as in other places αὐτὴν καθ' αὑτήν, and there is not the slightest
reason for considering μόνην as a gloss on the parallel expression.
—ὥσπερ ἐκ δεσμῶν ἐκ τοῦ σώματος : see Cobet's criticism as given
in the crit. notes.  But there is no cogent reason for omitting the
second ἐκ, though in Attic prose the preposition is generally put
only once in comparisons: but Heindorf justly cites below 82 E,
ὥσπερ δι' εἱργμοῦ διὰ τούτου σκοπεῖσθαι τὰ ὄντα, see also 110 E. 115 B.
Phaedr. 255 D, ὥσπερ ἐν κατόπτρῳ ἐν τῷ ἐρῶντι ἑαυτὸν ὁρῶν λέληθε.
Rep. 8, 553 B, πταίσαντα ὥσπερ πρὸς ἕρματι πρὸς τῇ πόλει.  See
Riddell § 262 (p. 221).   **15** οὕτω enforces the meaning of the

participle: see above 61 c. τούτου sc. τοῦ τεθνάναι.  **16** οὐ
γελοῖον is emphatically repeated, though a critic who reduces
Plato's words to the number of words strictly necessary for the
expression of an idea, may again entertain his suspicions: see crit.
note.  **20** διαβέβληνται τῷ σώματι 'are at variance with the
body.' Jelf § 601, 2 Obs. 3.  **22** εἰ is inserted on the authority
of the best mss., while inferior mss. are without it.  Cobet is in
favour of the reading of the latter (see crit. note).  Heindorf is
wiser in saying 'quod [εἰ] quamquam repeti e superiori membro
potest, tamen, cum in optativos transeat oratio priusque εἰ sonet
h. l. magis *quandoquidem*, alterum *si*, vix videtur a librario adiec-
tum,' and Stallb. quotes a number of passages in which we have
two protases with εἰ: Theaet. 147 A. Gorg. 453 c. Legg. 2, 662 CD.
Protag. 311 B. (Hirschig's criticism is more sweeping: he pro-
nounces the whole sentence τούτου δὲ γιγνομένου εἰ φοβοῖντο καὶ
ἀγανακτοῖεν to be 'ieiuna sententiae periphrasis' due to a scribe.
He adds 'duplicem protasin, obsecro te, ne cum Stallbaumio de-
fendas exemplis corruptis et disparibus.')  The third clause with
εἰ is added in somewhat the same manner as may be noticed below
80 E and 81 A.  Aristoph. Eccl. 218 f. ἡ δ' Ἀθηναίων πόλις, Εἰ τοῦτο
χρηστῶς εἶχεν, οὐκ ἂν ἐσώζετο, Εἰ μή τι καινὸν ἄλλο περιειργάζετο.
**25** ἀπηλλάχθαι inf. perf. of the same sense as a present, e. g.
ἐλευθέρους εἶναι.  On present infinitives after verbs of promising,
hoping, suspecting, etc. see n. to Crito p. 53, 27.  **26** ἀνθρώ-
πινα παιδικά 'objects of affection that were merely human'
(GEDDES) is said intentionally in antithesis to as it were θεῖα
παιδικά: Heindorf happily compares Gorg. 482 A φιλοσοφίαν, τὰ
ἐμὰ παιδικά.  Geddes observes that Socr. alludes to such legends
as the love of Alcestis for Admetus, Orpheus for Eurydice, and
Achilles for Patroclus, 'all of whom were willing, from the power
of affection, to descend to Hades.'  See also Sympos. 179 D.

p. 18, **7** οἴεσθαί γε χρή 'one ought to think' they would not be
unwilling to go: cf. Crito 53 D.

**XIII.** IN CONTRASTING THE VIRTUE OF ORDINARY MEN WITH
THAT DESIRED BY TRUE PHILOSOPHERS, IT IS FOUND THAT THE
COMMON VIEWS OF COURAGE AND TEMPERANCE ARE HOLLOW AND
BASED ON COMPROMISE, WHILE INTELLIGENT PERCEPTION IS A NECES-
SARY CONSTITUENT OF TRUE VIRTUE IN ALL ITS FORMS.  ONCE MORE
SOCRATES EXPRESSES HIS HOPE IN DEATH.

**XIII.** p. 18, **11** ὅπερ ἄρτι ἔλεγον refers to 67 E.  **13** τοῦτο

points to the succeeding sentence. ὃν ἄν = ἐάν τινα, a construction
of which Stallb. gives numerous instances; most apposite is Herod.
1, 146 ἀνδραγαθίη δ᾽ αὕτη (the following) ἀποδέδεκται—ὃς ἂν πολ-
λοὺς ἀποδέξῃ παῖδας, and in the same way we should also explain
Thuc. 2, 62, 4 αὔχημα μὲν γὰρ καὶ ἀπὸ ἀμαθίας εὐτυχοῦς καὶ δειλῷ
τινι ἐγγίγνεται, καταφρόνησις δὲ ὃς ἂν καὶ γνώμῃ πιστεύῃ τῶν ἐναν-
τίων προέχειν, though there the Scholiast observes λείπει ἐκείνῳ:
but cf. Thuc. 6, 14 τὸ καλῶς ἄρξαι τοῦτ᾽ εἶναι ὃς ἂν τὴν πατρίδα
ὠφελήσῃ.    7, 69, 1 νομιμώτατον εἶναι οἳ ἂν—δικαιώσωσιν.    **15**
οὐκ ἄρ᾽ ἦν 'he was after all not :' ἄρα expresses the correction by
experience of a preconceived impression: cf. Hom. Od. 16, 418 ff.
Ἀντίνο᾽, ὕβριν ἔχων, κακομήχανε, καὶ δέ σέ φασιν Ἐν δήμῳ Ἰθάκης μεθ᾽
ὁμήλικας ἔμμεν ἄριστον Βουλῇ καὶ μύθοισι· σὺ δ᾽ οὐκ ἄρα τοῖος ἔησθα.
**16** φιλοχρήματος καὶ φιλότιμος 'a lover of riches and a lover
of honour :' the φιλόσοφος strives after the goods of the soul;
those who follow other ends, turn of course to the goods of the
body and of chance: see the distinction made by Plato himself
Legg. 3, 697 B, and also in our dialogue below 82 C.—που is
'probably,' in most instances.    **20** τοῖς οὕτω διακειμένοις
i. e. the real philosophers who treat the body in the manner indi-
cated by Socr.—ἡ ἀνδρεία is in the Platonic sense the virtue of the
courageous part of the soul, σωφροσύνη that of the ἐπιθυμητικόν.
**23** πτοέομαι is a word almost exclusively used by poets and philo-
sophers; in the latter it denotes an inordinate desire not based
upon rational grounds.    **25** ἐν φιλοσοφίᾳ ζῶσιν: cf. above
εἶναι ἐν φιλοσοφίᾳ and Theaet. 174 A διάγειν ἐν φιλοσοφίᾳ.    **26** εἰ
γὰρ ἐθελήσεις is the reading of the Bodl., but as many other good
mss. have ἐθέλεις, it is difficult to decide between the two readings.
ἐθέλεις is the reading adopted by most edd.: it may be defended by
the similar passage Protag. 324 A εἰ γὰρ ἐθέλεις ἐννοῆσαι τὸ κολά-
ζειν—αὐτό σε διδάξει. Alcib. I, 122 D, εἰ ἐθέλεις τοὺς Λακεδαιμονίων
πλούτους ἰδεῖν, γνώσει. On the other hand it may be said for
ἐθελήσεις, that it is more accurate in a grammatical point of view,
and being more rare in expressions of this kind, seems not very
likely to have been substituted by a scribe for an original ἐθέλεις.—
τῶν ἄλλων = τῶν πολλῶν.    p. 19, **1** ὅταν ὑπομένωσιν is an em-
phatic addition 'si quidem— :' Stallb. comp. Euthyphr. 7 D, οὐ
δυνάμενοι ἐπὶ ἱκανὴν κρίσιν αὐτῶν ἐλθεῖν ἐχθροὶ ἀλλήλοις γιγνό-
μεθα, ὅταν γιγνώμεθα. Phil. 31 B, δεῖ δὴ τὸ μετὰ τοῦτο ἐν ᾧ τέ ἐστιν
ἑκάτερον αὐτοῖν καὶ διὰ τί πάθος γίγνεσθον, ὁπόταν γίγνησθον, ἰδεῖν
ἡμᾶς.    **2** The words καὶ δέει are most probably only a gloss, as

it is impossible to find out a difference between 'being afraid' and 'fear:' but perhaps we might also conjecture δειλίᾳ for δέει, whereby we obtain afterwards a complete parallelism in the repetition of this expression. Plutarch, Romul. 37 D, alludes to the expression in l. 4.: ὁ δέ, ἐκεῖνο τὸ τοῦ Πλάτωνος, ἀτεχνῶς ὑπὸ δέους ἀνδρεῖος γενόμενος. **5** οἱ κόσμιοι = οἱ σώφρονες : see above c where the definition of σωφροσύνη is given. **6** With the asyndeton ἀκολασίᾳ κ. τ. λ. comp. the similar passage Apol. 22 A, ᾗ μὴν ἐγὼ ἔπαθόν τι τοιοῦτον· οἱ μὲν μάλιστα εὐδοκιμοῦντες κ. τ. λ. **10** ἄλλων ἀπ. ὑπ' ἄλλων : the two ἄλλων are correlative : 'they abstain from some, being mastered by others.' **15** γὰρ stands, as it often does, in the opening clause, so that a previous ellipsis must be assumed, e. g. 'do not approve of this at once, for—.' μὴ—ᾖ 'vide ne sit.' **16** The prep. πρός is here used to denote interchange ; see Jelf § 638 f. **22** ὠνούμενα has here a passive sense, which the verb generally admits only in the perfect ἐώνημαι : Stallb. therefore proposes to read ἐωνημένα, but there is no doubt that in agreement with πιπρασκόμενα we want a present participle, and there is no alternative but to believe that Plato has here ventured to use the present with a passive meaning. (So also Don. p. 275 and Jelf § 368, 3.) Xenophon (Equestr. 8, 2) uses ἐωνεῖτο as a passive. **24** καὶ προσγ. καὶ ἀπογ. 'no matter whether they are present or not.' **27** σκιαγραφία 'is a favourite phrase with Plato to express incompleteness or sketchiness.' GEDDES: comp. Rep. 10, 602 c. 2, 365 c, and espec. Critias 107 c, σκιαγραφία...ἀσαφεῖ καὶ ἀπατηλῷ χρώμεθα περὶ αὐτά. Cicero Tusc. 3, 2 translates σκιαγραφία by adumbrata imago. Aristophanes, Frogs 1493, uses the term σκαριφισμός for the same thing. **29** τὸ ἀληθές 'the true thing,' opp. to σκιαγραφία, which denotes merely a counterfeit. p. 20, **1** τῶν τοιούτων i. e. τῶν ἡδονῶν καὶ φόβων καὶ τῶν ἄλλων. **3** καθαρμός 'differs from the foregoing κάθαρσις, as the result from the process.' GEDDES. **4** οὗτοι 'those famous men.' The mysteries are mentioned as they professed to convey καθαρμός and secure purity in another world. **5** αἰνίττεσθαι 'to indicate in an obscure manner :' the word is used of the oracles of Apollo, Apol. p. 7, 13. **6** ἐν βορβόρῳ : Plotinus who repeats this doctrine in almost the same words as we have here (Enn. 1, 6, p. 55 A) suggests the reason ὅτι τὸ μὴ καθαρὸν βορβόρῳ διὰ κακίαν φίλον. **9** The Orphic line alluded to is πολλοὶ μὲν ναρθηκοφόροι, παῦροι δέ τε βάκχοι. The latter is the name given to the real and enthusiastic worshippers of Diony-

sus, the first denotes those who seem to be worshippers as they
bear the wand used in the Bacchic revels, though no one knows
what they may really be at heart. The expression became pro-
verbial of the frequency of profession as contrasted with the
rarity of reality. Clemens Alex. quotes it, Strom. 1, § 92 and 5,
§ 171 as a Gentile maxim parallel to πολλοὶ γάρ εἰσι κλητοί, ὀλίγοι
δὲ ἐκλεκτοί, St Matth. 20, 16.    **11** We get at the real force of
the perf. participle πεφιλοσοφηκότες by considering it equal to
φιλόσοφοι ὄντες.    **11** ὧν belongs to γενέσθαι 'to become one
of whom.'    **14** ἠνυσάμην 'have achieved something for myself.'
The Bodl. ms. reads ἠνύσαμεν and the same reading is found in
Clem. Al. Strom. 1 § 92: but this seems due to the error of a
scribe who introduced the plural here in conformity with its em-
ployment in the apodosis, though thereby destroying the symmetry
of the protasis.    **20** τοῖς δὲ κ.τ.λ. should be translated 'al-
though this appears incredible to the multitude.' Hirschig ob-
serves 'est adnotatio praepostera scioli petita ex sequentibus his:
τὰ δὲ περὶ τῆς ψυχῆς πολλὴν ἀπιστίαν παρέχει τοῖς ἀνθρώποις, verbis
Cebetis, qui demum bene hanc dubitationem adfert, non ipse
Socrates.' It is very probable that Hirschig is right in his
suspicion.    **21** εἰ—εἰμι assumes the condition as almost cer-
tain while the optative in the apodosis upholds the hypothetical
character of the whole sentence.

**XIV.** SOCRATES IS ASKED BY CEBES TO UNFOLD THE REASONS FOR
HIS BELIEF IN A FUTURE EXISTENCE, AND AGREES TO DO SO.

XIV. p. 20, **26** ἀπιστίαν has the meaning of 'doubt,' hence the
constr. with μή: Jelf § 814 b. The following sentence is rather
awkwardly expressed in so far as the words οὐδαμοῦ ἔτι ᾖ occur
twice in close proximity. But it would be rash to suspect that in
the second place these words are due to an interpolator: though it
should be added that we are no worse off without them. Besides
this, the asyndeton in εὐθύς is very harsh, and perhaps Zeune is
right in adding καί before εὐθύς. (A passage similar to the present
occurs below 84 B. Hirschig doubts the authenticity of the words
διαφθείρηταί τε καὶ ἀπολλύηται p. 21, 1, and it must be confessed
that all would be smooth without them.) The constr. of εὐθύς
with a participle is not rare; cf. below 75 B, γενόμενοι εὐθὺς ἑωρῶ-
μεν, and ib. C ἠπιστάμεθα—εὐθὺς γενόμενοι. The two participles
ἀπαλλαττομένη and ἐκβαίνουσα belong both to εὐθύς 'the moment
the soul separates itself from the body and departs from it' οἴχηται

διαπτομένη 'it goes flying away' ὥσπερ πν. ἢ καπνὸς διασκεδ. 'vanishing like a breath or smoke.' Plato alludes to the popular belief with regard to death: so we find in the popular poet, Homer, Il. Ψ 100, ψυχὴ δὲ κατὰ χθονὸς ἠύτε καπνὸς Ὤιχετο τετριγυῖα.    p. 21, 5 ξυνηθροισμένη is the antithesis to διασκεδασθεῖσα.    9 παραμυθία 'iudicii confirmatio qua sententia difficilis et incredibilis ad probabilitatem explicatur,' WYTTENBACH, who observes that this use of the word is especially frequent in Plutarch. In Plato Legg. 4, 720 A παραμυθία and πειθώ are combined.——πίστις 'proof' in its original meaning, from root πιθ- in πείθω.    10 ἀποθανόντος τοῦ ἀνθρώπου 'of man when dead,' the article generalises the substantive, and the participle stands in apposition. So below at beg. of ch. xv τελευτησάντων τῶν ἀνθρώπων.    11 φρόνησιν 'reasoning faculty:' see below 111 B.    13 διαμυθολογῶμεν: see above 61 E.    15 ἂν belongs of course to εἰπεῖν.    17 ἀδολεσχῶ: among others, the comic poet Eupolis had bestowed upon Socr. the title of a πτωχὸς ἀδολέσχης.——οὐ περὶ προσηκόντων =περὶ οὐ προσηκόντων according to the customary order of words, cf. Thuc. 3, 67, 2 οὐ περὶ βραχέων. Other instances are given by Riddell § 298.

## XV—XVII. ARGUMENT I.: THE CYCLE OF LIFE CANNOT END IN DEATH IN THE SENSE OF NON-EXISTENCE, AND DEATH MUST BE ONLY THE STARTING POINT OF A NEW BEGINNING.

XV. p. 21, 19 αὐτό 'the question in hand.'—εἴτε ἄρα stands here as in Thuc. 6, 60, 2 ἀναπείθεται—εἴτε ἄρα καὶ τὰ ὄντα μηνῦσαι εἴτε καὶ οὔ. The addition of ἄρα in the first part indicates that there is greater presumption of truth for it than for the second possibility.    21 παλαιὸς λόγος denotes most probably the doctrine of the Orphic poets and Pythagorean philosophers; cf. what Olympiodorus says in his note on this passage Ὀρφικός τε γὰρ καὶ Πυθαγόρειος (λόγος) ὁ πάλιν ἄγων τὰς ψυχὰς εἰς τὸ σῶμα καὶ πάλιν ἀπὸ τοῦ σώματος ἀνάγων, καὶ τοῦτο κύκλῳ πολλάκις. This doctrine is, as here, called παλαιὸς λόγος Meno, 81 B. Herodotus 2, 123 where he speaks of the same doctrine as peculiar to the Egyptians, observes, τούτῳ τῷ λόγῳ εἰσὶν οἳ Ἑλλήνων ἐχρήσαντο, οἱ μὲν πρότερον (viz. the Orphic school), οἱ δὲ ὕστερον (the Pythagoreans), τῶν ἐγὼ εἰδὼς τὰ ὀνόματα οὐ γράφω. Empedocles also held the same doctrine, witness his lines ἤδη γάρ ποτ' ἐγὼ γενόμην κούρη τε κόρος τε, θάμνος τ' οἰωνός τε καὶ εἰν ἁλὶ φαίδιμος ἰχθύς (others καὶ ἐξ ἁλὸς ἔμπορος ἰχθύς). It is scarcely necessary to point out the construction of the words, ὡς εἰσὶν ἐκεῖ, ἐνθένδε ἀφικόμενοι. 24 πάλιν γίγνεσθαι—ζῶντας is epexegesis of τοῦτο in the preceding words. In the same manner below, 71 B, οὕτως is explained by an infinitive clause. 25 ἄλλο τι ἦ: see n. on Apol. p. 12, 15. 27 τοῦ ταῦτ᾽ εἶναι 'of this being so' or 'true.' ταῦτα stands where we should rather expect τοῦτο: but see above 62 D, τάχ᾽ ἂν οἰηθείη τ α ῦ τ α φευκτέον εἶναι κ.τ.λ. Heindorf and Hirschig adopt Forster's conj. αὐτὰς, sc. τὰς ψυχάς. p. 22, 3 κατά c. gen. has in the best Attic writers sometimes the sense 'with regard to:' Krüger § 68, 24, 2. Riddell § 121 translates 'consider this not as an attribute of mankind only,' and adds 'κατά, in a pregnant use, stands for ὡς κατ᾽ ἀνθρώπων λεγόμενον.' See also Jelf § 628, 1, 2. 6 ἆρα is properly used in direct questions only, but sometimes it appears also in an indirect question, e.g. Lach. 185 D, δεῖ καὶ τὸν σύμβουλον σκοπεῖν ἆρα τεχνικός ἐστιν. So again directly in the next section, l. 10.—Here again the words οὐκ ἄλλοθεν—τὰ ἐναντία are the epexegesis of οὑτωσί. 12 αὐτῷ would be possible, but not necessary. In the infinitive clauses we have a remarkable instance of a transition from the plural to the singular; the simplest explanation of it may be found by assuming αὐτό virtually = ἓν τούτων or τούτων τι. 13 ἔπειτα is here merely temporal, as is shown by the preceding πρότερον: in the parallel sentence which follows it is replaced ᾽by ὕστερον. This is a different use from the one explained in n. on Apol. p. 6, 8. 19 ἱκανῶς ἔχομεν τοῦτο 'do we understand this thoroughly,' is it sufficiently proved? Phileb. 30 E, ἔχω καὶ μάλα ἱκανῶς. See also note on Crito p. 45, 9. 23 δύο γενέσεις 'two generations' i.e. two different stages of development. What is meant, is further illustrated and explained in the next chapter. 29 κἂν εἰ:. καὶ ἐάν (for ἐάν is nothing else but εἰ ἄν). p. 23, 3 ἐξ ἑκατέρων, the plural refers to more than one pair of contraries grouped together before (GEDDES).

XVI. p. 23, 9 αὐτοῖν is dependent on μεταξύ which stands after its case: see above, 71 B. δυοῖν ὄντοιν is in apposition 'since then they are two of them.' It follows from the fact of the separate and contrary existence of life and death that we can predicate transitions from the one to the other reciprocally. 10 συζυγίαν sc. τὴν τοῦ καθεύδειν καὶ ἐγρηγορέναι ('to be awake'). The argument is: the transition (γένεσις) from sleep to wakefulness is 'to awake,' and from wakefulness to sleep 'to fall asleep.' 16 ἱκανῶς σοι sc. εἴρηται: cf. Meno 75 B, ἱκανῶς σοι ἢ ἄλλως πως ζητεῖς; Gorg.

448 A, ἐάν σοί γε ἱκανῶς.        25 σαφής 'well-ascertained.'
29 χωλή orig. 'lame,' i. e. 'defective.' Hirschig is most probably
right in reading ἀνταποδοῦναι in conformity with the expression
in the preceding line.        p. 24, 2 αὕτη, τὸ ἀναβιώσκεσθαι: again
we have an instance of epexegesis by the addition of an infinitive.
6 ἐδόκει, above, 70 CD.   On the imperfect used in reference
to a preceding discussion, see n. on Crito, p. 52, 7.        7 ὅθεν δὴ
πάλιν γίγνεσθαι: the relative clause stands in the infinitive, as it is
conceived in dependence on ἀναγκαῖον. Stallb. justly observes that
we may easily understand this by exchanging the relative ὅθεν with
the demonstrative καὶ ἐκεῖθεν. See below, 109 B, εἰς ἃ ξυνερρυηκέναι.

XVII. p. 24, 1 2 ἀδίκως 'without reason,' opp. δικαίως λέγειν be-
low, 73 C = ὀρθῶς λ. 75 E.        12 ἀνταποδιδοίη, absolutely 'corre-
sponded:' so below, l. 20. Jelf, § 359 (p. 12). Don. p. 426, justly
notices that before (p. 23, 28) the same word is used transitively.
13 ὡσπερεὶ κύκλῳ περιιόντα, 'as it were revolving in a circle:' a
common opinion of nearly all ancient philosophers.        14 ἀνα-
κάμπτειν is the technical term of turning the chariot round the
goal which from this was also called καμπτήρ: καμπὴν ποιεῖσθαι is
used of returning on the same side of the race-course on which the
chariot had come up to the goal.        15 οἶσθ' ὅτι 'you know' as
well as I do myself: Stallb. quotes Soph. 235 E, Phaed. 73 D, Men.
85 D, Gorg. 486 A, Rep. 3, 393 D, 6, 505 A, 10, 605 D.        16 τελευ-
τῶντα 'finally:' n. on Apol. p. 9, 10.        21 ἄν seems to be neces-
sary in the first clause according to the rules of Attic syntax, and
the loss of a little word like this in the mss. is in the present
instance to be easily accounted for by considering how readily
ΠΑΝΤΑΝΛΗΡΟΝ would pass into ΠΑΝΤΑΛΗΡΟΝ. But it is
also possible to write πάντα λῆρον—ἀποδείξει and assume a varia-
tion of the constr. in the words which follow.   πάντα is, however,
the subject of only the first sentence: 'all would tend to prove
that the tale about Endymion is nonsense;' on the phrase λῆρον
ἀποδεικνύναι τι 'to prove that something is nonsense,' Wyttenbach
has a very long note (in fact it is too long); as here τὸν Ἐνδυμίωνα
= τὰ κατὰ τὸν 'E. or τὰ περὶ τοῦ 'E. λεγόμενα, we have in Dio
Chrysost. Or. 32, p. 384 D, αὐτὸν γὰρ οἶμαι τὸν Ἰξίονα λῆρον ἀποφαί-
νετε, an apparent imitation of Plato's expression.   The subject of
φαίνοιτο is then Ἐνδυμίων.—οὐδαμοῦ φαίνεσθαι means ' to appear
valueless, unimportant:' a very good instance is Demosth. de cor.
§ 310, ἐν οἷς οὐδαμοῦ σὺ φανήσει γεγονώς, οὐ πρῶτος, οὐ δεύτερος, οὐ
τρίτος, οὐ τέταρτος, οὐ πέμπτος, οὐχ ἕκτος, οὐχ ὁποστοσοῦν.   Nobody

would think anything of Endymion's wonderful sleep, as all nature would be in the same state, all being asleep in a lazy existence uninterrupted by the process of becoming, i.e. generation.

**23** καθεύδειν is epexegesis of ταυτόν: cf. 73 B, 74 A, 78 C. Hirschig brackets καθεύδειν as a gloss.—κἂν εἰ is here different in construction from above, 71 B; this alone shows that ἂν in κἂν does not belong to the conditional clause, but to the apodosis, although there we have another ἄν: repetitions of ἄν being, however, by no means scarce, see n. on Apol. p. 2, 11. 35, 16.     **25** τὸ τοῦ Ἀναξαγόρου: the beginning of his work was ὁμοῦ πάντα χρήματα ἦν, νοῦς δὲ αὐτὰ διῆρε καὶ διεκόσμησε (Diog. Laërt. 2, 6). For his life see n. on Apol. p. 14, 17. Socr. makes an almost ironical allusion to A.'s philosophical tenets.     p. 25, **1** ἐκ τῶν ἄλλων, i.e. any other source than οἱ τεθνεῶτες.     **2** τίς μηχανή is a rhetorical question, and thus equal to a negative clause 'nothing can prevent,' hence we have μὴ οὐ: cf. below, 88 AB, Parmen. 143 D, Protag. 344 CE. See n. on Crito p. 40, 6. Thompson on Phaedr. 240 D, Don. § 603, Jelf § 750, 2 C.     **3** καταναλωθῆναι εἰς τὸ τεθνάναι 'to become absorbed in universal death.'——οὐδὲ μία (sc. μηχανή) is more emphatic than οὐδεμία.     **6** παντὸς μᾶλλον: see n. on Crito p. 49, 10.     Here we may translate as if it were μάλιστα.     **6** f. ταῦτα οὐκ ἐξ. ὁμολ. should be translated as if it were ταῦτα ὁμολογοῦντες οὐκ ἐξαπατώμεθα: but the construction chosen by Plato is more idiomatic Greek.     **10** f. The concluding words of this sentence are considered spurious by Stallb. whose note we think it right to transcribe 'haec cum neque ex superiore argumentatione consequantur neque ad proxima transitum parent, molestissime hic inculcata sunt; videntur igitur a sciolo aliquo praepostere huc translata esse ex iis quae infra de futura animorum sorte ac fortuna disseruntur.' But though what Stallb. says is true, it does not at once follow that these words are due to an interpolator; Socr. seems here not so much to draw a conclusion from the preceding arguments as to recapitulate his conviction, part of which he believes himself to have substantiated in his discussion with Cebes. Nor is it necessary to assume here an interpolation caused by the later parts of the dialogue: only compare what we read above, 63 C, εὔελπίς εἰμι εἶναί τι τοῖς τετελευτηκόσι καὶ—πολὺ ἄμεινον τοῖς ἀγαθοῖς ἢ τοῖς κακοῖς. Without, therefore, denying the possibility of these words being an interpolation, it seems to us at the same time impossible to show the absolute necessity of their being so.

XVIII—XXIII. ARGUMENT II. : COGNITION, BEING A FORM OF
REMINISCENCE, IMPLIES THE EXISTENCE OF THE COGNOSCENT PRIN-
CIPLE PRIOR TO THE PRESENT LIFE.

XVIII. p. 25, **12** In the Phaedrus 249 c ff. the Socratic doctrine
which is treated here is further illustrated.        **15** καὶ κατὰ τοῦτον
reverts to λόγον at the beginning of the sentence: cf. Menex.
237 D, ἐν ἐκείνῳ τῷ χρόνῳ ἐν ᾧ ἡ πᾶσα γῆ ἀνεδίδου καὶ ἔφυ ζῶα
παντοδαπά, θηρία τε καὶ βοτά, ἐν τούτῳ ἡ ἡμετέρα κ.τ.λ. The old
reading τοῦτο is, therefore, both against the authority of the best
mss. and against the idiom.        **22** ἐνὶ λόγῳ καλλίστῳ: cf. Cic.
Tusc. 1, 24, *memoriam...quam quidem Plato recordationem esse
volt superioris vitae: nam in illo libro qui inscribitur Menon*
(31 B ff.), *pusionem quendam Socrates interrogat quaedam geome-
trica de dimensione quadrati: ad ea sic ille respondet ut puer, et
tamen ita faciles interrogationes sunt* (ἐάν τις καλῶς ἐρωτᾷ—here)
*ut gradatim respondens eodem perveniat quasi geometrica didicis-
set.* Cicero refers afterwards to the present passage in the Phaedo.
**24** αὐτοί = μόνοι, they find the answers by themselves, unaided.
**26** ποιήσειν: the future inf. after οἷόν τε εἶναι is scarce, if not
unique: it may, however, be defended by the similar constr.
Rep. 5, 459 c συχνῷ τῷ ψεύδει καὶ τῇ ἀπάτῃ κινδυνεύει ἡμῖν δεήσειν
κ.τ.λ. Perhaps we ought to accept Hirschig's conjecture ποιῆσαι:
comp. below, p. 30, 25.—ἔπειτα continues the sentence as if it were
not dependent on the preceding ὅτι, though in reality it ought to
be so. Cebes says that in general the fact of uneducated people
returning the right answers to well-put questions is a proof of
his assertion; *then* if you go specially into mathematical ques-
tions you will find this general feature even more strongly con-
firmed.        **27** διαγράμματα 'mathematical figures.'        **28**
κατηγορεῖ, 'it becomes evident:' for this use of the verb comp.
Herod. 3, 115, ὁ Ἠριδανὸς αὐτὸ κατηγορέει τὸ οὔνομα ὡς ἔστιν
Ἑλληνικόν.        p. 26, **2** ἀπιστεῖς γὰρ δὴ, 'for I may assume
(from your looks, &c.), that you do not believe.'        **4** παθεῖν
(the conjecture of Serranus instead of μαθεῖν of mss.), is borne
out by the words ὅταν τις τοῦτο πάθῃ περὶ ἐκεῖνα below, l. 27:
translate 'I require to feel upon my own person the effects of
what we are talking about, viz. the process of remembering (being
reminded).'        **5** ἀναμν. is of course epexegesis of αὐτὸ τοῦτο:
cf. above, 72 c, and comp. directly below, p. 27, 10, τόδε προσ-
πάσχειν, ἐννοεῖν. (It is needless to add that Hirschig considers

ἀναμνησθῆναι as a gloss: see above, p. 24, 23). **7** ἄν belongs
to ἀκούοιμι, not to μέντοι.—ἐπεχείρησας, viz. when the affair took
place to which Cebes alludes. **11** τοιούτῳ 'expresses that it is
such as the speaker has in his mind; his explanation of it to
others follows, at λέγω δέ.' Riddell, § 53. H. **12** λέγω δὲ
τίνα τρόπον; 'solent apud Platonem qui disputantes inducuntur
haud raro suum ipsi sermonem eiusmodi interrogationibus dis-
tinguere.' STALLB. **13** πρότερον is given by the best mss.
(the Bodl. among them), and Olympiodorus, and though it is not
absolutely necessary, as the notion of precedence in regard to
time is already expressed in the partic. aor. which follow—there
is not the slightest reason for assuming the word to be due to
interpolation, as Hermann does.—Very nearly the same expres-
sions as here recur below, 76 A. **15** τοῦτο depends on ἀνε-
μνήσθη. **17** οἷον τὰ τοιάδε: see on p. 13, 22. **21** ἔγνωσαν
and ἔλαβον are instances of what may be called the paradigmatic
aorist, which represents a general rule as the result of the re-
peated observation of individual cases and instances. **22** f.
τοῦτο δ᾽ ἐστὶν ἀνάμνησις 'this is what one might call recollection,'
or 'this is a case of recollection.' The same words occur Phaedr.
249 c. **23** Σιμμίαν τις ἰδών κ.τ.λ. Simmias and Cebes were
inseparable friends: see n. on p. 59, 2. p. 27, **5** αὐτοῦ Σιμμίου
'the living Simmias.' Hirschig brackets ἀναμνησθῆναι because
'ter saltem repeti non potest.' Is this criticism?

XIX. p. 27, **7** κατὰ πάντα ταῦτα 'in accordance with all this.'
**8** ἀπ᾽ ἀνομοίων: seeing a thing or a person with which I associate
the idea of Simmias, I am apt to recollect Simmias himself.
ἀνόμοια are objects ὧν μὴ ἡ αὐτὴ ἐπιστήμη (73 c). ἀφ᾽ ὁμοίων 'fit
recordatio cum eiusdem rei quae sensibus est percepta cogitatio
sive idea in animo oritur, vel ἐάν τίς τι πρότερον ἢ ἰδὼν ἢ ἀκούσας,
ἤ τινα ἄλλην αἴσθησιν λαβὼν μόνον ἐκεῖνο γνῷ. STALLB.
**11** ἐννοεῖν is epexegesis of τόδε: see on p. 26, 4.—ἐλλείπειν is
intransitive 'to be inferior' or 'defective' τὶ 'in some respect'
τινος 'compared with something:' though originally this genitive is
partitive. Krüger § 47, 16. **15** ἄλλο τι—οὐδέν: in this constr.
τὶ is superfluous, but comp. above 65 E, μήτε τινὰ ἄλλην αἴσθησιν
μηδεμίαν. Gorg. 463 A, πράγματός τινός ἐστι μόριον οὐδενός. Eur.
Alc. 79, ἀλλ᾽ οὐδὲ φίλων τις πέλας οὐδείς.—παρά has here the sense
of 'but' or 'than :' in reality this does not differ from the use of
παρά after comparatives which we find in Thucydides (1, 23, 3 ἡλίου
ἐκλείψεις αἱ πυκνότεραι παρὰ τὰ ἐκ τοῦ πρὶν χρόνου μνημονευόμενα ξυνέ-

βησαν, and 4, 6, 1 χειμών— μείζων παρὰ τὴν καθεστηκυῖαν ὥραν):
i. e. παρά stands, properly speaking, in the sense 'compared to,'
but may be translated by 'than.' From Plato the editors quote
Politic. 295 E, μὴ ἐξέστω δὴ παρὰ ταῦτα ἕτερα προστάττειν, and Rep.1,
337 D δείξω ἑτέραν ἀπόκρισιν παρὰ πάσας ταύτας. Directly after-
wards we have the more common constr. ἕτερον τούτων.    16 αὐτὸ τὸ
ἴσον ' abstract equality.'    19 λαβόντες sc. ἐπιστάμεθα: cf. p. 30, 29.
21 ἐκ τούτων is epanalepsis of ἐξ ὧν.    24 τῷ μὲν—τῷ δέ : though
appearing equal to the one, the same things do not necessarily
seem so to another. Equality in as far as it is perceived by the
senses is not certain and unchangeable, as men are apt to disagree
about it; but abstract equality (αὐτὸ τὸ ἴσον) always remains one
and the same. For the different reading of the passage which is
given by the less trustworthy mss., see the crit. notes; without
disputing the possibility of the constr. ἐνίοτε τοτὲ μὲν—τοτὲ δέ,
I cannot agree with Stallb. who observes ' sermonem esse de vari-
etate ac diversitate rerum externarum imaginum *ab uno eodemque
homine vario tempore* perceptarum vel ex proximis verbis apparet
αὐτά σοι—ἐφάνη, ut *sponte* intellegatur lectioni τῷ μὲν, τῷ δέ
nullum locum esse concedendum :' for though it is there made
dependent on the judgment of one and the same person, it is not
certain that it *must* be the same in the preceding sentence.    25
αὐτὰ τὰ ἴσα ' abstract equality' in the plural, in order to represent
it as the affection of several minds, not of one only (εἰς τοὺς πολλοὺς
ἀποβλέπων νόας, ὧν ἐν ἑκάστῳ τὸ αὐτὸ ἴσον, Olympiodorus) : Stallb.
justly compares Parmen. 129 B αὐτὰ τὰ ὅμοια.    27 ταῦτα τὰ
ἴσα, i. e. such as are commonly called ἴσα; the pronoun stands
in its original 'deictic' sense here as well as l. 29, ἐκ τούτων τῶν
ἴσων. See on p. 30, 2.        p. 28, 4 ἕως ἂν lit. ' so long as' = ' if :'
comp. Xen. Cyrop. 5, 2, 11 ἕως ἂν ἀνὴρ δίκαιος ὦ—οὔποτ' ἐπιλήσομαι
τούτων, and the instances from Plato collected by Stallb.: Cratyl.
393 DE. 432 E.  Politic. 293 BD.  Rep. 10, 610 B. γὰρ is added by
mss. of inferior value, but Stallb. shows by numerous instances
that Plato often adds an epexegetic sentence without a connec-
tive particle. The reading ὅταν οὖν which is found in some edi-
tions, possesses the authority (such as it is) of some mss. of the
second class.        9 αὐτὸ ὃ ἔστιν ἴσον = αὐτὸ τὸ ὄντως ἴσον
' abstract equality itself :' for a similar expression see below
p. 29, 2.        10 ἐνδεῖ τι ἐκείνου: comp. p. 27, 12 ἐλλείπει τι ἐκείνου,
and Rep. 7, 529 D τῶν ἀληθινῶν πολὺ ἐνδεῖν. The dat. τῷ—εἶναι
may be translated ' in so far as it is not like equality itself,' lit.

'by being not like equality itself.' For a similar instance see p. 5, 25. τοιοῦτον is made to agree with the preceding singular ἐνδεῖ, though the regular construction would be the plural: comp. p. 29, 7 προθυμεῖται μὲν πάντα τοιαῦτα εἶναι. **12** βούλεσθαι is here used of an inanimate object in the same way as θέλειν above p. 5, 26 where see note. So we have below also ὀρέγεσθαι used of things. **15** ἀναγκαῖόν που sc. εἶναι: cf. 111 A below. Don. § 419 f.—τὸν τοῦτο ἐννοοῦντα is a recapitulation of the words ὅταν τίς τι ἰδὼν ἐννοήσῃ. **17** For the complete understanding of the words ἐνδεεστέρως δὲ ἔχειν we ought to supply from the preceding οὗ δὲ ἐνδ. ἔχ. φησίν: but the relative is not repeated in constructions of this kind, though the second sentence requires a different case, see above 65 A, below 82 D. **21** ὀρέγεται κ.τ.λ.: it is the aspiration or tendency of all things to reach their abstract ideas and become equal to them, though they always fall short of their endeavour. **26** ταὐτὸν πάντα ταῦτα λέγω 'idem de his omnibus praedico.' The constr. is the same as in Κορινθίους κακὰ λέγω 'I say evil things *of* the Corinthians.' **27** πρός γε ὃ κ.τ.λ. 'with regard to what.' **28** ἀλλὰ μὲν δὴ without a following δέ, which shows that μέν = μήν. p. 29, **1** τὰ ἐν ταῖς αἰσθήσεσιν 'things which fall within reach of the senses.' **2** τοῦ ὅ ἔστιν ἴσον = τοῦ ὄντως ἴσου 'of abstract equality:' 74 D; below 92 D, ἡ οὐσία ἔχουσα τὴν ἐπωνυμίαν τοῦ ὅ ἔστι. Before a relative the article often appears in its original power as a demonstrative pronoun: comp. Phileb. 37 A τό γε ᾧ τὸ ἡδόμενον ἥδεται. E περὶ τὸ ἐφ' ᾧ λυπεῖται. Legg. 4, 714 E τῶν ἃ τότε ἐπεσκοποῦμεν = τῶν τότε παρ' ἡμῶν ἐπισκοπουμένων. **4** τἄλλα αἰσθάνεσθαι 'perform the other acts of the senses:' Riddell § 2 b. **6** τὰ ἐκ τῶν αἰσθήσεων ἴσα 'things considered equal in consequence of our sensual perceptions.' ἐκεῖσε viz. to that preconceived knowledge of equality. **7** ἀνοίσειν is explained by Heindorf = ἀναφέροντες ἐνθυμεῖσθαι, better by Stallb. ἀναφέρειν ἐνθυμούμενοι, in order to understand ὅτι. But I confess that Hirschig's conjecture appears not improbable to me, according to which the whole sentence ὅτι—φαυλότερα is an interpolation added here after the example of 74 E and 75 A. **9** f. γενόμενοι εὐθύς 'directly at our birth:' see above p. 21, 2, and below l. 17. **11** πρὸ τούτων sc. πρὸ τοῦ ὁρᾶν καὶ ἀκούειν καὶ τῶν ἄλλων αἰσθήσεων. It is necessary to observe this in order to understand the inadmissibility of the reading τούτου which is found in some mss. and also added by a corr. in the Bodl.

XX. p. 29, **16** ἔχοντες is, strictly speaking, unnecessary because already implied in λαβόντες, but it is added in order to make the idea of possession more emphatic. We have of course to understand αὐτήν for ἔχοντες also.    **17** τὸ ἴσον κ.τ.λ. i.e. all relations of things with regard to size.    **21** ὅπερ λέγω 'as has been said before:' for another instance of this phrase see p. 30, 10.    It is, however, frequent enough in Plato.—For the omission of the article before δικαίου and ὁσίου Stallb. compares Gorg. 459 D, καὶ τὸ αἰσχρὸν καὶ τὸ καλὸν καὶ ἀγαθὸν καὶ κακόν and other passages. **22** ἐπισφραγίζεσθαι lit. 'to imprint a seal,' here 'which we mark by the name of absolute;' cf. Polit. 258 C μίαν (ἰδέαν) ἐπισφραγίζεσθαι, Phileb. 26 D ἐπισφραγισθέντα τῷ τοῦ μᾶλλον καὶ ἐναντίου γένει.    The words directly following καὶ ἐν ταῖς ἐρ. ἐρ. κ.τ.λ. might be summarily translated 'in our dialectic investigations:' see Crito 50 C.    Similar expressions are often met with in Plato: see below 78 D. Theaet. 168 D. Lach. 187 C. Rep. 7, 534 D.    **27** The acc. c. inf. εἰδότας ἀεὶ γίγνεσθαι is of course conceived in dependence on ἀναγκαῖον which should be supplied from the preceding sentence. ἀεὶ διὰ βίου is a tautological expression which occurs in other passages also: Phileb. 21 B. 22 B. Legg. 2, 664 A. Politic. 295 B.    So also Demosth. Leptin. § 121 διὰ παντὸς ἀεὶ τοῦ χρόνου.    **29** f. The same definition of λήθη as here recurs Symp. 208 A, and Phileb. 33 E λήθη—ἐπιστήμης ἔξοδος.    p. 30, **2** ταῦτα is in its original 'deictic' force frequently used of the objects falling under our senses: see p. 27, 27, Phileb. 58 E. Phaedr. 250 A.    **3** Hirschig ingeniously supposes that γενέσθαι has dropt out after πρίν, comp. below p. 31, 17 and 24.    Hirschig adds 'pro πρὶν secundum Graecitatem esse debebat πρότερον sive πρόσθεν, cum πρὶν in oratione pedestri et senariis numquam hoc sensu iungatur indicativo.'    **4** οἰκείαν ἐπιστήμην 'original knowledge.'    **8** ἕτερον τι κ.τ.λ. 'to conceive an idea of something different which he had forgotten, starting from this (which he had observed with his senses and) to which this approached either by being unlike or like it.'    **10** f. For ἤτοι—ἤ see n. on Apol. 17, 1. Jelf § 777.    It is the duty of γέ to emphasize the first part of the disjunction: comp. e.g. the passage in the Apology to which reference has been made, or Protag. 331 B ἤτοι ταυτόν γέ ἐστι δικαιότης ὁσιότητι ἢ ὅτι ὁμοιότατον.    **12** οὐδὲν ἀλλ᾽ ἢ ἄν. 'they *merely* remember.' This phrase is originally elliptic, as we ought to explain οὐδὲν ἄλλο ποιοῦσιν, ἢ cf. Xen. Cyrop. 1, 6, 39 εἰ δὲ σύ γε μηδὲν ἢ μετενέγκας ἐπ᾽ ἀνθρώπους τὰς μηχανάς, and Plato himself Euthyd. 277 E καὶ νῦν τούτω οὐδὲν ἄλλο ἢ χορεύετον. See also Bos, Ellipses Gr. ed. Schaefer, p. 646. Bekker and Hermann print ἀλλ' ἤ, but so far as I can see this would be out of place here: ἀλλ' ἤ is used after a negative clause instead of a simple ἀλλά, see note on Apol. 27, 4.

XXI. p. 30, 15 πότερον οὖν αἱρεῖ 'which of the two do you now choose' i.e. for which do you decide? Cf. Simmias' answer οὐκ ἔχω—ἐλέσθαι.   18 τόδε 'with regard to this'=in this case. 20 The words περὶ ὧν ἐπίσταται should of course be construed with δοῦναι λόγον.   24 For μὴ—οὐδείς see Jelf § 750, 1. 29 λαβοῦσαι sc. ἀναμιμνήσκονται.   p. 31, 3 ἅμα γιγνόμενοι 'at the same time as they were born.'   5 f. The last argument advanced by Simmias is refuted by Socr. by an indirect proof: 'suppose we acquire this knowledge at the moment of our birth, when do we then lose it? It has been assumed that we lose it at precisely the same period, and it is impossible that acquiring and losing the same knowledge should both take place simultaneously.' 8 ἐν ᾧπερ is the reading of the best mss. (the Bodl. among the number), but Stallb. prefers omitting the preposition in accordance with the inferior mss. and with the observation 'non iteratur praepositio ἐν more loquendi prope legitimo' quoting also his note on Apol. 27 D. This is, however, no reason against the reading warranted by the best authorities. (See Jelf § 650, 3.)   10 ἔλαθον ἐμαυτὸν οὐδὲν εἰπών 'I inadvertently spoke nonsense.' 'Simmias is transfixed on the horns of a dilemma.' GEDDES.

XXII. p. 31, 13 τὰ ἐκ τῶν αἰσθήσεων 'the impressions resulting from sensual perceptions;' for the preposition, see also 75 B above, τὰ ἐκ τῶν αἰσθήσεων ἴσα.   14 ὑπάρχουσαν πρότερον sc. ἡμῖν 'which formerly was in our possession;' this is placed ἐκ παραλλήλου with ἡμετέραν οὖσαν.   16 οὕτως ὥσπερ καί —οὕτως καί: the correlative καί in comparisons is quite regular, see above 64 C. Here οὕτως is somewhat unusual in the first clause, but a similar superfluity of expression occurs in Demosth. Olynth. 1, § 15 τὸν αὐτὸν τρόπον ὥσπερ οἱ δανειζόμενοι and other instances are found elsewhere.   18 ἄλλως as much as 'in vain:' see n. on Crito p. 44, 29.   21 εἰ μὴ ταῦτα, οὐδὲ τάδε is a good instance to exemplify the difference between οὗτος and ὅδε: see Don. p. 379 (66), and also p. 553.   21 f. For the order of words ἔφη, ὦ Σώκρ., ὁ Σιμμίας see below 78 AC.   23 εἰς καλόν sc. καιρὸν 'happily, luckily:' cf. Symp. 174 E, εἰς καλὸν ἥκεις ὅπως συνδειπνήσῃς. The sense of the whole passage is 'The argument

has an admirable tendency to prove that our soul exists, in like
manner, before we are born, as also the substance of which you
are speaking now.'        27 ὡς οἷόν τε μάλιστα i. e. 'with the
greatest possible amount of certainty.'        28 ἱκανῶς sc. αὐτῷ
ἀποδέδεικται.    p. 32, 2 καρτερώτατος (opp. μαλακός) 'the most
obstinate.'

XXIII. p. 32, 8 ἐνέστηκεν 'stands in our way:' so Dem. Callicl.
§ 10 ᾗ ἂν ἐνστῇ τι 'where there is an obstacle in the way.'        10
διασκεδαννύηται is Hirschig's reading.   The mss. give διασκεδάν-
νυται, only in the Bodl. this has been corrected to διασκεδαννύη-
ται.   Riddell § 59 p. 140 considers διασκεδάννυται as the indicative,
but the instance quoted by him from Meno 77 A does not justify
the admission of this mood here instead of the subj.   Again, those
grammarians who consider διασκεδάννυται as a subj., seem to
forget that a subj. cannot be formed without a connecting vowel,
and either Göttling ' on Greek accents' p. 83 is right in recom-
mending διασκεδαννύηται or we ought at least to follow Matthiae
§ 209, 4 who is for writing διασκεδαννῦται.   I have preferred the
former, as I feel convinced that an indicative could be easily
substituted by scribes, e. g. 70 A I find διαφθείρεταί τε καὶ ἀπόλλυ-
ται in a quotation of the passage in Stobaeus Ecl. Phys. p. 328
Gaisf., and there can be no doubt that there our mss. are right in
giving us the subj.   Again I observe that in the passages quoted
by Stallb. from Lucian and Themistius the correct subjunctives
appear in recent editions, though I do not know on what autho-
rity.        12 ἁμόθεν ποθέν 'the mss. have ἄλλοθεν aliunde.  Bek-
ker proposed ἁμόθεν alicunde, in which he is followed by Hermann.
Stallbaum adheres to the mss., although in Gorg. 492 D he reads
ἁμόθεν against ἄλλοθεν of the mss.  ΛΛ and Μ were often con-
founded.'  GEDDES.      13 ἀφίκηται sc. εἰς ἀνθρώπειον σῶμα.
19 τέλος ἔχειν 'if our argument shall be complete.'  μέλλω with a
present infin. is very good Attic: Krüger § 53, 8.        21 συν-
θεῖναι 'combine.'   The infinitival sentence τὸ γίγνεσθαι κ.τ.λ. is
epexegesis of ὃν (λόγον) κ.τ.λ.        26 ἐκ τοῦ τεθνάναι 'from a
dead state:' he might also have said as above, ἐκ τοῦ τεθνεῶτος.
29 ὅπερ λέγετε is the reading of a Paris ms., all other mss.
reading λέγεται.  Stallb. defends this by referring to above 67 C
ὅπερ πάλαι ἐν τῷ λόγῳ λέγεται: but it seems to me that Bekker and
Hermann are right in preferring λέγετε which appears to be more
natural.

EPISODE: SOCRATES INSISTS ON THE IMPORTANCE OF THE SUB-
JECT WHICH HE EXHORTS HIS FRIENDS TO STUDY WITH HELP FROM
ALL QUARTERS.

XXIV. p. 33, **1** For the singular δοκεῖς comp. Eur. Hipp. 667
πῶς νιν προσόψει καὶ σὺ καὶ δέσποινα σή; Xen. Anab. 2, 1, 16 σύ τε
Ἕλλην εἶ καὶ ἡμεῖς. See also Jelf § 392 Obs. 2. **2** δια-
πραγματεύεσθαι λόγον is to treat a question fully, cf. below,
95 E, τὴν αἰτίαν διαπρ. **3** 'τὸ τῶν παίδων is not con-
nected with δεδιέναι, but refers to the sentence ὁ ἄνεμος αὐτὴν...
διασκεδάννυσιν· that is, does not mean 'to fear, as children fear,'
but 'to fear, lest it be as children think it is, that the soul goes
into air.'' Riddell, § 14. **5** διασκεδάννυσιν is understood as
a subj. by most editors, and if a subj. were really necessary here,
we should (according to the note on p. 32, 10), be obliged to write
διασκεδαννύῃ, and Hirschig does so: but the words ὡς ἀληθῶς
prove that we are justified in maintaining διασκεδάννυσιν as the
indic. after a verb of fearing: see Jelf, § 314 a.—ἄλλως τε καὶ κ.τ.λ.
is of course a jocose expansion of the popular idea of the soul being
dissolved into the winds. **7** ὡς δεδιότων ' as you would do
with people who are afraid :' the subj. τινῶν being omitted.

**9** ἔνι τις καὶ ἐν ἡμῖν παῖς is an obvious allusion to Socr.'s expression
τὸ τῶν παίδων: later writers (Porphyrius, Themistius, Simplicius),
speak of the παῖς ἐν ἡμῖν as the irrational part of man's being;
Wyttenbach quotes from a commentary on Aristotle's Categories,
ἔστι γὰρ παῖς ἐν ἡμῖν καὶ γέρουσιν οὖσιν· τουτέστιν ἡ ἄλογος ψυχὴ
ἣν δεῖ καὶ παιδεύειν· ὅθεν καὶ παιδεία εἴρηται ἡ ἀναγωγή, ὡς τοῦ ἐν
ἡμῖν παιδὸς οὖσα καταστολή. **11** ὥσπερ τὰ μορμολύκεια, sc.
φοβεῖται. On the μορμολύκεια and kindred spectres very much
used by nurses and foolish mothers to frighten naughty children,
see Valckenaer's commentary on Theocritus' Adoniazusae in the
words μορμὼ δάκνει ἵππος. Timaeus explains μορμ. τὰ φοβερὰ τοῖς
παισὶ προσωπεῖα, cf. Aeschin. Socr. 3, 8, νηπίων φόβηγτρα, and
Anton. Phil. 11, 23, παίδων δείματα. **12** f. Socr. pursues the
image commenced by Cebes in mentioning the μορμολύκεια, against
which incantations and exorcisms were often used. But in
general ἐπᾴδειν and ἐπῳδή are frequently used by Plato of the
soothing and composing influence of wise words: cf. especially
Charmid. 244, θεραπεύεσθαι τὴν ψυχὴν ἐπῳδαῖς τισι, τὰς δὲ ἐπῳδὰς
ταύτας τοὺς λόγους εἶναι τοὺς καλούς. In Xenophon's Mem. 2, 6, 10,
Socr. speaks in the same way of the use of ἐπῳδαί τινες in making
friends. **13** ἐξεπᾴσητε: cf. Soph. Oed. C. 1192, εἰσὶ χἀτέροις

νόσοι κακαὶ Καὶ θυμὸς ὀξύς, ἀλλὰ νουθετούμενοι Φίλων ἐπῳδαῖς ἐξεπά-
δονται φύσιν.      14 ἔφη is repeated as in many other passages:
Heindorf quotes Xen. Oecon. 8, 15, ὁ δ᾽ εἶπεν, ἐπισκοπῶ, ἔφη, ὦ
ξένε κ.τ.λ.    Stallb. adds Xen. Hell. 2, 3, 52, and Plat. Erast. 132 B.
     15 πολλὴ ἡ Ἑλλάς 'Greece is large:' cf. Theocr. Id. 22, 155,
πολλά τοι Σπάρτα, πολλά δ᾽ ἱππήλατος Ἄλις. Thucyd. 7, 13, 3,
πολλὴ ἡ Σικελία.      21 Instead of δυναμένους it might also be
τοὺς δυναμένους, but the cases in which the article is omitted in
a participle of general meaning are very numerous.      22 f. ἔφη—
ὁ Κέβης: for the curious arrangement of the words Stallb. refers
to 77 c, 82 c, 83 E, Rep. 5, 450 B, Parmen. 135 B.—The sense of
the words ταῦτα μὲν δὴ ὑπάρξει, is 'that shall certainly take place,'
i.e. 'be carried out.'      23 ὅθεν κ.τ.λ. literally translated by
Cic. Nat. deor. 3, 23, 60, *sed eo iam unde huc degressi sumus
revertamur.*      24 The phrase ἐμοὶ ἡδομένῳ (βουλομένῳ) ἐστὶ
may be presumed to be familiar to the student.      24 f. πῶς
γὰρ οὐ μέλλει sc. ἡδομένῳ μοι ἔσεσθαι; 'How (could it happen that)
it would not be so?'

XXV—XXVIII. ARGUMENT III: THE SOUL NOT BEING COM-
POUNDED IS ALSO INDIVISIBLE AND EXEMPT FROM DESTRUCTION: IT
IS SUPERIOR TO THE BODY WHICH IT GOVERNS AND CLOSELY RE-
LATED TO THE ETERNAL IDEAS.

XXV. p. 33, 27 ἑαυτούς stands in the sense of ἡμᾶς αὐτούς or ἀλ-
λήλους: Jelf, § 654, 3. Comp. also below, 91 c.—τῷ ποίῳ τινὶ = ποῖον
ἄρα ἐστὶν ἐκεῖνο ᾧ πρ. The same brevity of expression recurs in
the succeeding words.      30 οὗ was added by Heindorf, nor can
there be the slightest doubt as to the justice of this emendation,
since πότερον in the next sentence shows that a double question
must precede.—πότερον i.e. a thing to which it appertains to be
dispersed, or one to which it does not.      p. 34, 3 ξυντεθέντι τε
καὶ ξυνθέτῳ ὄντι φύσει 'to that which has been formed by com-
position and according to its nature must be a compound.'
4 διαιρεθῆναι is epexegesis of τοῦτο: 64 c, 70 c etc.      6 εἴπερ τῳ
ἄλλῳ, i.e. if anything can be exempt from suffering dispersion,
surely it must be that which is simple and uncompounded in its
nature.      8 τὰ ἀξύνθετα: the article should be explained
'those uncompounded objects which we have in view.'      9 τὰ
δὲ ἄλλοτ᾽ ἄλλως, sc. ἔχοντα, a participle readily supplied from the
preceding ἔχει.      10 ταῦτα δέ: 'in oratione bimembri, cuius
priori parti posterior est opposita, quoties haec et ipsa in protasin

et apodosin distincta est, vocula δέ ad pondus oppositionis augendum in apodosi post demonstrativum repeti potest.' BUTTMANN on Alc. I. 109 A: cf. also in general Jelf, § 770, 1, a. But there is no doubt that δέ in these cases represents δή, just as μέν in so many instances stands for μήν.—ἴωμεν κ.τ.λ. 'aggrediamur ergo ea quae superiore sermone aggressi sumus.' **12** ἧς λόγον δίδομεν τοῦ εἶναι 'of the existence of which we give the proofs.' **13** For ἐρωτῶντες καὶ ἀπ. see above, 75 D. **15** τὸ ὄν is, strictly speaking, superfluous after ὃ ἔστι, but see 75 B above. **17** μονοειδὲς is explained by Cic. Cato, 21, 78, *cum simplex animi natura esset neque haberet in se quicquam admixtum dispar sui atque dissimile*, &c. Below, 80 B, μονοειδεῖ καὶ ἀδιαλύτῳ and as the opposite πολυειδεῖ καὶ διαλυτῷ. **18** In the accumulation of negatives there is only one peculiarity which requires illustration: viz. οὐδαμῇ οὐδαμῶς, which might be translated *nulla via, nulla ratione*: similar passages are Legg. 12, 951 c, οὐ πρέπον ἐν εὐνόμῳ πόλει γίγνεσθαι τοιοῦτον οὐδὲν οὐδαμῇ οὐδαμῶς. Phileb. 65 E, οὐδαμῇ οὐδαμῶς. Tim. 50 c, ὁμοίαν εἴληφεν οὐδαμῇ οὐδαμῶς. So also Phileb. 60 c, πάντῃ καὶ πάντως, 100 D, ὅπῃ καὶ ὅπως. **20** τί δὲ τῶν πολλῶν, 'what about the many things:' this genitive instead of περί c. gen. occurs in numerous instances in the best writers, e.g. in Plato Rep. 5, 470 A, τί δὲ γῆς τε τμήσεως τῆς Ἑλληνικῆς καὶ οἰκιῶν ἐμπρήσεως; 7, 515 B, τί δὲ τῶν παραφερομένων; see also Riddell, § 27.—'unitati idearum (αὐτὸ τὸ ἴσον, αὐτὸ τὸ καλόν) nihil aliud erat opponendum quam rerum corporearum *multitudo:* τὰ πολλά, οἷον ἄνθρωποι ἢ ἵπποι κ.τ.λ. et rerum multitudine exemplis satis illustrata, tum demum qualitates quarum participes fieri possent nominandae erant : ἢ ἴσων ἢ καλῶν ἢ πάντων τῶν ἐκείνοις (i. e. ideis de quibus supra dictum est) ὁμωνύμων.' CLASSEN Symbolae crit. I. p. 15: from these observations it will be understood why καλῶν is here bracketed. The adjectives ἢ ἴσων—ὁμωνύμων are of course in apposition to the preceding substantives. (Hirschig brackets the words ἢ ἴσων—ὁμωνύμων: but part of his reasons fall by assuming καλῶν, l. 21, to be a gloss.) τὰ ἐκείνοις ὁμώνυμα denotes the usual practice of men in attributing the same qualities to objects falling under the perception of our senses as are given to absolute and abstract ideas: so τὸ ἴσον and if used of an abstract αὐτὸ τὸ ἴσον, &c. **23** f. πᾶν τοὐναντίον 'quite the contrary.' **25** ὡς ἔπος εἰπεῖν 'almost' limits the two negatives. **26** οὕτως αὖ sc. ἔστιν or ἔχει: the sentence οὐδέποτε ὡσαύτως ἔχει is added as a further explanation.

9—2

XXVI. p. 35, 3 For the subjunctive with βούλεσθαι comp.
below, 95 E, εἴτε τι βούλει προσθῇς ἢ ἀφέλῃς. Gorg. 454 c, βούλει
οὖν δύο εἴδη θῶμεν πειθοῦς; cf. ibid. 479 c.        7 ἡμῶν αὐτῶν is
gen. part. dependent on τὸ μέν—τὸ δέ. In the answer οὐδὲν ἄλλο we
have of course to supply ἐστί.        11 ὑπ' ἀνθρώπων γε sc. ὁρατόν.
12 ἡμεῖς γε λέγομεν κ.τ.λ. 'but we certainly speak of things which
are visible or not with reference to the nature of man.' Join
ὁρατὰ τῇ τῶν ἀνθρ. φύσει 'visible to the natural perception of men.'
15 ἀειδές 'invisible'= οὐχ ὁρατόν.

XXVII. p. 35, 19 πάλαι ἐλέγομεν, viz. above, 64—68. The imper-
fect is used in reference to a preceding discussion, see above, 72 A.
22 ἕλκεται 'is dragged away' against its will.        23 καὶ αὐτή,
just as the body always πλανᾶται.        25 τοιούτων sc. τῶν διὰ τοῦ
σώματος αἰσθήσεων.        27 For ἀεὶ ὄν Hirschig ingeniously proposes
ἀειδές: comp. below, p. 37, 15. It is not, however, necessary to
adopt this reading, as the one given by the mss. furnishes a satis-
factory sense.        p. 36, 2 περὶ ἐκεῖνα sc. οὖσα. But the sense
would be considerably improved, if we were justified in admitting
Ast's conjecture καὶ ὥσπερ ἐκεῖνα 'like those abstractions, the mind
is never troubled.'        4 f. καλῶς καὶ ἀληθῇ: the same connexion
of an adverb and adjective occurs in Ter. Ad. 609, et recte et verum
dicis where similar instances from Plato are given in my note.
9 f. ὅλῳ καὶ παντί 'altogether:' other instances of this phrase are
quoted by Wyttenb. and Stallb.: Rep. 7, 527 c, τῷ ὅλῳ καὶ παντὶ
διοίσει. ib. 5, 469 c, ὅλῳ καὶ παντί, ἔφη, διαφέρει τὸ φείδεσθαι. ib. 6,
486 A, Alcib. I. 109 B. In order to express an idea very forcibly,
synonyms are often joined: cf. Pl. Trin. 171, gregem universum
voluit totum abducere, and Ter. Ad. 833, solum unum hoc vitium
fert senectus hominibus. (Geddes appropriately quotes the legal
phrase 'all and whole.')        11 μᾶλλον after the comparative
reinforces its meaning: cf. Hipp. mai. 285 A, Gorg. 487 B.

XXVIII. p. 36, 17 πεφυκέναι 'natura ita comparatam esse.' 18
θνητὸν ἄρχεσθαί τε καὶ δ. 'in libris nostris excidisse οἷον post θνητὸν
suspicor, ubi id accurata certe stili ratio requirit.' HEINDORF: but
it seems sufficient merely to supply οἷον in thought, not in print.
22 τάδε ξυμβαίνει 'this follows' as a logical conclusion; τάδε is
explained by the following infinitives, for which we should, how-
ever, again repeat ξυμβαίνει, thus: ἡ ψυχὴ ὁμοιότατον εἶναι ξυμ-
βαίνει, a construction noticed above in 67 c.        24 ἑαυτῷ should
of course be construed with κατὰ ταὐτά 'agreeing with itself.'

XXIX. THE SOUL MAY BE TAINTED BY THE INFLUENCE OF
THE BODY: BUT IN DEATH THE TRUE SECURITY FOR THE SOUL IS
FOUND IN ITS PURITY.

p. 37, **5** καὶ διαπνεῖσθαι 'cum imperite ab anima ad corpus
translata esse appareat, ut illic [i. e. in Bodl.] in margine tantum
leguntur, circumscribere non dubitavi.' HERMANN: I have followed
him in bracketing the words, though more from the fact that they
are not in the Bodl. m. pr. than for the reason which he gives.

**6** For ἐπιεικῶς see n. on Crito, p. 39, 12.—I have followed Stallb.
in placing a semicolon after χρόνον as this seems to give a better
sense than merely placing a comma. The second sentence is
added to the preceding one without γάρ or any other connecting
particle: see below, 87 A. **7** χαριέντως ἔχων τὸ σῶμα, i. e. being
young when the flesh is tender; ἐν τοιαύτῃ ὥρᾳ = ἐν χαριέσσῃ ὥρᾳ,
cf. Protag. 309 B, χαριεστάτη ἥβη with reference to a line in
Homer, Il. 24, 346 f. κούρῳ αἰσυμνητῆρι ἐοικώς, Πρῶτον ὑπηνήτῃ,
τοῦπερ χαριεστάτη ἥβη. H. Schmidt disjoins καὶ ἐν τοιαύτῃ ὥρᾳ
from τελευτήσῃ, and attaches it to the apodosis καὶ πάνυ μάλα,
so that the meaning is 'even if one dies with his frame fresh and
beautiful, the body will remain in the same fresh condition for
even a very considerable time.' **8** καὶ πάνυ μάλα sc. συχνὸν
ἐπιμένει χρόνον. συμπεσὸν τὸ σῶμα denotes the appearance of the
body after it has been disembowelled, as was the practice of the
Egyptians: cf. Herod. 2, 86. Hirschig brackets the words ὥσπερ
οἱ ἐν Αἰγύπτῳ ταριχευθέντες, saying, 'impudentissime haec inter-
posuerunt (scribae) nullam rationem habentes constructionis.'
But surely this is pushing criticism too far: or did Hirschig over-
look the ellipsis of συμπίπτουσι? οἱ ταριχευθέντες stands of course
for τὰ τῶν ταριχευθέντων σώματα. **10** ὀλίγου 'nearly:' Apol.
p. 1, 3.——ἀμήχανον ὅσον χρ. 'a very great time' (comp. the Latin
'mirum quantum tempus'); the phrase is very common in Plato;
e. g. Euthyd. 275 c, σοφίαν ἀμήχανον ὅσην, Charmid. 155 D, ἀμήχα-
νον οἷον. **11** σαπῇ sc. τὸ σῶμα. **13** ἄρα 'as might have
been expected:' n. on Apol. p. 27, 14. This ἄρα belongs to the
participle. **14** τοιοῦτον ἕτερον: just as the soul itself is in-
visible, so also the place to which it goes. **15** Ἅιδου ὡς ἀλη-
θῶς 'which bears the name Hades in good truth,' in so far as
Ἅιδης = ἀειδής or ἀιδής, Cratyl. 403 A. For ὡς ἀληθῶς (which is
the adverb of τὸ ἀληθές) see n. on Apol. p. 37, 2. **17** αὕτη δέ:
δέ is repeated with the subject on account of the distance of the
original subject ἡ δὲ ψυχή. See below, 88 B. **19** διαπεφύσηται

κ.τ.λ.: we have here an instance of the emphatic use of the
perfect to denote the immediate occurrence of an action: see
Jelf, § 399, 2.         19 f. οἱ πολλοὶ ἄνθρωποι: see above, 65 A, and
later on, 92 D.         23 ἑκοῦσα εἶναι 'as far as it can help it;'
above, 61 c.         27 ῥᾳδίως 'with equanimity' belongs to τεθνάναι,
only we should not translate 'to die easily.' Stallb. joins it with
μελετῶσα ' aequo animo meditans.' Hirschig brackets ῥᾳδίως.
28 οὕτω μὲν ἔχουσα takes up the construction interrupted by the
parenthesis τοῦτο δὲ κ.τ.λ.         31 ἀγρίων ἐρώτων in general 'wild
passions.'         p. 38, 2 κατά c. gen. 'with regard to' or 'about:'
Jelf, § 628, 2.  See above, on p. 22, 4.         3 διάγουσα falls out
of the construction, as διαγούσῃ would be wanted in agreement
with ὑπάρχει αὐτῇ εὐδαίμονι—ἀπηλλαγμένῃ. Hirschig and Hein-
dorf before him write διαγούσῃ in spite of all ms. authority: but
even if instances exactly parallel to the one before us were wanting,
we ought to be very slow in changing the text, considering what
irregularities of constr. Plato admits with participles, see e.g.
Riddell, Digest, § 271, and other §§ there and on the next pages.
But a passage precisely analogous to the present can be quoted from
Thuc. 7, 42, καὶ τοῖς μὲν Συρακοσίοις καὶ ξυμμάχοις κατάπληξις ἐν τῷ
αὐτίκα οὐκ ὀλίγη ἐγένετο, εἰ πέρας μηδὲν ἔσται σφίσι τοῦ ἀπαλλαγῆναι
τοῦ κινδύνου, ὁρῶντες (though it ought to be ὁρῶσιν) οὔτε κ.τ.λ.
The case of the participle was not, as we see, determined by the
expression which the writer used, κατάπληξις ἐγένετο αὐτοῖς, but
by its logical equivalent κατεπλάγησαν: and so also here διάγουσα
is occasioned by the idea δύναται, which is the logical equivalent
of ὑπάρχει αὐτῇ. Geddes justly quotes Phaedr. 241 D, ᾤμην αὐτὸν
ἐρεῖν...λέγων for λέγοντα, as if ἐδόκει μοι ἐκεῖνος had preceded. After
this it is edifying to listen to Hirschig declaiming in the following
strain: 'qui in his non sentiunt dativi τἀναγκαῖον; quid ἀκριβείας
ac χαρίτος [!] 'Αττικῆς, quid μεγαλειότητος Attici sermonis videre ii
possint quidque utilitatis percipere ex Graecorum lectione equidem
non intelligo.'

XXX—XXXI. A WARNING NOT TO BRUTALIZE THE SOUL BY THE
INFLUENCE OF THE BODY IS DRAWN FROM THE POPULAR SUPERSTITION
ABOUT RESTLESS GHOSTS AND FROM THE DOCTRINE OF METEMPSY-
CHOSIS.

XXX. p. 38, 10 For ἀλλ' ἤ after a negative sentence see above on
p. 30, 12 and comp. Apol. 34 B, τίνα ἄλλον ἔχουσι λόγον βοηθοῦντες
ἐμοὶ ἀλλ' ἢ τὸν ὀρθόν τε καὶ δίκαιον;         10 οὖ belongs in sense also to

ἴδοι, πίοι and φάγοι, though there we expect ὄ, and to χρήσαιτο, though this requires ῷ: but see n. on Crito p. 47, 5.  **12 f.** τὸ δὲ—τοῦτο δὲ εἰθ.: for the repetition of δέ see above 78 c, 80 D. Besides this, we have moreover δή to sum up and conclude the whole argument.—νοητὸν δὲ καὶ φιλ. αἱρετόν=λόγῳ καὶ φρονήσει περιληπτόν Tim. 29 A.  **14** Hirschig brackets ψυχήν and appeals to p. 37, 28: as if this were a sufficient reason.  **16** διειλημμένην ὑπὸ τοῦ σώμ. 'quite penetrated by the corporeal element.'— 'Compare the noble reproduction of this Platonic passage regarding the carnalising of the Soul in the Comus of Milton (460—480).' GEDLES.  **23** περὶ τὰ μνήματα κ.τ.λ.: the popular superstition here alluded to is still so common among ourselves that it seems almost superfluous to quote any authority for its existence among the ancients: yet comp. Eur. Hec. 54, 91 where the word φάντασμα is used in the same way as here to denote a spectre, and Lactant. Inst. 2, 2, 8 *vulgus existimat animas circa tumulos et corporum suorum reliquias oberrare.*  **25** τοιαῦται is explained by the two participles ἀπολυθεῖσαι and μετέχουσαι.  **28** οὔτι (often followed by ἀλλά) is a very strong negation: Stallb. quotes Rep. 2. 373 E. 4, 438 E. Theaet. 156 E. Cratyl. 393 B. Symp. 189 B. Hipp. mai. 297 E.  See below 82 c.  p. 39, **1** τροφῆς 'conduct:' cf. Etym. M. and Suidas τροφή· λαμβάνεται καὶ ἐπὶ τῆς ἀγωγῆς καὶ παιδείας.  Cf. below 84 B.

**XXXI.**  p. 39, **5** τοιαῦτα ἤθη=ζῷα τοιούτοις ἤθεσι χρώμενα.  On the doctrine of μετεμψύχωσις much material has been collected by Wyttenbach ad h. l.; it is, however, quite sufficient for our purpose to observe that among the Presocratic philosophers the Pythagoreans maintained it, and they no doubt took their notions on this point from the Egyptians: Herod. 2, 123.  **11** With the answer πάνυ μὲν οὖν εἰκὸς λέγεις comp. Hipp. mai. 281 D, πάνυ μὲν οὖν ὀρθῶς λέγεις.  Meno 76 c, πάνυ μὲν οὖν χάρισαι.  Legg. 1, 643 A, πάνυ μὲν οὖν δρῶμεν ταῦτα.  Charm. 175 E, ταῦτ' οὖν πάνυ μὲν οὖν οὐκ οἴομαι οὕτως ἔχειν.  Phileb. 41 A, πάνυ μὲν οὖν τοὐναντίον, ὦ Σώκρατες, εἴρηκας.  Protag. 312 B, πάνυ μὲν οὖν μοι δοκεῖ τοιαύτη εἶναι—ἡ μάθησις.  These passages are quoted by Stallb. lest any one might be tempted to read πάνυ μὲν οὖν· εἰκὸς λέγεις.  **14** φαῖμεν: I agree with Stallb. that ἂν clearly belongs to the finite verb, and not to the infinitive.  Heindorf and Hermann take another view and keep φαμὲν, the reading of the Bodl. m. pr. **16** ἑκάστη sc. ψυχή.  The feminine ἑκάστη is in better agreement with the preceding constructions, especially τὰς τοιαύτας (=τὰς τῶν τοιούτων ψυχάς). **23** τοιοῦτον is explained by the two adjectives which follow. **26** ἄνδρες μέτριοι probably means 'good honest men:' so Demosth. de Cor. § 10 speaks of οἱ μέτριοι i.e. 'the respectable citizens,' as the class from which he sprung. GEDDES.

**XXXII—XXXIV.** PERORATION AND PRACTICAL APPLICATION OF THE PRECEDING DISCUSSION: THE TRUE AIMS OF THE PHILOSOPHER, THE EFFECT OF PHILOSOPHY ON THE SOUL, AND THE ABSURDITY IN FEARING THE DELIVERANCE CALLED DEATH.

**XXXII.** p. 40, **1** φιλομαθεῖ = φιλοσόφῳ: cf. Rep. 2, 376 B, τό γε φιλομαθὲς καὶ φιλόσοφον ταὐτόν, and ib. 9, 581 B. Stallb. explains 'facile intelligitur postremis istis structura orationis nova sane et insolenti denuo inculcari superiora illa: μὴ φιλοσοφήσαντι καὶ παντελῶς καθαρῷ ἀπιόντι, h. e. εἴ τις μὴ φιλοσοφήσας καὶ παντελῶς καθαρός ἐστιν, causa autem iterationis posita in eo est, quod philosophi cum gravitate opponuntur iis qui antea dicti sunt sese aliarum rerum studiis dedisse.' With the help of this explanation we may understand the passage, but it should be observed that it is, after all, expressed in a very unsatisfactory manner. What Plato wants to say is εἰς δέ γε τῶν θεῶν γένος ἀφικνεῖσθαι τῷ μὲν μὴ φιλοσοφήσαντι καὶ παντελῶς καθαρῷ ἀπιόντι οὐ θέμις ἐστί, τῷ δὲ φιλομαθεῖ θέμις ἐστί. In fact, all would be right by changing ἀλλ' ἤ into a simple ἀλλά. **8** ἔπειτα sums up the preceding participles: see on Apol. p. 6, 8. Hirschig effaces the Platonic character of the passage by bracketing μοχθηρίας δεδιότες and ἔπειτα ἀπέχονται αὐτῶν. δεδιότες is clearly parallel to φοβούμενοι l. ἓ, and ἀπέχονται αὐτῶν is a varied expression for οὐ παραδιδόασιν αὐταῖς αὐτούς. **11** σώματι πράττοντες 'working for their body,' cf. Thuc. 5, 76 οἱ τοῖς Λακεδαιμονίοις πράσσοντες 'those who worked in the interest of the Lacedaemonians:' other passages can be found in the dictionaries. The editions read σώματα πλάττοντες on which Stallb. comments thus ' σῶμα πλάττειν etsi recte dici possunt ii qui corpus artificiose fingunt formant colunt (v. Wyttenb. ad Plut. Mor. p. 3 E), tamen non recte illi dicuntur qui corpori inserviunt eiusque curae molliter sunt dediti.' Besides this we should also start from σώματι which is the original reading, not σώματα. The reading adopted in the text had been hit upon by myself independently when Dr Kennedy drew my attention to the fact that Ast proposes the same conjecture in his Lex. Plat.: an agreement thus independently arrived at by two scholars may,

perhaps, be accounted a guarantee of the truth of the emendation.
It is based on Heindorf's observation 'in πλάττοντες latere suspicor
verbum significatu *serviendi blandiendique* praeditum.' After ἀλλά
we should of course supply οἱ for the constr.   12 χαίρειν
εἰπόντες 'despising (all these).'

XXXIII. p. 40, 21 εἰργμοῦ: cf. Eustath. ad Odyss. p. 14 Bas. τὸ
εἴργω ἐπὶ μὲν τοῦ κωλύω ἐψίλουν οἱ Ἀττικοί, καὶ δῆλον ἐκ τοῦ ἀπείρξαν·
ἐπὶ δὲ τοῦ ἐγκλείω ἐδάσυνον, ὡς δηλοῖ τὸ καθεῖρξαν, ὅθεν καὶ δασύνεται
καὶ ἡ εἱρκτή.   23 τοῦ εἰργμοῦ τὴν δεινότητα is an instance of
the very common figure of prolepsis = καὶ κατιδοῦσα ὅτι ἡ τοῦ
εἰργμοῦ δεινότης δι’ ἐπιθυμίας ἐστί (= γίγνεται), 'that this strong
imprisonment arises from desire.'   24 ὡς ἄν = ὥστε ἄν as in
many other places.   The soul conceives the desire and thereby
becomes imprisoned, the imprisonment being due to its own
action.   Don. p. 601, § 608 Obs., differs from this explanation, and
translates 'in the manner in which the person incarcerated would
most of all contribute to his own imprisonment.'   25 ξυλλήπτωρ
τῷ δεδέσθαι: it is obvious that the dative is due to the preposition
in the noun; Heindorf corrects τοῦ and Herm. goes so far as to
admit this into his text.   Xenophon has the genitive, Mem. 2, 2,
12 ἵνα—ἀγαθοῦ σοι γίγνηται συλλήπτωρ.   p. 41, 7 δι’ ἄλλων is
opposed to αὐτὴ καθ’ αὑτήν in the preceding sentence, and in the
same way τὸ ἐν ἄλλοις ὂν ἄλλο corresponds to καθ’ αὐτό. ἐν ἄλλοις
ἄλλα denotes the things which are subject to change.
10 αὐτή ‘the soul by itself.’   12 οὕτως after the participle:
see on p. 8, 2.   15 τοσοῦτον: for the sense we should supply
μόνον.   18 οὐ λογίζεται ‘does not take it into account.’
26 The same metaphor occurs in Hor. Sat. 2, 2, 79, *quin corpus
onustum Hesternis vitiis animum quoque praegravat una Atque
affigit humo, divinae particulam aurae.*   This figure of the ἧλος
has been imitated by many writers: see Wyttenb. on Plut. Mor.
567 F.   30 ὁμότροπός τε καὶ ὁμότροφος: cf. the similar play
upon the words ἄηθες and ἄηδες Lach. 188 B, and in general see
Riddell, Digest, § 323.   p. 42, 1 οἷα κ.τ.λ. = τοιαύτη ὥστε
μηδέποτε ἀφ.   2 ἀνάπλεως, ‘ ἀναπεπλησμένος, κέχρηται δὲ ἐπὶ τοῦ
μεμολυσμένου’ Timaeus, where see Ruhnken's note.   The feminine
ἀναπλέα is against Jelf's rule, § 128, 2, 14, where it is stated that
the feminine termination in the compounds of πλέως is merely
Ionic; but ἀναπλέα in the present passage is indeed isolated:
Krüger, § 22, 7, 1.

XXXIV. p. 42, 10 Hirschig brackets φασὶν and Hermann

edits φαίνονται in its place with the following note 'falsas vir-
tutis causas philosophis vulgus tribuere nusquam legimus:' but
Stallb. rightly observes that κόσμιοι καὶ ἀνδρεῖοι εἶναι should be
supplied for φασίν 'propter quae vulgo homines se fatentur fortes
et temperantes esse.' Riddell again, Dig. § 83, gives the fol-
lowing explanation: " Here the meaning is not 'for the reason
which the world attributes to them,' but 'for the reason which the
world says people *ought* to be [temperate].' That is, φασὶ is
followed by κοσμίους εἶναι understood, and this εἶναι contains the
Dictative force:" by which Riddell means, it gives the verb 'to
think' the meaning 'to think fit.' But this explanation is inad-
missible here; for how can a verb be made dictative by an infini-
tive which is not even added, but merely understood and requiring
to be supplied?    **11** οὐ γὰρ ἀλλ' οὕτω 'for, so far from the con-
trary,' i. e. 'most assuredly:' Riddell, § 156.    **15** ἀνήνυτος is a
word of poetical colouring, though used by Plato in several passages:
Soph. 264 B, Gorg. 507 E, Rep. 7, 531 A, Legg. 4, 714 A, 5, 735 B
(μάταιος πόνος καὶ ἀνήνυτος).    **16** It is very difficult to decide
between the two readings μεταχειριζομένης and -ην. I have kept
the genitive in my text though I do not approve of Herm.'s
explanation of it 'anima est tela, philosophia Penelope, cuius
opus non debet contra quam huius irritum fieri ligando quae illa
solverit.' I have further omitted the comma which Herm. places
after πράττειν, and join Πηνελόπης κ.τ.λ. directly with ἔργον 'to
do the work of a Penelope who treats her weaving the reverse
way,' viz. to that related of the real Penelope. This kind of
work. is called ἀνήνυτον, because like Penelope's work of old it
never comes to any result. Stallb. approves of μεταχειριζομένην
which certainly gives excellent sense : 'and make her work void,
weaving a kind of Penelope's web the reverse way' (Cary).
'Penelope enim, quo procos falleret, noctu retexebat quae inter-
diu contexuerat; animus autem quae retexta sunt liberatione
a corporis sensibus suscepta ea rursus quasi contexit sese denuo
corporis tradens affectibus et cupiditatibus: igitur tela quam tractat
intelligitur liberatio sui a corporis vinculis.'—τούτων sc. τῶν ἡδονῶν
καὶ λυπῶν.    **18** ἀδόξαστον is that which does not rest on mere
δόξα ('seeming'), but ἐπιστήμη ('grounded knowledge').
**22** τροφή means here both 'conduct' and 'food:' cf. above, ὑπ'
ἐκείνου τρεφομένη.    **22** f. οὐδὲν δεινὸν μή : see n. on Apol. 28 B.
Hirschig, in consistency with his critical rules, brackets φοβηθῇ
here, ὅπως μή in the next line, and καί l. 25. As the text stands,

the sentence beginning with ὅπως μή is dependent on μὴ φοβηθῇ :
see above 77 B and Sympos. 193 A, φόβος οὖν ἔστιν, ἐὰν μὴ κόσμιοι
ὦμεν πρὸς τοὺς θεούς, ὅπως μὴ καὶ αὖθις διασχισθήσεται.   **25** τοῦ
σώματος is of course gen. object. 'in the separation from the
body.'   **26** διαπτομένη is the reading of the best mss., διαπτα-
μένη of the mss. of less value : for these two forms see Porson on
Eur. Med. 1.

**XXXV.** PAUSE IN THE DISCUSSION : SOCRATES INVITES HIS HEAR-
ERS TO STATE THEIR DIFFICULTIES AS TO HIS ARGUMENTS. ALLUSION
TO THE EXAMPLE OF THE DYING SWAN.

**28** ἦν πρὸς τῷ εἰρ. λόγῳ 'he was busy with the discourse held :'
'totus erat in sermone' (cf. Hor. Sat. 1, 9, 2). For the constr.
comp. Jelf, § 638, II. 1.   Riddell, § 128, 6.   Thompson on Phaedr.
249 C.   **29** ὡς ἰδεῖν ἐφαίνετο 'as on seeing him it seemed,' a
pleonastic expression which occurs also Tim 52 E, παντοδαπὴν
ἰδεῖν φαίνεσθαι, and is imitated by several later writers.   Exactly
parallel is the turn of phrase in Xen. Cyrop. 5, 4, 11, καὶ μὰ τοὺς
θεοὺς σὲ ἐπαναθεασόμενος ᾖα, ὁποῖός τίς ποτε φαίνῃ ἰδεῖν ὁ τοιαύτην
ψυχὴν ἔχων.   Geddes aptly compares Eur. Herc. Fur. 1002, εἰκών,
ὡς ὁρᾶν ἐφαίνετο, Παλλάς.       p. 43, **3** μῶν μή : Jelf, § 873, 5
(p. 558).   Don. p. 559, § 537.     **4** λέγεσθαι is the genuine imper-
fect here used with reference to a previous discussion : see also
the crit. note.     **6** οὐδὲν λέγω lit. 'I say nothing,' i.e. consider
what I have said as not spoken.     **7** καὶ αὐτοί is opposed to καὶ
αὖ καὶ ἐμὲ ξυμπαραλ.     **8** For the infin. ἂν λεχθῆναι see crit.
note.     **15** Porson's observation on Eur. Hec. 21, with regard
to the tragic poets 'diversa tempora toties permiscent ut hanc
varietatem data opera quaesisse videantur,' is equally true of
prose-writers, especially of Plato and Xenophon : instances have
been collected by Heindorf ad h. l., but they may easily be multi-
plied.       **19** διάκειμαι cannot be a subjunctive, notwithstanding
that Heindorf and Buttmann consider it as such : see below, 93 A.
Nor is there any necessity for this, as φοβοῦμαι, δείδω, δέδοικα and
similar other verbs are found with μή and unmistakeable indica-
tives when the apprehension is represented as certain : see the
instances collected by Matthiae § 520, and the commentators on
Thuc. 3, 53, 2, φοβούμεθα μὴ ἀμφοτέρων ἅμα ἡμαρτήκαμεν.   See
also Badham, Philebus p. 3 ; Riddell, § 62.   Here we should there-
fore assume 'that the apprehension as to Socrates being discom-
posed amounted to *certainty* in the minds of his friends that he

was so.' (GEDDES.) **23** One might wish that Blomfield's
elegant conj. πλεῖστα καὶ κάλλιστα had the authority of the mss. in
its favour: but it would be rash to change the text without apparent
necessity. πλεῖστα καὶ μάλιστα expresses the strength and fulness
of the song. **24** τὸν θεόν κ.τ.λ. i. e. Apollo, cf. Cic. Tusc. 1,
30. **26** καταψεύδονται τοῦ θανάτου 'they say false things
with regard to death.' **27** ἐξᾴδειν 'breathe the last breath
in melody.' **29** The genuine Attic form would be ῥιγῷ which
actually stands Gorg. 517 D: Jelf, § 239, 4, 6. p. 44, **1** On
the omission of the article before χελιδών see n. on Apol. p. 10, 12.
Riddell, Digest, § 237. **4** Geddes compares Oppian. Cyneg. 2,
548, κύκνοι μαντιπόλοι, γόον ὕστατον ἀείδοντες. **6** For the
construction διαφερόντως ἤ comp. below, 95 c, ἐκεῖ εὖ πράξειν
διαφερόντως ἤ ἐν ἄλλῳ βίῳ βιούς. **8** ἱερός c. gen. : Jelf, § 518, 4.
—οὐ χεῖρον ἔχω 'non sum deterior.' [See also Riddell, § 2, 6.]
παρὰ τοῦ δεσπότου receiving the gift of prophecy from Apollo. Her-
mann's conj. mentioned in his preface is very pleasing, οὐ χεῖρον'
[i.e. χείρονα] ἐκείνων τὴν μαντικὴν ἔχειν παρὰ τοῦ δ. ' to have a pro-
phetic power not inferior to theirs from the master (of prophecy).'
**18** Hirschig brackets μή with Stephanus: but Geddes justly ob-
serves that μὴ προαφίστασθαι is to be regarded as one notion
(=προσκαρτερεῖν) and as an expansion of the duty expressed in
ἐλέγχειν. **20** f. ἤ μαθεῖν from others, ἤ εὑρεῖν by original
thought. Comp. below, 99 D, παρ' ἄλλου μαθεῖν and αὐτὸς εὑρεῖν.
**21** εἰ ταῦτα ἀδύνατον sc. ποιεῖν or πράττειν. Cf. Parmenid. 160 A,
ταῦτα δὲ ἀδύνατον ἐφάνη. **22** ἐπὶ τούτου ὀχούμενον κ.τ.λ.: comp.
Cicero's imitation of this passage, Tusc. 1, 30, *itaque dubitans
circumspectans haesitans, multa adversa reverens, tamquam rate in
mari immenso nostra vehitur oratio.* Geddes justly observes that
we have here an allusion to the proverbial expression ἐπ' ἐλπίδος
ὀχεῖσθαι, for which see Porson on Eur. Or. 68. **26** λόγος
θεῖος is an argument revealed to man by divine grace: the ex-
pression is Orphic, comp. the lines quoted by Eusebius Praep.
Evang. 13, 685, εἰς δὲ λόγον θεῖον βλέψας τούτῳ προσέδρευε, Ἰθύνων
κραδίης νοερὸν κύτος, εὖ δ' ἐπίβαινε Ἀτραπιτοῦ. Heraclitus, too,
used the same expression before Plato: Sext. Empir. adv. Math.
7, 126. p. 45, **3** πρὸς ἐμαυτόν alone by myself, πρὸς τόνδε toge-
ther with Cebes: see the beginning of the chapter where it is said
that Κέβης καὶ Σιμμίας σμικρὸν πρὸς ἀλλήλω διελεγέσθην.

**XXXVI.** THE OBJECTION OF SIMMIAS: THAT THE SOUL, BEING
A HARMONY, MUST BE REGARDED AS PERISHING WITH THE BODY.

p. 45, 15 εἴ τις δυσχυρίζοιτο 'haec usque ad verba πρίν τι ἐκείνην παθεῖν protasin continent, cui per parenthesin quasi quandam adiciuntur deinde haec καὶ γὰρ οὖν, ὦ Σώκρ.—ἦ κατασαπῇ : tum demum apodosis infertur verbis ὅρα οὖν πρὸς τοῦτον τὸν λόγον, in quibus οὖν, ut solet, interruptum sermonem contexit. sic optime, ut in sermone familiari, cohaeret oratio.' HEINDORF.         16 ὁ αὐτὸς ὥσπερ is a somewhat negligent, but frequent construction in Plato and other Attic writers, noticed also by Priscian 18 p. 1195. Cf. Legg. 2, 671 c. Lysis 209 c. Xen. Anab. 1, 10, 10 &c. See also Riddell § 175. Jelf § 869, 2.         18 οὐδεμία γὰρ μηχανὴ ἂν εἴη : Bekker brackets ἄν because he is under the impression that this sentence forms part of the dependent speech, in which case ἄν would be wrong, cf. Phileb. 58 A, ἤκουον—Γοργίου πολλάκις ὡς ἡ τοῦ πείθειν δύναμις πολὺ διαφέρει πασῶν τεχνῶν· πάντα γὰρ ὑφ' αὑτῇ δοῦλα—ποιοῖτο. But as the mss. support ἄν, we are obliged to con- sider the sentence as a parenthetic observation, exempt from the rules of dependent speech.         26 ὑπολαμβάνομεν 'we suppose,' denoting that this view was then commonly received as a satis- factory explanation of the nature of the soul. Wyttenbach's note on the present passage contains all that can be collected about this point: it is given in an excursus at the end of the present edition.   p. 46, 10 παραμένειν 'to last:' Hirschig boldly substi- tutes ἐπιμένειν, referring to 80 c, where the same expression occurs in a similar passage.

XXXVII. THE OBJECTION OF CEBES : THAT THE SOUL MAY SURVIVE THE DISSOLUTION OF THE BODY, YET IS NOT THEREFORE NECESSARILY EXEMPT PERPETUALLY FROM DISSOLUTION.

17 τί οὐκ ἀπεκρίνατο lit. 'quin respondit?' like this Latin ex- pression, equal to an emphatic command, Jelf § 403, 3.   21 χρόνου ἐγγενομένου is quite a formula in Thucydides (1, 113 ; 4, 111; 8, 9) and Herodotus (1, 100; 2, 124; 175 ; 5, 92), comp. also Sympos. 184 A and Protag. 339 E, ἵνα—χρόνος ἐγγένηται.         22 ἔπειτα δέ : Heind. and Stallb. omit δέ, because after εἶτα and ἔπειτα it is generally omitted; Hermann however justly observes that this is no reason for ignoring the authority of the best mss., as there are also instances in which δέ is read after εἶτα and ἔπειτα. The infin. ξυγχωρεῖν and ὑπερδικεῖν are of course dependent on δοκεῖ μοι χρῆναι; besides there is a slight anacoluthia in the omission of ἢ before ἐὰν μή.         22 f. ἐάν τι δ. προσᾴδειν i. e. if they appear to say anything true : the word προσᾴδειν is no doubt chosen on

NOTES.

account of the previous discussion on the soul considered as a ἁρ-
μονία.  See below 92 c.     25 θράττει 'ταράττει, κινεῖ' Timaeus.
29 εἰς τόδε τὸ εἶδος i.e. the human body = ἀνθρώπινον εἶδος 76 c.
——-οὐκ ἀνατίθεμαι 'I do not retract,' a very frequent expression in
Plato, e.g. Meno 89 D.  Protag. 354 E.  Charmid. 164 c.  Gorg.
461 D. (Wyttenb.): see also Riddell § 111.  For μὴ οὐχὶ see Don.
p. 592 § 595.  p. 47, 1 ἐπαχθές lit. 'burdensome;' the word is
several times used of exaggerated praises.     3 τῇδε sc. ἱκανῶς
ἀποδεδεῖχθαι.——ὡς μέν has no subsequent δέ to correspond.
But, as Stallb. justly says, the writer intended originally to
continue his sentence in the following manner ὅτι δὲ ἀνώλεθρόν ἐστι
καὶ ἀθάνατον, οὐκέτι συγχωρῶ.     6 ἂν φαίη: for the position of
ἄν see n. on Crito 52 D.  Riddell § 295.  Jelf § 431, 3 obs. 4.     10
τὶ λέγειν 'to say something good, well founded:' n. on Crito p. 45,
3.     12 ὥσπερ ἂν has not the sense of ὥσπερ ἂν εἰ, though Hein-
dorf is inclined to put this into the text; but we should simply
translate 'this seems to me to be said with equal justice as a man
might speak' &c.  See also Jelf § 868, 3.     15 ἴσως: it is
difficult to discover any satisfactory grounds for Forster's conj. σῶς,
though Heind., Herm. and Hirschig approve of it; what is of im-
portance here, is the idea of existing, and this is sufficiently
expressed in ἔστι.  ἴσως in a positive assertion has very good
authority: see above on 67 A.  The occurrence of σῶς and σῶν in
the continuation of the discussion is certainly no argument either
for or against Forster.     27 οὐδέν τι qualifies the adj. φαυλότε-
ρον and ἀσθενέστερον.  For the addition of μᾶλλον to a comparative,
see the editor's note on Pl. Aul. 419.  Here there is moreover the
excuse that οὐδέν τι μᾶλλον occurs very frequently in the sense
'nevertheless.'  p. 48, 1 μέτρια 'appropriate things.'     3 φαίη
sc. ὁ αὐτὰ ταῦτα λέγων.     5 ῥέοι: 'the allusion is to the Hera-
clitean doctrine of a perpetual flux (πάντα ῥεῖ ποταμοῦ δίκην)
which Plato accepted as true regarding the texture of the body.'
GEDDES.     11 ἐπιδεικνύοι: see Jelf § 418, 1 a.  Heindorf thinks
that ἂν ought to be inserted after φύσιν.——τὴν φύσιν τῆς ἀσθενείας
is a redundant expression for ἀσθένειαν.  So Legg. 12, 968 D ἡ
τῆς φυλακῆς φύσις = ἡ φυλακή.     14 Hirschig conjectures ἔσται
instead of ἔστιν, and this is perhaps right: see our critical note on
p. 47, 3.     14 f. Transl. 'for if one were to grant to an opponent
(τῷ λέγοντι) even more than you at present propose:' these words
are addressed to Simmias.  Heindorf makes πλέον dependent on
λέγοντι and translates 'nam etiam si quis assentiatur ei qui vel

plus concedat quam tu, largiens illi hoc non solum etc.,' but this
seems to be somewhat forced and not so natural as the construc-
tion recommended by us.   **19** αὐτό 'the thing in question,'
sc. the soul.   Below, 109 A, we have πάμμεγά τι εἶναι αὐτό with
reference to a feminine, τὴν γῆν.   **20** ψυχὴν should be trans-
lated 'a soul,' not 'the soul.'   **27** εἰ δὲ τοῦτο οὕτως ἔχει
sums up once more the various contents of the protasis, but then
instead of plainly putting the conclusion drawn from the preceding
premises before us in a distinct form 'it results that the im-
mortality of the soul is not proved at all,' the speaker again gives
an involved sentence.  I doubt whether Plato would have put a
sentence like this into the mouth of Socrates, as it gives the reader
the impression that Cebes is represented as an awkward speaker,
because he is not a clear thinker.   **27** θαρρεῖν θάνατον =
θαρρεῖν θάρρος θανάτου: see the analogous constructions collected
by Jelf § 550 *b*.   **30** ἀνάγκην εἶναι is conceived in dependence
on προσήκει or rather εἰκός ἐστιν which should be understood from
προσήκει.

### XXXVIII.  PHAEDO INTERRUPTS HIMSELF AND DESCRIBES HOW THESE TWO OBJECTIONS AFFECTED THE HEARERS.  ECHECRATES EXPRESSES HIS INTEREST IN THE DISCOURSE, AND PHAEDO PRAISES SOCRATES' CALM AND CHEERFUL MANNER DURING THE WHOLE SCENE.

p. 49, **7** τοῖς προειρημ. λόγοις is dependent on ἀπιστίαν in accord-
ance with the construction of the verb ἀπιστῶ: comp. Jelf, §588, 2, 2.
Instead of εἰς, the next words might also be in the dative; as it is,
εἰς means 'with regard to:' Jelf, § 625, 3 c.   **9** f.  εἶμεν—ἄπιστα
ᾖ: ' coniunctivus post optativum infertur, quia significatur ipsos
dubitare occepisse, num etiam rei ipsius natura per se spectata
talis esset, ut pro incredibili esset habenda. quocirca optativus
ad meram rei cogitationem, coniunctivus autem ad rei adhuc
experiendae rationem designandam valet, quod discrimen ut note-
tur, admittitur subinde haec modorum variatio. Xen. Hell. 2, 1, 2,
δεινὸν ἐφαίνετο εἶναι, μή τινα καὶ εἰς τοὺς ἄλλους Ἕλληνας διαβολὴν
σχοῖεν (quod in cogitatione positum) καὶ οἱ στρατιῶται δύσνοι εἰς
τὰ πράγματα ὦσιν (quod ex rerum condicione suspensum est).
Thuc. 6, 96, ἑξακοσίους—ἐξέκριναν πρότερον—ὅπως τῶν τε ᾿Επιπολῶν
εἴησαν φύλακες, καὶ ἦν εἰς ἄλλο τι δέῃ, ταχὺ ξυνεστῶτες παραγίγ-
νωνται.' STALLB. See also Jelf, § 809, Riddell, § 66. and espe-

cially § 89.          13 ἐπέρχεται: this verb has a different constr. in Xen. Mem. 4, 3, 3, ἤδη ποτέ σοι ἐπῆλθεν ἐνθυμηθῆναι.

16 ἀντιλαμβάνεται 'takes hold of,' i. e. holds possession of me; so Parm. 130 E, εἰ ἔτι καὶ οὔ πώ σου ἀντείληπται φιλοσοφία, ὡς ἔτι ἀντιλήψεται.          18 ὥσπερ 'as it were,' is added to ὑπέμνησε on account of the somewhat figurative use of the word in this passage, ὑπομιμνήσκω being originally used of a person.          21 πῇ ὁ Σ. μετῆλθε lit. 'overtook.' Riddell, § 94, observes that this is the same metaphor as 89 C, εἰ…με διαφεύγει ὁ λόγος.          23 Heindorf is positive that τι belongs to ἀχθόμενος and not to ἔνδηλος, and Stallb. endorses his opinion. It is difficult to see why it *must* be so, as we get very good sense by translating 'did he show in anything that he was driven to straits' &c.          24 βοηθεῖν τῷ λόγῳ is said, with a kind of personification of the λόγος, like ὑπέμνησε above.— καὶ ἱκανῶς ἐβ. 'did he support his arguments with satisfactory reasons?' πότερον which begins the preceding question is made to do duty for this also, as is often the case in Plato.          28 ἐκεῖνος is made the subject of the relative clause, while logically it ought to be ἐκεῖνον, as the subject of the infinitive clause. See Riddell, § 194.          30 τοῦτο ὡς ἡδέως = ὅτι οὕτως ἡδέως: comp. Crito, p. 39, 17, with note.          31 ἀγαμένως i. e. like one who delighted in the display of the sagacity of his disciples.—τὸν λόγον ἀπεδέξατο is simply 'sermonem excepit,' 'listened to their reasoning.'— ἔπειτα—ἔπειτα: the more usual constr. would be ἔπειτα—ἔτι δὲ καί, but instances of the same constr. as we have here are not rare; both Heind. and Stallb. have collected a sufficient number.

p. 50, 7 χαμαίζηλος 'διφρίον μικρὸν ἢ ταπεινὸν σκιμπόδιον' Timaeus, i.e. a kind of low stool.          12 ἔοικεν: as an outward mark of grief at the death of his beloved master.          13 ἀλλὰ τί 'but what then' (ought I to do)? This elliptical phrase is very frequent in Plato. 15 ὁ λόγος τελευτήσῃ 'if our argument is dead,' with the same personification of the λόγος as has been noticed above. Stallb. compares the expressions ὁ λόγος οἴχεται, ἐκφεύγει, σώζεται.

17 Ἀργεῖοι: the story is told by Herod. 1, 82; the Argives having lost Thyrea and being beaten by the Lacedaemonians took an oath not to cut their hair before they had repaired their defeat. Wyttenb. very appropriately quotes Plut. Apophthegm. Lacon. 223 F, τῶν δὲ Ἀργείων τὴν προτέραν ἧτταν φασκόντων ἀναμαχεῖσθαι, "θαυμάζω" ἔφη " εἰ δύο συλλαβῶν προσθήκῃ (viz. ἀνα) νῦν κρείσσονες ἐγένεσθε ἢ πρόσθεν ἦτε."          20 The proverb πρὸς δύο οὐδ' Ἡρακλῆς is mentioned also by other writers. The sense is that even a

man of very great strength may be overpowered by superiority of number. 21 τὸν Ἰόλεων: cf. Pausan. 8, p. 269, Ἰόλαον μὲν δὴ τὰ πολλὰ Ἡρακλεῖ συγκάμνειν λέγουσιν. When Heracles was fighting with the Hydra, Herê sent a crab to assail him in the flank, so that he was compelled to call for his friend Iolaus to help him. ἕως ἔτι φῶς ἐστί: when the sun sets, Socr. has to drink the poison, below 116 B.

XXXIX—XL. INTRODUCTION TO THE SUCCEEDING ARGUMENT: SOCRATES EXHORTS HIS FRIENDS TO INVESTIGATE TRUTH PATIENTLY AND INDEPENDENTLY OF PERSONS OR CIRCUMSTANCES AND WITHOUT A DESIRE TO PLEASE OR STARTLE AN AUDIENCE.

XXXIX. p. 50, 26 Bekker prints μισολόγοι just as he has also the analogous accentuation φιλολόγοι: but Göttling ‘ On Accents’ p. 319, justly says that φιλολόγος would mean ὃς φίλα λέγει, comp. δικαιολόγος = ὁ δίκαια λέγων, and hence it follows that we should accentuate μισόλογος. 27 μεῖζον τούτου κακὸν—ἢ λόγους μισήσας: more correct would be τούτου—τοῦ λόγους μισῆσαι, but see Riddell, § 163, A. a. p. 51, 4 ὑγιᾶ would be the more usual Attic form: but see Jelf, § 129, 2.——ἔπειτα stands where we should expect either ἔπειτα δέ or κἄπειτα: but it is usual in Plato to omit the copula with this word. See below, 90 B. 14 ὥσπερ ἔχει sc. τὰ ἀνθρώπεια. 15 Stallb. observes that σφόδρα qualifies χρηστοὺς καὶ πονηρούς, and not ὀλίγους. But what he says, that ὀλίγους should be made emphatic, seems to me, so far as the order of words is concerned, to apply rather to the two adjectives which should be taken in a pregnant sense, and then we can dispense with the conj. of Heindorf who wanted to double σφόδρα. Cf. also Appuleius' rendering of the passage de doctr. Plat. 2, p. 22, Elm. *sed adprime bonos et sine mediocritate deterrimos paucos admodum rarioresque, et, ut ipse ait, numerabiles esse: eos autem qui nec plane optimi nec omnino deterrimi sint, sed quasi medie* (μεταξὺ) *morati, plures esse.* 27 f. σοῦ προάγοντος by asking me above πῶς λέγεις. 28 ἀλλ' ἐκείνῃ sc. ὅμοιοί εἰσιν (οἱ λόγοι). The finite verb for this sentence is wanting, and we have here one of the anacolutha with which the student of Plato ought to become familiar. p. 52, 3 ἀντιλογικούς: comp. below, 101 E, with note. 4 οἶσθ' ὅτι: see above, p. 24, 15. 7 For ἀτεχνῶς joined with proverbial expressions see n. on Apol. p. 3, 10. The Euripus was said to change its current seven times within a single day (Liv. 28, 6. Cic. de Nat. Deor. 3, 10): hence the proverb εὔριπος ἄνθρωπος to denote a person of light and changeable mind. 8 ἄνω καὶ κάτω στρέφεται lit. 'is turned upside down,' i.e. all is brought into the utmost confusion. **11** f. δυνατοῦ κατανοῆσαι = ὃν δυνάμεθα κατανοῆσαι. **12** ἔπειτα after a participial constr. has been noticed before : see on p. 22, 13. **15** διὰ τὸ ἀλγεῖν : because he is annoyed.

XL. p. 52, **22** ἀλλὰ πολὺ μᾶλλον sc. ἐννοῶμεν. p. 53, **4** εἰ μὴ εἴη πάρεργον 'except that may happen by the way' (Cary) = εἰ μὴ ἐν παρέργῳ. See Riddell § 76. **5** αὐτῷ ἐμοί is more emphatic than either ἐμαυτῷ and αὐτῷ μοι: cf. Sympos. 220 E, συνδιέσωσε καὶ τὰ ὅπλα καὶ αὐτὸν ἐμέ. Euthyd. 273 B, ὁ δὲ παρ' αὐτὸν ἐμέ. **6** θεάσαι ὡς πλεονεκτικῶς is said ironically 'look how selfishly.' **8** Hirschig reads ἔσται, see above 87 A and E. **9** ἀλλ' οὖν 'well, then at least:' ἀλλά is often found in an apodosis after a sentence with εἰ, comp. e.g. Protag. 353A, εἰ μή ἐστι τοῦτο τὸ πάθημα ἡδονῆς ἡττᾶσθαι, ἀλλά τί ποτ' ἐστί ; **10** ὀδυρόμενος does not seem to me to give the sense required here. Cary translates 'I shall be less disagreeable to those present by my lamentations.' But this can only mean 'less disagreeable because I lament,' while Socr. certainly means to say 'because I *do not* lament.' Comp. the analogous passage Sympos. 176 c, ἴσως ἂν ἐγὼ περὶ τοῦ μεθύσκεσθαι, οἷόν ἐστι, τἀληθῆ λέγων ἧττον ἂν εἴην ἀηδής, *minus molestus ero, si de ebrietate vera dixero.* This reasoning proves to my mind that a little word has dropt out before ὀδυρόμενος, perhaps μὴ or ἤ. It is very strange that no editor should have considered this passage deserving of a note. **11** ξυνδιατελεῖ is fut. 'will remain.' **18** ἑαυτόν stands for the first person ἐμαυτόν, see above 78 B and 101 D below. **19** τὸ κέντρον ἐγκαταλιπών : an unmistakeable allusion to Eupolis' lines about Pericles οὗτος ἐκήλει καὶ μόνος τῶν ῥητόρων Τὸ κέντρον ἐγκατέλειπε τοῖς ἀκροωμένοις (cf. Cic. de Or. 3, 34).

XLI—XLIII. ARGUMENT IV : THE SOUL IS SHOWN TO BE A PRINCIPLE AND NOT A HARMONY, 1st, AS THIS ASSUMPTION WOULD BE INCONSISTENT WITH THE DOCTRINE OF REMINISCENCE, 2nd, BECAUSE THE SOUL DOES NOT ADMIT OF DEGREES, 3rd, BECAUSE THIS THEORY WOULD, AFTER ALL, BE INSUFFICIENT TO EXPLAIN THE FACTS OF THE CASE. THE SOUL IS IMMORTAL AND DIVINE AND THE DOMINANT PRINCIPLE IN THE HUMAN BEING.

XLI. p. 53, **21** ἀλλ' ἰτέον 'let us begin' = ἴωμεν δὴ κ.τ.λ. above 78 c. For the asyndeton in the next sentence Stallb. comp. Apol. 38 D. Protag. 338 c. Rep. 3, 412 c. **24** ὅμως with a participle

has the same sense as καίπερ with a part. 'although' or 'for all
that it is.' Comp. Phileb. 12 B, Xen. Cyr. 5, 1, 26. **25** ἐν ἁρμο-
νίας εἴδει οὖσα = ἁρμονία οὖσα, comp. Menex. 249 A, ἐν πατρὸς σχήματι
καταστᾶσα ἡ πόλις. **27** ἀλλὰ sc. φάναι, a verb easily supplied
from the preceding ξυγχωρεῖν.—ἄδηλον is construed with μή,
because it has almost the notion of παντὶ φοβητέον. p. 54, 3
οὐδὲν παύεται ' ceases not one bit:' cf. 100 B, ἅπερ…οὐδὲν πέπαυμαι
λέγων, and Riddell § 6. **13** θαυμαστῶς ὡς: comp. Don. §
404. **18** ἤδε ἡ οἴησις, τὸ—εἶναι: below, 94 B, we have in pre-
cisely the same manner an infinitive sentence added as the
epexegesis of a subst. **20** ξυγκεῖσθαι is the Attic form in-
stead of ξυντεθεῖσθαι which would, however, be used in later Greek
only: the reviewer of my edition of the Apology in the Cambr.
Univ. Gazette 1869, no. 22 well compares Legg. 793 B, νόμων…τῶν
ἐν γράμμασι τεθέντων τε καὶ κειμένων καὶ τῶν ἔτι τεθησομένων.
**21** ἀποδέχεσθαι is construed with a genitive below 96 E; we might
here and directly afterwards, E, also take the constr. as a genitive
absolute. See Jelf § 485. **24** ταῦτα refers to the previous
assertion that harmony was composed prior to the things which
were required for its composition. ξυμβαίνει, as we have already
had occasion to observe, denotes logical consequence. **27** ἐκ
τῶν οὐδέπω ὄντων viz. the body and its component parts. **28**
τοιοῦτον ᾧ = τοιοῦτον οἷον ἐκεῖνο ᾧ: Heind. quotes Rep. 1, 349 D
τοιοῦτος ἄρα ἐστὶν ἑκάτερος αὐτῶν οἷσπερ ἔοικεν. See Jelf § 594, 2
Obs. 3. p. 55, **9** ἄνευ ἀποδείξεως without a strict logical
demonstration, μετὰ εἰκότος τινὸς 'with a certain amount of proba-
bility:' but what should be thought of these arguments, is stated
directly afterwards; Plato might then have continued καὶ εὐπρε-
ποῦς (cf. Thuc. 3, 38 τὸ εὐπρεπὲς τοῦ λόγου ἐκπονήσας παράγειν
πειράσεται), but prefers the noun (ib. 3, 11 ἡ εὐπρέπεια τοῦ
λόγου). **13** ἀλαζόσι 'cheats:' ἀλαζών, ψευδής Timaeus. **18**
αὐτῆς ἔστιν 'belongs to her.' **19** ἱκανῶς ' on satisfactory
evidence.'

XLII. p. 55, **28** On παρά after ἄλλο see Jelf § 637, III, 3 *g.*
**29** ἡγεῖσθαι 'to take the lead' and so to be prior to these things.
p. 56, **1** ἐναντία should be joined with κινηθῆναι ἢ φθέγξασθαι.
**6** ἐνδέχεται 'it is possible:' the original expression being τὸ πρᾶγ-
μα ἐνδέχεται 'the thing allows.'——μᾶλλον 'in a higher degree,'
ἧττον 'in a lesser degree.' **9** τοῦτο ὥστε: comp. below 103 E
where we have the same construction. ὥστε might also be omit-
ted.——καὶ κατὰ τὸ σμικρ. 'even in the smallest extent.' The

question is: can one soul be more a soul than another, just as one harmony can be harmony in a higher degree than another? In constituting the reading of the passage, I have followed Van Heusde's conjectures in bracketing μᾶλλον and adding ψυχὴν before ψυχῆς, which seems to be necessary in accordance with Plato's usage: see directly below D and other instances collected by Stallb. on Hipp. mai. 299 D. The explanation given of the first μᾶλλον is, I confess, perfectly unintelligible to me: 'ut alter altero magis plus atque magis et minus ac minori gradu hoc ipsum sit, animus;' and I always take to be a sure sign of a wrong reading, if thinking over an explanation given of it by its defenders causes the reader a headache.        16 θεμένων 'Bodl. pr. et Ven. II Tub., quod ego quidem non probaverim, sed Herm. recepit,' STALLB.; it would be interesting to know Stallb.'s reasons for rejecting θέμένων, as we have an analogous instance directly afterwards l. 23 in ὑποθέμενος. 25 ἔστιν 'means' or 'signifies.'        p. 57, 18 ψυχαὶ πάντων ζώων : 'the consequence of the hypothesis of Simmias would be not only the obliteration of the distinction between the virtuous and the vicious, but also between man and the lower animals.' GEDDES. 21 πάσχειν ἂν=ὅτι ἂν ἔπασχεν ὁ λόγος 'that our argument would come to this untenable position.'

XLIII. p. 57, 24 τῶν ἐν ἀνθρ. πάντων is a partitive genitive dependent on ἐσθ' ὅ,τι ἄλλο.        30 ἄλλα μυρία : for the constr. see n. on Apol. p. 37, 19.        p. 58, 4 οἷς ἐπιτείνοιτο=τούτοις ἃ (acc. determ.) ἐπιτ.—ἄλλο ὁτιοῦν πάθος κ.τ.λ. =καὶ ἄλλῳ ᾡτινιοῦν πάθει ὃ ἐκεῖνα πάσχοιεν.        9 φησί τις 'eodem iure quo φαμὲν dictum est,' HERM.: I should rather think that φησί τις=φασίν; but at any rate there is no reason for changing φησί with Bekker into φήσει.        10 ὀλίγου: see above 80 c.        14 ταῖς ἐπιθυμίαις κ.τ.λ.: these datives are not governed by νουθετοῦσα, which verb rather requires the acc., but by ἀπειλοῦσα: instances analogous to the present case have been collected by the commentators: Isocr. Areopag. § 48 ἐν τοῖς ἐπιτηδεύμασιν ἔμενον, ἐν οἷς ἐτάχθησαν, θαυμάζοντες καὶ ὁμιλοῦντες τοὺς ἐν τούτοις πρωτεύοντας. Lysias in Andoc. § 33 εἰς τοιοῦτον δὲ ἀναισχυντίας ἀφῖκται ὥστε καὶ παρασκευάζεται τῇ πόλει καὶ πράττει καὶ ἤδη δημηγορεῖ, καὶ ἐπιτιμᾷ καὶ ἀποδοκιμάζει τῶν ἀρχόντων τισί. HEINDORF. Stallb. adds Plato Legg. 11. 934 E, 12, 964 B; but the passage which he quotes from Sophocles, Antig. 537, καὶ συμμετίσχω καὶ φέρω τῆς αἰτίας, has nothing whatever to do with this point, as Wex's note will be sufficient to show. But add Protag. 327 A, καὶ ἐδίδασκε καὶ ἐπέπληττε τὸν μὴ καλῶς

αὐλοῦντα, where we should expect the dative in agreement with ἐπι-
πλήττειν. 17 οὗ (Odyss. α 17) λέγει τὸν Ὀδυσσέα 'he says of
Ulysses:' for the constr. comp. above 79 B. 20 ὡς with the
genitive absol. instead of ἀρμονίαν εἶναι: as it appears a favourite
constr. with Plato. Stallb. collects the foll. instances: Cratyl.
439 C, διανοηθέντες—ὡς ἰόντων ἀπάντων καὶ ῥεόντων. Legg. 1, 624 B,
μῶν—λέγεις ὡς τοῦ Μίνω φοιτῶντος πρὸς τὴν τοῦ πατρὸς ἑκάστοτε
ξυνουσίαν; Phil. 16 D, ταύτην τὴν φήμην παρέδοσαν ὡς ἐξ ἑνὸς μὲν
καὶ ἐκ πολλῶν ὄντων τῶν ἀεὶ λεγομένων εἶναι. 21 καὶ οἵας ἄγε-
σθαι=καὶ τοιαύτης ὥστε ἄγεσθαι. 23 καὶ οὔσης κ.τ.λ. 'although
it is.' 24 ἢ καθ' ἀρμονίαν 'than in the manner of harmony:'
Jelf § 629, 3 c. Riddell § 165 (p. 182).


XLIV—XLIX. DIGRESSION PREPARING THE ANSWER TO THE
OBJECTION OF CEBES WHICH INVOLVES THE QUESTION OF CAUSATION
IN THE CHANGES CALLED GENERATION AND DESTRUCTION. REVIEW
OF THE THEORIES OF PREVIOUS PHILOSOPHERS, ESPECIALLY OF
ANAXAGORAS WHO WAS NOT CONSISTENT IN APPLYING THE PRINCIPLE
HE HAD DISCOVERED. IN OPPOSITION TO THE PHYSICAL PRINCIPLES
OF PREVIOUS PHILOSOPHERS, THE NECESSITY OF INTELLECTUAL PRIN-
CIPLES IS DEMONSTRATED. THE PRINCIPLE THAT THE *IDEA* UNDER-
LIES ALL PHENOMENA IS ENOUNCED AND ILLUSTRATED BY EX-
AMPLES.

XLIV. p. 59, 1 τὰ Ἁρμονίας τῆς Θηβαϊκῆς: Harmonia, the
daughter of Venus, was the wife of Cadmus, the founder of Thebes.
The comparison of Simmias with Harmonia and of Cebes with
Cadmus has puzzled some commentators, and Olympiodorus finds
even a very mystic sense in it; to me it seems to be little more
than a mild joke: Simmias and Cebes are, as we have seen, in-
separable friends, and stick together just like man and wife.
Stallb. says 'τὰ Κάδμου vocat Cebetis rationem qui concesserat
quidem animos corpore esse diuturniores, eosdem numquam in-
terituros esse negaverat. illa facilior, haec difficilior ad refellen-
dum fuit. quamobrem facile illa uxori, haec marito tribuitur.'
I doubt if this be true; common experience shows I think that it
is far more difficult to convince a woman than a man.
5 θαυμαστῶς—ὡς παρὰ δόξαν: for the separation of ὡς from the
adv. to which it belongs comp. below, 99 D, ὑπερφυῶς μὲν οὖν, ἔφη,
ὡς βούλομαι. 102 A, θαυμαστῶς γάρ μοι δοκεῖ ὡς ἐναργῶς—εἰπεῖν
ἐκεῖνος ταῦτα. 6 Transl. 'I wondered at Simmias' explanation
when he stated his doubts.' The sentence would be smoother by

admitting ὅ, τι with Forster, Heindorf, and Hirschig.

7 χρήσασθαι τῷ λόγῳ, 'to deal with the argument,' i. e. to 'refute'
it. So Hipp. mai. 299 B, ἀλλ' ἔχεις τι χρῆσθαι τῷ λόγῳ, ἤ τι καὶ
ἄλλο ἐροῦμεν; (In accordance with this passage Hirschig admits
χρῆσθαι in the text on the authority of inferior mss.) Theaetet.
165 B, τί γὰρ χρήσῃ ἀφύκτῳ ἐρωτήματι;    11 ἡμῶν belongs to
τὸν λόγον.—βασκανία fascinum: it is an idea very common with the
ancients, and just as common with modern nations that boasting
is punished by the gods and causes misfortune.  It is needless
to trouble the reader with the great number of passages in which
the βασκανία occurs; the motive is always the same as is contained
in Sophocles' well-known words Ζεὺς μεγάλης γλώσσης κόμπους
Ὑπερεχθαίρει.  In the Rep. 5, 451 A, Socr. says προσκυνῶ δ' Ἀδρά-
στειαν, ὦ Γλαύκων, χάριν οὗ μέλλω λέγειν.  Comp. Legg. 4, 717 D.
For μέγα λέγειν see n. on Apol. p. 6, 24.    13 Ὁμηρικῶς 'using
the Homeric phrase ἐγγὺς ἰέναι' (Π. 4, 496. 5, 611. 6, 143), and of
course suiting the action to the word.    15 ἀξιοῖς ἐπιδειχθῆναι
= ἄξιον λέγεις ἐπιδειχθῆναι, 'operae pretium esse dicis ut demon-
stretur.'  ἐπιδεικνύναι 'vi ostendendi ac demonstrandi ea condicione
atque lege usurpari videtur, ut simul in aliquo loco vel argumento
subsisti aut ceteris, quae sunt exposita, aliquid addi significetur.'
STALLB.  Hirschig reads ἀποδειχθῆναι which is also given by the
ms. Φ.    18 διαφερόντως i. e. much better.—ἐν ἄλλῳ βίῳ 'in a
different pursuit,' not in that of a philosopher.    20 τὸ δὲ ἀπο-
φαίνειν κ.τ.λ.  The sense of this clause is clear enough, nor does
the constr. deviate so much from Plato's general style as to justify
the changes which have been proposed by some of the editors.
The only irregularity consists in the interruption of the constr.
after the verb κωλύειν according to which we should expect οὐδὲν
κωλύειν φῂς πάντα ταῦτα μηνύειν ὅτι πολυχρόνιόν τέ ἐστι ψυχὴ—ἀλλ'
οὐκ ἀθανασίαν.  The second inf. μηνύειν is dependent on κωλύειν:
comp. an analogous instance in the Apol. p. 16, 2, where we have
two participles, the first subordinate to the second.  The begin-
ning of the sentence should be rendered 'as regards the proof
that.'    28 ζῴη—ἀπολλύοιτο, for the optative without ἄν see
n. on 86 A, above.  Wyttenbach transposes the whole passage μὴ
(so he writes for καὶ) ταλαιπωρουμένη—ἀπολλύοιτο after ἀθάνατόν
ἐστι : it must be confessed without any cogent reason, but yet the
sense which he then obtains is so satisfactory that one would wish
the mss. were in favour of his reading.    p. 60, 3 πρός γε τὸ
ἕκαστον ἡμῶν φοβεῖσθαι 'so far as our individual apprehensions are

concerned.' GEDDES.     8 For the subjunctive after βούλει see Jelf, § 417.

XLV. p. 60, 15 τά γ' ἐμὰ πάθη 'what happened to myself' in attempting the same investigation.     17 ὦν λέγεις is the reading preferred by most editors, though the Bodl. and one other good ms. have ὦν ἂν λέγῃς. This reading Riddell, § 65, translates: ' you can apply it to satisfying yourself with respect to your objections, whatever they be,' and adds the following comments, 'It is true thai the objections had preceded, but this only makes the instance parallel to 98 E; and what ὦν ἂν intimates is that Socr. does not wish to bind Cebes in the precise case he has stated. As just before he had said ἐξεπίτηδες πολλάκις ἀναλαμβάνω, ἵνα μή τι διαφύγῃ ἡμᾶς, εἴ τέ τι βούλει προσθῇς ἢ ἀφέλῃς,—to which Cebes had guardedly replied ἀλλ' οὐδὲν ἔγωγε ἐν τῷ παρόντι οὔτ' ἀφελεῖν οὔτε προσθεῖναι δέομαι,—he now, by giving a *general* turn to the sentence, leaves a loophole open for future qualification.'

21 ἱστορία φύσεως 'the investigation of Nature,' denotes the speculations of the Pre-Socratic philosophers; of these Socr. had no very high opinion: comp. his judgment as recorded by Xenophon, Mem. 1, 1, 11, τοὺς φροντίζοντας τὰ τοιαῦτα (sc. τὰ περὶ τῆς τῶν πάντων φύσεως) μωραίνοντας ἀπεδείκνυεν.— ὑπερήφανος sc. ἡ ἱστορία or σοφία.     24 ἄνω κάτω is a proverbial expression in which καί is frequently omitted. So still in modern Greek: Coraïs on Isocr. p. 179 (236, 7). In Gorg. 481 E, we have the same expression ἄνω καὶ κάτω μεταβάλλεσθαι, where it means 'frequently change one's opinion.'     25 σηπεδόνα of digestion, a medical term well illustrated by Forster by a reference to Athen. 7, 1, p. 276, where ἡ σηπεδών is explained = ἡ πέψις, and Galen. in Hippocr. Aphorism. 6, 1, παλαιά τις ἦν συνήθεια τούτοις τοῖς ἀνδράσιν ἄσηπτα καλεῖν ἅπερ ἡμεῖς ἄπεπτα λέγομεν.—Fischer compares Arist. Meteorolog. 4, 1, σῆψις δ' ἔστι φθορὰ τῆς ἐν ἑκάστῳ ὑγρῷ οἰκείας καὶ κατὰ φύσιν θερμότητος, ὑπ' ἀλλοτρίας θερμότητος· αὕτη δ' ἔστιν ἡ τοῦ περιέχοντος— καὶ ζῶα ἐγγίγνεται τοῖς σηπομένοις διὰ τὸ τὴν ἀποκεκριμένην θερμότητα φυσικὴν οὖσαν συνεστάναι τὰ ἐκκριθέντα. The doctrine on the origin of living beings mentioned in the text was especially Anaxagorean: Diog. Laërt. 2, 9, τὰ ζῶα γενέσθαι ἐξ ὑγροῦ τε καὶ θερμοῦ καὶ γεώδους: but the same writer mentions it also of Archelaus (represented as the teacher of Socr.) 2, 16, ἔλεγε δύο αἰτίας εἶναι γενέσεως, θερμὸν καὶ ψυχρόν.     27 αἷμα κ.τ.λ.: the opinion of Empedocles (αἷμα γὰρ ἀνθρώποις περικάρδιόν ἐστι νόημα): see Cic. Tusc. 1, 9, with the notes of Davies and other commentators.—ἢ ὁ ἀήρ;

'Anaximeni hanc sententiam tribuit Plut. De placit. phil. 1, 3. Itemque τοῖς ἀπὸ Ἀναξαγόρου ibid. 2, 4. Anaximandro autem, Anaximeni, Anaxagorae et Archelao Theodoret. Therapeut. p. 545. Idem etiam Diogeni (Apolloniatae) et aliis quibusdam probatum esse tradit Arist. De anima 1, 2.' FORSTER.    **28** ἢ τὸ πῦρ: Heraclitus' doctrine, later on adopted by the Stoics.—ὁ δὲ ἐγκέφαλος, most probably the doctrine of Pythagoras: cf. Diog. Laërt. 8, 30, εἶναι τὴν ἀρχὴν τῆς ψυχῆς ἀπὸ καρδίας μέχρις ἐγκεφάλου, καὶ τὸ μὲν ἐν τῇ καρδίᾳ μέρος αὐτῆς ὑπάρχειν θυμόν, φρένας δὲ καὶ νοῦν τὰ ἐν τῷ ἐγκεφάλῳ.    p. 61, **1** λαβούσης τὸ ἠρεμεῖν ' having settled down to a quiet state.'—κατὰ ταῦτα = οὕτως 'accordingly.' Heindorf prefers κατὰ ταὐτά 'eodem modo.'    **2** 'It is difficult to trace up to any special philosophic sect the sensational hypothesis here described, which derives ἐπιστήμη from a very different source from that which Plato allowed: Professor Thompson (Arch. Butler's Lectures, Vol. 2, p. 103) considers it "a specimen of popular metaphysic."' GEDDES.    **9** The words ἃ καὶ πρὸ τοῦ ᾤμην εἰδέναι are strictly speaking superfluous, being a mere repetition of the preceding ἃ καὶ πρότερον σαφῶς ἠπιστάμην: but this repetition is quite in keeping with Plato's style.    **16** Hirschig seems to be right in transposing ὄγκον ὀλίγον: he says 'pertinet ὀλίγον ad ὄντα. est brevis dicendi ratio, quae plene sic se habet alibi: τὸν ὄγκον πρότερον ὀλίγον ὄντα ὕστερον.'    **18** μετρίως 'with sufficient reason,' = ἱκανῶς.    **20** Wyttenbach and Hirschig propose to change αὐτῇ into αὐτοῦ, and I think they are right in requiring that the object of the comparison should be expressed. Hirschig says 'comparativo adsit genitivus necesse esse multa exempla in mox sequentibus obvia docent. praeterea vide 100 E, εἴ τίς τινα φαίη ἕτερον ἑτέρου τῇ κεφαλῇ μείζω εἶναι.' But αὐτῇ is supported by all mss. and even by the old Sicilian translation quoted by Wyttenb. which has *homo magnus parvo maior esse ipso capite*, where *ipso* belongs to *capite*. But why not change σμικρῷ into σμικροῦ? The dative in the mss. is no doubt owing to the impression that παρα στὰς required it: but this can be used absolutely, or rather σμικρῷ should be supplied for it. If σμικροῦ be right, we should translate 'for I thought I had a correct impression, whenever a big man standing near appeared to be greater by a *whole* (αὐτῇ) head than the small man.' In many mss. even ἵππου has been changed into ἵππῳ.    **23** προσθεῖναι is the reading of the Bodl. pr. m. and may be right; but it should be confessed that προσεῖναι (see crit. notes) agrees better with the infin. ὑπερέ

χεῖν which is used below in the same sense. προσθεῖναι may easily
have got into the text from the expressions used at the end of the
page  **28** ἀποδέχεσθαι c. gen.: see above, 91 E.  p. 62, **4** αὕ-
τη se. τὸ πλησιάζεσθαι. This is afterwards explained by the epex-
egesis ἡ ξύνοδος κ.τ.λ.  Comp. the following clause. αἴτιος admits
of a double constr., either the mere infinitive or the gen. of the
infin.  **15** φύρω: we might say 'brew' or 'cook:' for the
Greek Stallb. compares Aristoph. Birds, 462, προσπεφύραται λόγος
εἶς μοι, ὃν διαμάττειν οὐ κωλύει.  **16** προσίεμαι 'I approve,' or
'admit:' Don. p. 451.

XLVI. p. 62, **18** ὡς ἔφη se. ὁ ἀναγιγνώσκων. The gen. Ἀναξαγόρου
depends on βιβλίου 'hearing a person once reading from a book
(written), as he said, by Anaxagoras.' For Anaxagoras see Grote
H. Gr. 4, 231. The work in question was entitled Φυσικά.  **22**
τόν γε νοῦν κοσμοῦντα πάντα κοσμεῖν 'that the Mind while it is regu-
lating should regulate all things.' This translation shows that it
is neither necessary nor advisable to consider κοσμεῖν as spurious,
though Herm. does so.  **24** f. αἰτίαν περὶ ἑκάστου: the same
constr. occurs 96 D, 97 D, 98 D, and elsewhere. Comp. below ἐπι-
στήμη περί τινος.  **29** αὐτοῦ ἐκείνου: 'eleganter ἐκεῖνος pro
reflexivo ponitur, ubi peculiaris subiecti vis universo sententiae
ponderi cedit: cf. Lysias adv. Alc. II § 11 ὧν οἱ νόμοι—οὐδένα κυριώ-
τερον ἐκείνων ἀποδεικνύουσι, ubi recte Foertschius Obs. crit. p. 70
Augeri coni. ἑαυτῶν reiecit, pluraque apud Held. ad Plut. Timol. p.
373.' HERMANN. For the use of ἐκεῖνος in Plato see also Riddell, §49.
For ἀλλ' ἤ after negative clauses see above p. 30, 12.  p. 63, **5** The
expression κατὰ νοῦν ἐμαυτῷ is no doubt chosen in allusion to the
Νοῦς of Anaxagoras; 'acumen est in ambiguitate, qua κατὰ νοῦν
secundum mentem Anaxagorae placitum significat, et vulgo
usurpatur gratum, ex animi nostri sententia.' WYTTENB. The sen-
tence is continued in a somewhat loose manner, the subject αὐτὸν
being omitted with the infinitive φράσειν.  **6** πότερον ἡ γῆ
πλατεῖά ἐστιν ἢ στρογγύλη: the first was the opinion of Anaxi-
menes, adopted, as it seems, by Anaxagoras, the second that of
Anaximander, who maintained that the shape of the earth was
like a κίων, with regard to which Plato seems here to have chosen
the word στρογγύλος. See Plut. de plac. philos. 3, 10. Euseb.
Praep. Ev. 1, 8. Diog. Laërt. 2, 1, 2, 3, 4. Arist. de caelo 2, 13.
**10** ἐπ-εκδιηγήσεσθαι 'to explain furthermore, in addition.'  **11**
ἐν μέσῳ: in accordance with the tenets of the Ionic and Eleatic
philosophers. Laërt. 9, 2. Plut. de plac. philos. 3, 4. Cic. Tusc.

1, 17, 28.    12 ποθεσόμενος is here given on the authority of only two inferior mss.: the Bodl. and the better class have ὑποθέ-μενος, one ms. has ἴσως ποθήσων as a conjectural reading in the margin, and two have the conjecture ὑποθησόμενος which was the received reading before Heindorf and Bekker.  It is, however, impossible to establish that ποθεσόμενος is the genuine reading, though it may be admitted that it has much probability. Eustath. on Od. β 375 says τὸ δὲ ποθέσαι ἀντὶ τοῦ ποθῆσαι δοκεῖ μὲν ποιητικόν, ἔστι δὲ ἀληθῶς Ἀττικόν, εἴγε καὶ Πλάτων ἐν τῷ περὶ ψυχῆς φησι 'παρ-εσκευασάμην ὡς οὐκέτι π ο θ έ σ ω ν ἄλλο εἶδος αἰτίας' λέγεται τοίνυν ἑκατέρως καὶ ποθῆσαι, καὶ ποθέσαι.  The future ποθέσομαι is quoted from only one other passage, Lys. 8, 18, but there Scheibe's edition reads ποθήσομαι on the authority of two mss.  The arguments which Heindorf brings forward against ὑποθησόμενος are 'neque in Socratem convenit ex aliis rerum causas h. l. quaeren-tem,' but surely ὑποτίθεσθαι is quite in its place here, as it means 'to surmise or suppose reasons,' (cf. 100 A) and the second argument 'neque librorum comprobatur suffragiis' is certainly false, ὑποθησόμενος being just as easily obtained from ὑποθέμενος as ποθεσόμενος.  I have made this note purposely somewhat long in order to show with what difficulties Platonic criticism is often beset.    13 οὕτω παρεσκευάσμην, ὡσαύτως πευσόμενος: Heindorf aptly compares Xen. Cyrop. 8, 5, 5 ὡσαύτως δὲ οὕτως ἔχει καὶ περὶ κατασκευῆς.    15 πρὸς ἄλληλα i. e. in their mutual proportions of speech.    17 ποιεῖν sc. ἃ ποιεῖ, but it is by no means necessary to add these words in the text.  See also Riddell § 231.    24 πάνυ σπουδῇ is a phrase very common in all Attic writers, but especially in Thucydides and Plato.    25 ἀνεγί-γνωσκον 'began to read.'    28 ἀπὸ should be interpreted 'start-ing from great hope,' ᾠχόμην φερόμενος 'I was sailing along' (comp. the numerous expressions in which φέρεσθαι is used in a nautic sense 'to be carried along' by the wind: ἐπειδή, when (cum).  This I believe to be the most natural explanation of the passage; least of all should I approve of Stallb.'s translation 'de praeclara hac spe confestim depellebar.'    29 προϊὼν καὶ ἀναγιγνώσκων is a hendiadys = ἐν τῷ ἀναγιγνώσκειν προϊών.  p. 64, 1 ἐπειδὴ ὁρῶ: notice the present in the dependent sentence.  "The fact of which Socrates had become aware was one which, with its consequence of disappointed hopes, still remained in full force at the time at which he was speaking." Riddell § 89.    ἄνδρα not 'the man,' but 'a man' = τινὰ, ironically: comp. Soph. Ai. 1142, ἤδη ποτ' εἶδον

ἄνδρ' ἐγὼ γλώσσῃ θρασύν (with ironical reference to Teucer) and ib.
1150, ἐγὼ δέ γ' ἄνδρ' ὄπωπα μωρίας πλέων (with reference to Mene-
laus). So Arist. Achar. 1128, ἐνορῶ γέροντα δειλίας φευξούμενον.
STALLB.——τῷ μὲν νῷ οὐδὲν χρώμενον κ.τ.λ.: this was no doubt
Socrates' own judgment, cf. Xen. Mem. 4, 7, 6 κινδυνεῦσαι δ' ἂν
ἔφη καὶ παραφρονῆσαι τὸν ταῦτα μεριμνῶντα οὐδὲν ἧττον ἢ Ἀναξαγό-
ρας παρεφρόνησεν ἐπὶ τῷ τὰς τῶν θεῶν μηχανὰς ἐξηγεῖσθαι. Plato
Legg. 12, 967 B καί τινες ἐτόλμων τοῦτό γε αὐτὸ παρακινδυνεύειν καὶ
τότε λέγοντες ὡς νοῦς εἴη διακεκοσμηκὼς πάνθ' ὅσα κατ' οὐρανόν·
οἱ δὲ αὐτοὶ πάλιν ἁμαρτάνοντες ψυχῆς φύσεως ὅτι πρεσβύτερον εἴη
σωμάτων, διανοηθέντες δὲ ὡς νεώτερον, ἅπανθ', ὡς εἰπεῖν ἔπος, ἀνέτρε-
ψαν πάλιν, ἑαυτοὺς δὲ πολὺ μᾶλλον· τὰ γὰρ δὴ πρὸ τῶν ὀμμάτων
πάντα αὐτοῖς ἐφάνη, τὰ κατ' οὐρανὸν φερόμενα, μεστὰ λίθων εἶναι καὶ
γῆς καὶ πολλῶν ἄλλων ἀψύχων σωμάτων διανεμόντων τὰς αἰτίας παντὸς
κόσμου. Arist. Metaph. 1, 4, Ἀναξαγόρας τε γὰρ μηχανῇ χρῆται τῷ νῷ
πρὸς τὴν κοσμοποιίαν καὶ ὅταν ἀπορήσῃ διὰ τίν' αἰτίαν ἐξ ἀνάγκης ἐστί,
τότε ἕλκει αὐτόν· ἐν δὲ τοῖς ἄλλοις πάντα μᾶλλον αἰτιᾶται τῶν γινομέ-
νων ἢ νοῦν.     6 κἄπειτα falls under the same rule as κᾆτα, for
which see Jelf, § 697 d.     10 οἷα = τοιαῦτα ὥστε.     13 ξυμβολαί
'ligaments,' called *commissurae* by Cic. N. D. 2, 55.     21 The
comparatives βέλτιον and δικαιότερον are easily understood by sup-
plying ἤ μ' ἀπολύειν and ἢ ἀποδιδράσκειν. The justification of his
conduct with regard to his remaining in the prison and suffering
death (δικαιότερον κ.τ.λ.) is the subject of the Crito to which we
have here an unmistakeable allusion.     23 ἢν ἂν κελεύσωσι "has
no future force, for the penalty had been awarded: but it gives the
meaning 'that it is right to stay and abide the penalty, whatever
it be, which they have awarded.'" Riddell, § 65. This observa-
tion is directed against Hirschig who pronounces these words to be
an interpolation.     23 νὴ τὸν κύνα: see on Apol. 22 A.
25 περὶ Μέγαρα ἢ Βοιωτούς: so Crito 53 B, αὐτὸς δὲ πρῶτον μὲν ἐὰν
εἰς τῶν ἐγγύτατά τινα πόλεων ἔλθῃς, ἢ Θήβαζε ἢ Μέγαράδε κ.τ.λ.
27 πρό after comparatives: see n. on Apol. p. 18, 26. Jelf, § 619,
3 b.     p. 65, 3 I have kept the text of the best mss. καὶ ταῦτα,
as I believe it capable of explanation, καί having here an em-
phatic sense 'and moreover;' ταῦτα = τὰ ὑπ' ἐμοῦ ποιούμενα, 'all
this,' most probably accompanied by some deictic gesture: Socr.
means τὸ καθῆσθαι καὶ τὸ παραμένοντα ὑπέχειν τὴν δίκην καὶ τὰ ἄλλα
τοιαῦτα. Heindorf writes καὶ ταῦτα νῷ πράττων 'praesertim mente
agens,' a reading which, though quite correct, produces here a
somewhat awkward impression; Bekk. and Stallb. prefer καὶ ταύτῃ

'and that in this manner I act with my mind,' a sense which might also be attained by repeating the prep. διά before ταῦτα. 4 In the Bodl. and three other mss. ἄν is omitted, and this reading is defended by Riddell, § 67, who says that ἄν should be understood from the preceding co-ordinate sentence. All other critics admit ἄν into the text. 5 τὸ γὰρ μὴ διελέσθαι—αἴτιον forms the subject to an imaginary predicate, which is omitted because unfavourable and as it may easily be supplied by the listener who has followed the course of the argument: viz. εὐηθές ἐστιν. We have an analogous instance Sympos. 177 c, τὸ οὖν τοιούτων πέρι πολλὴν σπουδὴν ποιήσασθαι, Ἔρωτα δὲ μηδένα πω ἀνθρώπων τετολμηκέναι—ἀξίως ὑμνῆσαι sc. θαυμάσιόν ἐστιν. In the same way we find infinitive sentences commenced and left without a final verb in Xen. Mem. 1, 4, 12, and 4, 3, 5. In illustration of the sentence Forster quotes Tim. 46 D, δοξάζεται δὲ ὑπὸ τῶν πλείστων οὐ ξυναίτια (subsidiary cause), ἀλλ᾽ αἴτια (cause) εἶναι τῶν πάντων ψύχοντα καὶ θερμαίνοντα, πηγνύντα τε καὶ διαχέοντα, καὶ ὅσα τοιαῦτα ἀπεργαζόμενα. 8 ψηλαφῶ " λέξις αὕτη μουσική, ἐπεὶ κυρίως ἐπὶ χορδῶν τὸ ψηλαφᾶν λέγεται παρὰ τὸ ψαλτήριον ἀφᾶν" Phavorinus: the word 'properly signifies *feeling* or fumbling among the strings in search of the right note. Comp. Aristoph. Pac. 691, ἐψηλαφῶμεν ἐν σκότῳ τὰ πράγματα, Νυνὶ δ᾽ ἅπαντα πρὸς λύχνον βουλεύσομεν᾽ GEDDES, who also quotes Act. Apost. 17, 27, where this term is applied to the *groping* of the heathen after God. δ belongs both to ψηλ. and προσαγορεύειν, and αὐτὸ is superfluous. 9 ὀνόματι is the reading of a number of inferior mss., the Bodl. and other mss. having ὄμματι: but Stobaeus also reads ὀνόματι in quoting the passage, and ὄμματι is scarcely capable of explanation. Reisig's interpretation, Enarr. Oed. Col. 142 (' alieno oculo significantur ea membra quibus in tenebris rem obscuram tentant') would be admissible in Aeschylus or Sophocles, but scarcely in Plato. The reading ὄμματι no doubt arose from a mistaken comparison with τοῖς ὄμμασι below E or ὄμματα D. 10 f. δίνην—ὑπὸ τοῦ οὐρανοῦ ' vortex qui a caelo fit:' instances in which a noun is joined with a prep. are not scarce: many are here collected by Heind. and Stallb. Herm. connects ὑπὸ τοῦ οὐρανοῦ with μένειν, in the sense of *sustineri*. The allusion is to Empedocles, cf. Arist. de Caelo, 2, 13, οἱ δέ, ὥσπερ Ἐμπεδοκλῆς, τὴν τοῦ οὐρανοῦ φορὰν κύκλῳ περιθέουσαν καὶ θᾶττον φερομένην τὴν τῆς γῆς φορὰν κωλύειν, καθάπερ τὸ ἐν τοῖς κυάθοις ὕδωρ· καὶ γὰρ τοῦτο, κύκλῳ τοῦ κυάθου φερομένου, πολλάκις κάτω τοῦ χαλκοῦ γιγνόμενον ὅμως οὐ φέρεται, κάτω πεφυκὸς

φέρεσθαι, διὰ τὴν αὐτὴν αἰτίαν. In derision of this doctrine Aristoph.
Clouds, 379, introduces Δῖνος as the new king of the universe
ἀντὶ Διός. 11 ὥσπερ καρδόπῳ: the irony is as perceptible
here as in Arist. Clouds, 670 ff. For the subject comp. again
Arist. l.l. Ἀναξιμένης δὲ καὶ Ἀναξαγόρας καὶ Δημόκριτος τὸ πλάτος
αἴτιον εἶναί φασιν τοῦ μένειν αὐτήν. οὐ γὰρ τέμνειν, ἀλλ' ἐπιπωματίζειν
τὸν ἀέρα τὸν κάτωθεν, ὥσπερ φαίνεται τὰ πλάτος ἔχοντα τῶν σωμάτων
ποιεῖν· ταῦτα γὰρ καὶ πρὸς τοὺς ἀνέμους ἔχει δυσκινήτως διὰ τὴν
ἀντέρεισιν. ταὐτὸ δὴ τοῦτο ποιεῖν τῷ πλάτει φασὶ τὴν γῆν πρὸς τὸν
ὑποκείμενον ἀέρα· τὸν δὲ οὐκ ἔχοντα μεταστῆναι τόπον ἱκανὸν ἀθρόον
τοῦ κάτωθεν ἠρεμεῖν κ.τ.λ. 15 τούτου i.e. τούτου τοῦ Ἄτλαντος,
the real Atlas. The divine cause which sustains all, is here called
Atlas: a simile easily understood. 17 f. δέον ξυνδεῖν: an inten-
tional paronomasia, cf. Cratyl. 418 E, τὸ δέον φαίνεται δεσμὸς εἶναι.
For οὐδέν see above, 91 D. 22 ὁ δεύτερος πλοῦς ἐστι δήπου
λεγόμενος Ἂν ἀποτύχῃ τις πρῶτον, ἐν κώπαισι πλεῖν (or perhaps ὅτ'
ἀποτυχών τις οὐρίου, κώπαις πλέει). Menander, fragm. of the Θρα-
συλέων p. 83, Mein. On the failure of the breeze, it was necessary
to resort to the laborious oar. The expression was proverbial ἐπὶ
τῶν ἀσφαλῶς τι ποιούντων, καθόσον οἱ διαμαρτόντες κατὰ τὸν πρῶτον
πλοῦν ἀσφαλῆ κατασκευάζονται τὸν δεύτερον (Schol.). Plato uses it
again Phileb. 19 c. 23 βούλει with the subj.: see above, p. 35, 3.
Geddes says very justly that there is a touch of irony in ἐπίδειξις,
which was the expression for the pretentious display of demon-
strative power made by the Sophists. 24 ὑπερφυῶς ὡς: above,
p. 15, 6. 26 ἐπειδὴ ἀπείρηκα: we have the perfect of
present meaning in the dependent sentence, because the pursuit
then already renounced had never since been resumed. See above,
98 B.

XLVIII. p. 66, 7 οὐκ ἔοικε 'it is not alike,' see n. on ἐνδέχε-
ται, above, 93 B.—οὐ πάνυ: n. on Apol. p. 38, 8. 9 τὰ ἔργα
are the productions or results of the working of the principles un-
derlying all creation, which, Socrates thinks, may be considered
as εἰκότα, i.e. mere images; λόγος denotes the rational principles
in our nature, the axioms without which we cannot conceive any
logical reasoning. 13 ἁπάντων ὄντων, the reading of the Bodl.
and seven other mss., is defended by Riddell, § 32, c. α.

XLIX. p. 66, 17 ἀεί is subdivided into two parts (1) καὶ ἄλλοτε
'both on other occasions,' and (2) καὶ ἐν τῷ παρελ. λόγῳ, 'in our
previous discussion:' above, ch. 19 ff. For οὐδέν see above, 91 D.
18 f. ἔρχομαι ἐπιχειρῶν: in order to understand that this=ἐπι-

χειρήσω, comp. the French expression 'je vais vous dire.' He-
rodotus, 4, 99, has indeed ἔρχομαι σημανέων, not σημαίνων: but
ἐπιχειρῶν ἐπιδείξασθαι has the sense of a future, so that the whole
expression = ἔρχομαι ἐπιδειξόμενος. (Hirschig feels tempted to put
this into his text, but for once he confesses 'desidero evidentiam:
quare potius ab incertis coniecturis etiam nunc abstineo.') **21** ὑπο-
θέμενος κ.τ.λ.  Socr. starts from the dogma of self-existent ideas
as one which cannot be doubted: 'but these causative Ideas or
ideal Causes, though satisfactory to Plato, were accepted by scarcely
any one else...they were impugned in every way, and emphatically
rejected, by Aristotle.' GROTE, Plato, 2, 180. See Arist. de Gener.
et Corr. 2, 9, Metaph. 1, 7, 12, 5. Malebranche in a passage quoted
by Grote calls a conception like the Platonic Ideas, 'un fantôme
de logique.'     **26** ὡς διδόντος σοι sc. ἐμοῦ, ' assuming that I
grant this,' ὅτι ἐγὼ δίδωμι.  This will show why it is not δόντος.
—οὐκ ἂν φθάνοις περαίνων, a very polite, but at the same time
slightly ironical expression : 'you might not be too soon in draw-
ing your conclusions ' = ' draw your conclusions without being long
about it.'  The same expression occurs Sympos. 185 F.  Euthyd.
272 D.     **27** τὰ ἐξῆς ἐκείνοις lit. 'what borders to those things:'
ἐξῆς is no doubt from ἔχεσθαι, although in this sense ἔχεσθαι gene-
rally governs the genitive; but comp. Gorg. 494 A, ἐάν τίς σε τὰ
ἐχόμενα τούτοις ἐφεξῆς ἅπαντα ἐρωτᾷ, and in later writers we have
ἔχεσθαι so with a dative, and in the same way also the constr.
of ἐξῆς varies with a gen. and dat.: see Schweighäuser, Lex.
Polyb. s.v. ἐξῆς. For Plato, cf. Cratyl. 299 D, 420 D, Legg. 7, 796 F.
For ἐάν see Riddell, § 64.     **27** ξυνδοκῇ ὥσπερ ἐμοί : the con-
struction with ὥσπερ is somewhat negligent, see above, 86 A, and
comp. Riddell, § 175.     **29** οὐδὲ δι' ἕν, is more emphatic than
δι' οὐδέν: cf. Xen. Cyrop. 2, 1, 8, ὅτι οὐδὲ δι' ἓν ἄλλο τρέφονται.
**31** ξυγχωρεῖν with a dative occurs also Polit. 258 A, and Eur.
Hippol. 299.  Cf. Hor. Sat. 2, 3, 305, concedere veris.

p. 67, **2** διότι (= διὰ τί) is explained by the subjoined parti-
cipial sentence.  We might also write δι' ὅ, τι.  'The common
reading has ὅτι inserted after the first ἤ, which necessitates resort
to the supply of ἐστὶ along with the participle, in this instance a
clumsy resource. ἔχον = ὅτι ἔχει.' GEDDES.     **5** ἁπλῶς καὶ
ἀτέχνως 'in a simple and artless way.'  On the difference between
ἀτέχνως and ἀτεχνῶς comp. Harpocr. ἀτεχνῶς περισπωμένως μὲν
ἀντὶ τοῦ σαφῶς ἢ βεβαίως ἢ ἀσφαλῶς ἢ φανερῶς· παροξυτόνως δὲ ἀντὶ
τοῦ ἀμελῶς καὶ ἄνευ τέχνης.     **7** εἴτε παρουσία εἴτε κοινωνία : Socr.

(or Plato) is not quite certain as to the mode in which the μετοχὴ
αὐτοῦ τοῦ καλοῦ, of which he speaks above, takes place, and
cannot therefore decide which word would be the more appro-
priate term. The mss. read εἴτε again before ὅπῃ, which appears
to be without sense, unless indeed we emend with Wyttenbach εἴτε
ὅπῃ δὴ καὶ ὅπως προσαγορευομένη—a change not sufficiently easy to
be accepted without further consideration. I have, therefore,
adopted Daehne's opinion and omitted the third εἴτε, nor do I
share Heindorf's doubts as to the possibility of saying ἡ παρουσία
or ἡ κοινωνία προσγίγνεται : on the contrary, ἡ παρουσία προσγί-
γνεται seems to me just as admissible as τὸ πρᾶγμα πράττεται and
other expressions of the same kind. Ueberweg, Phil. 20, 513, in
order to obtain the same sense reads προσγενομένου and omits
εἴτε; but the first change appears to me to be quite unnecessary.
Stallb.'s εἴτε—προσγιγνόμενον, of which he seems not a little proud,
is a worthless reading, not half as good as προσγενόμενον which
was proposed by a friend of Heindorf. 8 οὐ γὰρ ἔτι κ.τ.λ.:
this disquisition is contained in the Parmenides. With reference
to the present passage Arist. Met. 1, 6, says τὴν μέντοι γε μέθεξιν—
ἥτις ἂν εἴη, τῶν εἰδῶν, ἀφεῖσαν (Plato and the Pythagoreans) ἐν
κοινῷ ζητεῖν.—οὐκέτι i. e. not so much as the preceding arguments.
11 τούτου ἐχόμενος 'clinging to this' for support. 17 τῇ κε-
φαλῇ 'by a head's measure.' 28 τέρας lit. 'monster,' in logic
'absurd' ('tamquam abortus dicendi' WYTTENB.): cf. Theaet. 163 D,
τέρας γὰρ ἂν εἴη ὃ λέγεις.. Parmenid. 129 A, εἰ γὰρ αὐτὰ τὰ ὅμοιά
τις ἀπέφαινεν ἀνόμοια, τέρας ἄν, οἶμαι, ἦν. Phileb. 14 E, ὅτι τέρατα
διηνάγκασται φάναι. p. 68, 8 Hirschig adds, with much proba-
bility, ἑνὸς after διασχισθέντος: see above, 97 A. 9 μέγα βοᾶν
is here easily understood of an apodeictic assertion: Wyttenb.
quotes Plut. Mor. t. 2, p. 1058 D, ὁ ἐκ τῆς Στοᾶς βοῶν μέγα καὶ κε-
κραγώς "ἐγὼ μόνος εἰμὶ βασιλεύς." 1169 D, μέγα βοῶντες, ὡς ἔν ἐστιν
ἀγαθόν. 16 τὰς τοιαύτας κομψείας = τὰς ἄλλας αἰτίας τὰς σοφὰς
ταύτας. Wyttenb. shrewdly suspects that we have here an allusion
to a line of Euripides in his (lost) tragedy Ἀντιόπη (Valck. Diatr.
p. 86) ἄλλοις τὰ κομψὰ ταῦτ' ἀφεὶς σοφίσματα, Ἐξ ὧν κενοῖσιν
ἐγκατοικήσεις δόμοις. 18 τὸ λεγόμενον shows that we have
here a proverb. Schol. τὴν αὑτοῦ σκιὰν δέδοικεν, ἐπὶ τῶν σφόδρα
δειλοτάτων· μέμνηται ταύτης Ἀριστοφάνης Βαβυλωνίοις.—ἑαυτοῦ for the
second person: see above p. 52, 18. 21 ἔχοιτο curiously enough
differs here in its meaning from the preceding sentence; in the
first place it is 'to cling to, adhere to,' but here 'to attack.'

There is, as it seems, a certain acumen in this double use of the same word. **22** σοί: 'in your estimation.' **26** ἱκανόν: 'satisfactory evidence.' **27** φύροιο: 'get into a muddle.' So κυκᾶν below. οἱ ἀντιλογικοί: see Thompson on Phaedr. 261 B. The whole passage is very characteristic of the dialectic method of Socr.: comp. similar passages Soph. 253 CD. Rep. 7, 534 CD. p. 69, 1 ἱκανοὶ—δύνασθαι αὐτοὶ αὑτοῖς ἀρέσκειν 'they are quite up to the achievement to be satisfied with themselves:' the expression is highly ironical, especially in the phrase ἱκανὸς δύνασθαι, which seems to have struck later writers as something unusual (as indeed it is), cf. Philo de agric. p. 201 A (ed. Paris, 1640), Phalar. Epist. p. 272, ed. Lenn., and Themist. Epist. 20, p. 216, though they hardly understood its ironical spirit, for which reason their imitation of it is somewhat clumsy. (Hirschig brackets δύνασθαι as a gloss.) **3** οἶμαι ἄν: ἄν belongs to ποιοῖς and not to οἶμαι, see Jelf, § 424 γ. ἔφη: for the singular see p. 33, 1.

L—LVI. ARGUMENT V: CONTRARY IDEAS ARE PROVED TO EX-
CLUDE EACH OTHER. THE SOUL, BEING A MANIFESTATION OF THE
IDEA OF LIFE, MUST BE FREE FROM ITS CONTRARY, DEATH. THE
IMMORTALITY AND IMPERISHABILITY OF THE SOUL BEING THUS
ESTABLISHED CEBES' ARGUMENT IS REFUTED.

L. p. 69, 13 εἶναί τι 'have a separate existence.' —τούτων depends on μεταλαμβάνοντα. Comp. the similar passage Parmenid. 130 E, δοκεῖ σοι εἴδη εἶναι ἄττα, ὧν τάδε τὰ ἄλλα μεταλαμβάνοντα τὰς ἐπωνυμίας αὐτῶν ἴσχειν, οἶον ὁμοιότητος μὲν μεταλαμβάνοντα ὅμοια, μεγέθους δὲ μεγάλα, κάλλους δὲ καὶ δικαιοσύνης δίκαιά τε καὶ καλὰ γίγνεσθαι. **21** ὡς τοῖς ῥήμασι λέγεται 'taking the words in their literal sense:' Socr.'s meaning is explained in the next sentence. **26** πρὸς τὸ ἐκ. μέγεθος 'in proportion to his size.' **30** ἐπωνυμίαν ἔχει—εἶναι: εἶναι is frequently added after verbs of naming though it is quite superfluous: comp. e.g. Her. 2, 44, 2, εἶδον δὲ ἐν τῇ Τύρῳ καὶ ἄλλο ἱρὸν Ἡρακλέος, ἐπωνυμίην ἔχοντος Θασίου εἶναι. See n. on Apol. p. 10, 2. p. 70, 1 The way in which this sentence is expressed is very awkward. The construction is τοῦ μὲν (i.e. Socrates) τὴν σμικρότητα ὑπερέχων τῷ (in as far as) μεγέθει ὑπερέχειν (he is superior in size), τῷ δὲ (sc. to Phaedo), παρέχων (allowing) τὸ μέγεθος (that greatness) ὑπερέχον (as something superior to) τῆς σμικρότητος (his own smallness). Stallb. adds 'loquitur Socr. ludibundus, ita ut in re perquam vulgari summam diligentiam sectari videatur.' Comp. μειδιάσας in the

next sentence. **3** ξυγγραφικῶς has been differently explained:
' historicorum more' Fischer ; ' scriptorum civilium sive publi-
corum ratione' Wyttenbach ; ' quasi ξυγγραφῇ sive chirographo
cavendum sit' Heindorf. There can be no doubt that the first
translation is not what is here required; Socr. clearly means
that he has expressed himself in a clumsy and diffuse way, in
order to guard against misinterpretation, and this seems to be best
expressed by Heindorf's translation. The fut. ἐρεῖν seems strange
at first sight, as Socr. refers to a preceding sentence, and Wyt-
tenb. goes even so far as to propose εἰρηκέναι : but we may ex-
plain the fut. ' it appears (from the specimen which I have just
given) that I am now going to speak in a crammed lawyer-
like fashion.' **5** τοῦδε is explained by the participle βουλό-
μενος. **6** ἐθέλειν of inanimate objects: see n. on p. 5, 26. Socr.
maintains that it is repugnant to the idea of greatness to in-
clude smaliness. He loses sight of the fact that these two notions
have only a relative and no absolute sense. **7** τὸ ἐν ἡμῖν μέγε-
θος ' concrete greatness.' So afterwards τὸ σμικρὸν τὸ ἐν ἡμῖν.
**12** ὥσπερ κ.τ.λ. This passage is well explained by Heindorf
' Quemadmodum ego, cum parvitatem susceperim sustinuerimque
et adhuc, qui sum, idem hic sim, parvus sum, illud autem non
sustinuit, cum magnum sit, parvum esse : eodem modo etiam
parvum illud quod nobis inest, non vult unquam magnum fieri,
etc. scilicet aliud est Socrates ὁ ἔχων τὰ ἐναντία, τὸ μέγεθος καὶ τὴν
σμικρότητα καὶ ἐπονομαζόμενος τῇ ἐκείνων ἐπωνυμίᾳ, aliud τὸ μέγεθος
et ἡ σμικρότης, sive ἐν Σωκράτει ἐνοῦσα sive ἐν τῇ φύσει. Socrates
si comparetur Simmiae, parvitatem in se recipit parvusque fit,
nihil tamen ipse mutatus, sed ἔτι ὢν ὅσπερ ἐστίν, οὗτος ὁ αὐτός etc.
Socrates.' **14** τετόλμηκε is used of inanimate objects in the
same way as ἐθέλειν, βούλεσθαι and ὀρέγεσθαι. **18** ἤτοι—ἤ :
see n. on Apol. p. 17, 1. Comp. below, 104 c. **19** ἀπέρ-
χεται = ὑπεκχωρεῖ above, ε.

LI. p. 70, **25** αὕτη sc. ἡ ἐκ τῶν ἐναντίων, as appears from the
apposition to the sentence. **28** παραβαλὼν τὴν κεφαλὴν
' admoto capite: summissius alter ille locutus erat, dum Socratem
parum sibi in argumentatione constare arguit.' HEIND. p. 71, **2**
αὐτὸ τὸ ἐναντίον ' absolute Inequality,' which is subdivided into τὸ
ἐν ἡμῖν and τὸ ἐν τῇ φύσει ἐναντίον, comp. 102 D. **8** οὐκ ἄν
ποτέ φαμεν ἐθ.: ἂν belongs of course to the infinitive.— γένεσιν
ἀλλήλων sc. τὸ ἕτερον ἐκ τοῦ ἑτέρου γίγνεσθαι. **11** οὐδ' αὖ ' not
again,' as before (63 A. 77 A. 86 A), οὕτως = τεταραγμένως. Stall-

baum's conj. οὐδὲν instead of οὐδ' is perhaps true.        12 οὔτε
λέγω ὡς οὐ κ.τ.λ. 'I do not deny that many things upset me' i. e.
that I am liable to be upset.        13 ἁπλῶς 'simply,' without
going into further arguments about the question.

LII. p. 71, 15 μοι (dat. eth.) shows the interest taken by the
speaker in the fulfilment of his request.        21 ἐν τοῖς ἔμπροσθεν:
see 102 DE.        21 f. χιόνα καὶ θερμόν: καί has here and below
(πῦρ καὶ ψυχρόν) a very emphatic sense, almost = καίτοι or καίπερ.
28 For the constr. ἔστιν ὥστε see Jelf § 669, 1, Obs. 1.        29
τοῦ αὐτοῦ ὀνόματος; 'hoc dicit scriptor, non modo genus ipsum
semper, sed etiam aliud quid eodem impertiri nomine (sc. quo
genus illud); non modo τὸ περιττὸν nomen habere τοῦ περιττοῦ, sed
idem etiam ternionem habere.' HEIND. Stallb., who prefers ἑαυτοῦ,
the reading of several mss., explains 'accidit igitur de nonnullis
istius modi, ut non modo ipsum genus suum ac proprium sibi
nomen semper vindicet (suo semper nomine appelletur), ut cum
calidum semper calidum, numquam ignis vocetur, sed etiam aliud
quid (quod generi est subiectum) illud assumat, quod etsi non est
illud ipsum εἶδος, tamen illius formam semper habet, veluti cum
ignis calidi nomen participat.' p. 72, 6 μετὰ τοῦ ἑαυτοῦ ὀνόματος
'in company with its own name,' i.e. 'besides its own name.'—
καὶ τοῦτο = καὶ τῷ τοῦ περιττοῦ ὀνόματι.        12 ὄντος οὐχ οὗπερ
τῆς τριάδος: an attraction like Thucyd. 7, 21 πρὸς ἄνδρας τολμη-
ροτάτους ὄντας οἵους καὶ Ἀθηναίους. The mss. read ὅπερ, justly
altered by Heindorf. If ὅπερ were correct, we should expect
ἡ τριάς.        13 ὁ ἥμισυς τοῦ ἀριθμοῦ 'one half of all numbers:'
viz. all odd numbers. For the constr. cf. Thuc. 1, 2 τῆς γῆς
ἡ ἀρίστη, on which Classen observes 'the peculiarity and, pro-
perly speaking, irrationality of this turn of expression (which
occurs also Thuc. 1, 5. 1, 30. 6, 7. 8, 3 and very frequently in
Plato) may be explained in this way: the noun in the genitive
should be understood in a collective sense, i.e. as if it were in the
plural, but should be supplied to the adjective in a partial sense.
The two expressions 'the best land' (partial) and 'the best of the
land' (generic) are mixed up in Greek in a manner not admissible
to our sense of language.'        20 καὶ ὅσα κ.τ.λ. Such ἐναντία
are e.g. warm and cold, even and odd; but neither fire nor three is
an ἐναντίον, yet fire does not admit the idea of cold, nor three the
idea of evenness, because the first includes the idea of warmth
and the second that of oddness.        22 f. ἔοικα varies its
constr., first with a dative and then with the nom. of the par-

ticiple: but the sense is the same in either. See Matthiae § 555, n. 2.

LIII. p. 73, 3 ἐναντίου δεῖ τινος: as e.g. 'three' ἴσχει τὴν τῆς τριάδος ἰδέαν, and also includes ἐναντίον τι, inasmuch as oddness is the opp. to evenness. H. Schmidt's ingenious emendation αὐτῷ δεῖ τινος, is also supported by Ficinus' translation 'contrario illi est opus.' 7 τοῦτο ἀπεργ., τὸ περιττὸν εἶναι. 9 ἡ περιττή (sc. μορφή) is ἡ τοῦ περιττοῦ μορφή or ἰδέα.—εἰργάζετο means 'did the idea of oddness effect that the opposite idea (that of evenness) can never come to the three.' 13 ἔλεγον ὁρίσασθαι 'I proposed should be defined.' Riddell § 83. A similar infinitive is in 95 B, ἀξιοῖς ἐπιδειχθῆναι. The apodosis of this sentence is wanting in strict grammatical sequence, though as for the sense alone we get it below 105 in the words ἀλλ' ὅρα δὴ κ.τ.λ.—ποῖα 'what things they are which.' 14 αὐτὸ denotes the same thing as τινί, and it is not therefore strictly necessary to add τὸ ἐναντίον, but it should not be forgotten that Socr. still speaks ξυγγραφικῶς. 16 αὐτῷ is governed by ἐναντίον, τὸ ἐναντίον αὐτῷ (τῷ ἀρτίῳ)=τὸ περιττόν.—ἐπιφέρει 'brings in addition,' supply τοῖς πράγμασιν. If things are three, they are thereby also odd, and so opposite to even.——ἡ δυὰς τῷ περιττῷ sc. ἀεὶ τὸ ἐναντίον ἐπιφέρει. 18 μὴ μόνον κ.τ.λ. 'not only that a contrary does not admit a contrary, but also that that which brings with it a contrary to that which it approaches, will never admit the contrary of that which it brings with it.' Stallb. justly observes 'ob oculos habuit philosophus dialecticas leges contradictionis quae vocari solet directae et obliquae, ex quibus statuitur non modo notiones *coordinatas*, quae sint contradictorie oppositae, se invicem excludere, sed etiam notiones *subordinatas* et generi alicui subiectas ea omnia, quae generi sub contraria sint, sive notas generi repugnantes nullo modo ferre aut suscipere.' 22 οὐ χεῖρον is a litotes for ἄμεινον. 24 τὸ διπλάσιον is epexegesis of δέκα.——τοῦτο, sc. τὸ διπλάσιον, is opp. to single, ἁπλῷ, but not in the same sense as has been attributed by Plato to the expression ἐναντίον throughout this chapter, viz. that of direct opposition. It is, therefore, very probable that οὐκ has dropt out after ἄλλῳ, in which case καὶ would have the sense of καίτοι or καίπερ, see above p. 71, 21. Socr. says that, although the double is without a direct contrary, yet it does not admit the idea of oddness.

LIV. p. 74, 4 καὶ μή μοι κ.τ.λ. It is justly explained by the Scholiast καὶ μή μοι ἦν ἂν ἐρωτῶ ἀπόκρισιν ἀποκρίνου, ἀλλ' ἄλλην, μιμούμενος ἐμέ. Socr. means that he is not to answer in the same terms in which the question is put, but in different ones.—παρ' ἥν: see Riddell § 174. 6 ἔλεγον, above 100 D. 8 ᾧ ἄν = ἐάν τινι: see on Apol. 22 B. τί ἐγγ.=τί ἐστιν αὐτό, ὃ ἐάν τινι ἐγγένηται, (or οὗ ἐγγενομένου τινὶ) θερμὸν ἔσται (ἐκεῖνο). See also Don. p. 383. 20 ἀεὶ ἥκει κ.τ.λ. Socr. arrives at the conclusion that the principle of life is inherent in the notion of the soul, and that therefore the soul must be immortal. This argument is also propounded in the Phaedrus, p. 245. 'The doctrine (of the immortality of the soul) reposes, in Plato's view, upon the assumption of eternal, self-existent, unchangeable Ideas or Forms: upon the congeniality of nature, and inherent correlation, between these Ideas and the Soul: upon the fact, that the Soul knows these Ideas, which knowledge must have been acquired in a prior state of existence: and upon the essential participation of the soul in the Idea of life, so that it cannot be conceived as without life, or as dead. The immortality of the soul is conceived as necessary and entire, including not merely post-existence, but also pre-existence.' GROTE, Plato 2, 190.

LV. p. 74, 29 ἄμουσον instead of τὸ μὲν ἄμουσον, but τὸ μὲν is in several instances omitted: cf. Protag. 330 A, δίκαιον ἄρα, τὸ δὲ ἀνόσιον. p. 75, 1 f. οὐκοῦν ἡ ψυχή κ.τ.λ. Olympiodorus explains the following reasoning in this manner, ἡ ἀπόδειξις πρόεισιν ἐκ τῶν ὑποθέσεων τοιῷδε συλλογισμῷ. ἡ ψυχὴ ᾧ ἂν παρῇ ζωὴν τούτῳ ἐπιφέρει. πᾶν δὲ ὃ ἐπιφέρει τι, ἄδεκτόν ἐστι τοῦ ἐναντίου αὐτῷ. ἡ ψυχὴ ἄρα ἄδεκτός ἐστι τοῦ ἐναντίου ᾧ ἐπιφέρει. τὸ ἐναντίον ἐστὶν οὗ ἐπιφέρει, θάνατος. ἡ ψυχὴ ἄρα ἄδεκτος θανάτου. 6 ἀλλό τι—ἤ: see above p. 21, 25. Apol. 24 D. Crito 52 D and also below 106 E. 13 ἐπίοι is Bekk.'s emendation by which this sentence is rendered conformable to the preceding one where we have ὁπότε τις—ἐπαγάγοι, the optative denoting the repetition of the action. 24 αὐτοῦ and ἐκείνου both denote the same thing, sc. τὸ περιττόν. Stallb. quotes 60 D and 111 B where we have analogous instances: see also Euthyphr. 14 D. Xen. Cyrop. 4, 2, 12. 5, 20. 25 διαμάχεσθαι 'bring forward as a counter-argument.' p. 76, 6 f. τούτου γε ἕνεκα 'so far as that is concerned.'—σχολῇ κ.τ.λ. Socr. is obliged to deduce from the very notion of immortality the proof of conjoint imperishability, as otherwise one might feel tempted to classify ἀθάνατον with ἀνάρτιον ἄθερμον ἄψυκτον and similar negative notions, of which imperishability has not been proved. Riddell § 135 explains: "The meaning is not 'of all

things that exist scarce anything could be, in such a case, exempt
from corruption,' but 'there could hardly exist anything not
admitting corruption.' The existence of the whole class 'incor-
ruptible' becomes questionable."

LVI. p. 76, 10 αὐτὸ τὸ τῆς ζωῆς εἶδος 'the absolute idea of
life.'        18 ὑπεκχωρῆσαν 'having retreated' i.e. 'having gone
out of the way of death.'        19 παντὸς μᾶλλον lit. 'more than
everything,' i.e. 'above:' for another instance comp. Phaedr. 228
D.        23 παρὰ ταῦτα ἄλλο τι: Jelf § 637, III, c.   See also above
74 A.   Without ἄλλο we find the same expression Crito 54 D.
25 εἰς ὄντινά τις κ.τ.λ.   The best mss. omit ἄν in the optative
sentence, while some inferior mss. read εἰς ὄντιν᾿ ἄν τις or εἰς
ὄντινά τις ἄν.   Stallb. explains the difference 'addito ἄν sententia
verborum haec est: *nescio, ad quodnam aliud tempus quis hoc
differre possit,* omissa particula locus sic interpretandus *nescio, ad
quodnam tempus quis hoc differre velit* s. *se differre posse credat.*
ex quibus alterum totius loci rationibus videtur convenientius
esse.'   But the question is one which should be decided merely by
the authority of the mss., not by 'convenientia' or other fanciful
criteria.        26 ἢ τὸν νῦν παρόντα 'than the one which now offers
itself.'   As discussion on this point cannot be deferred to any
later opportunity than the last day of our life.   Hirschig condemns
ἢ τὸν νῦν παρόντα as a gloss, for the following reasons 'notiones
τοῦ ἀναβάλλεσθαι et τοῦ ὁ παρὼν καιρός quam vehementissime inter
se repugnant, tum prorsus supervacua sunt illa iam per se.' p. 77,
1 ἀτιμάζων = ἐν οὐδεμιᾷ τιμῇ ἔχων, i.e. not thinking the weak
understanding of man equal to the task of definitively settling
these questions.   Wyttenb. comp. Legg. 9, 854 A where we have
ξύμπασαν τὴν τῆς ἀνθρωπίνης φύσεως ἀσθένειαν εὐλαβούμενος in the
same sense.        3 οὐ μόνον γε is to a certain extent an elliptical
sentence which receives its sense from the sentence immediately
preceding it, e.g. Legg. 6, 752 A ΚΛ. ἄριστ᾿ εἴρηκας ὦ ξένε.  Αθ. οὐ
μόνον γε (sc. εἴρηκα), ἀλλὰ καὶ δράσω.   So Xen. Cyr. 1, 6, 17 ἦ καὶ
σχολή, ἔφη, ἔσται—σωμασκεῖν τοῖς στρατιώταις; Οὐ μὰ Δί᾿, ἔφη ὁ
πατήρ, οὐ μόνον γε (sc. σχολὴ ἔσται), ἀλλὰ καὶ ἀνάγκη.   So here οὐ
μόνον γε sc. ἀναγκάζῃ ἀπιστίαν ἔχειν περὶ τούτων.   But in the
present case we notice a difference from the instances already
given and others which may be added: Phileb. 23 B.   Euthyphr.
6 c.   Meno 71 c.   Xen. Cyr. 8, 3, 7; οὐ μόνον γε not being fol-
lowed by ἀλλὰ καί.   Hirschig's idea to consider the words ταῦτά
τε εὖ λέγεις spurious might, therefore, appear probable; we should

then have to conceive that these words were originally added as an explanation to the elliptical sentence οὐ μόνον γε (sc. ταῦτά τε εὖ λέγεις), and that they were removed from their original to their present place by a subsequent copyist. But Riddell § 157 gives a very satisfactory explanation: "The full construction is οὐ μόνον γε ταῦτα εὖ λέγεις, ἀλλὰ ταῦτά τε εὖ λέγεις καὶ, κ.τ.λ. 'not only is what you say true, but a further observation in the same direction is true,' namely τὰς ὑποθέσεις κ.τ.λ." 5 ἐπισκεπτέαι is an anacoluthia instead of ἐπισκεπτέον. (See Riddell § 276.) The opposite anacoluthia occurs Phileb. 57 Α πότερον ὡς μία ἑκατέρα λεκτέον ἢ δύο τιθῶμεν. In the present instance the deviation seems to be due to the intervening nominative πισταί.

LVII.  THE BELIEF IN THE IMMORTALITY OF THE SOUL IS SHOWN TO BE SUGGESTIVE OF MORAL REFLEXIONS AND A DETERMINATION TO LIVE HOLILY.

p. 77, 31 ἐν ᾧ καλοῦμεν τὸ ζῆν 'in which we speak of *life*,' i. e. to which we confine the expression *life*. In this way it passes into the more general meaning ἐν ᾧ ἐστὶ τὸ ζῆν καλούμενον. Cf. Xen. Hell. 5, 1, 10 ἀνέβαινον τοῦ Ἡρακλείου ἐπέκεινα ὡς ἑκκαίδεκα σταδίους, ἔνθα ἡ Τριπυργία καλεῖται. Oecon. 4, 6 πλὴν τοὺς ἐν ταῖς ἀκροπόλεσιν, ἔνθα δὴ ὁ σύλλογος καλεῖται. In the poets the expression is more forcible: e. g. Pind. Nem. 9, 97 ἔνθ' Ἀρέας πόρον ἄνθρωποι καλέοισι 'where men do celebrate.' So Soph. Trach. 638 ἔνθ' Ἑλλάνων ἀγοραὶ Πυλάτιδες κλέονται, in imitation of Hom. Il. Λ 757 καὶ Ἀλεισίου ἔνθα κολώνη Κέκληται. 15 νῦν δὴ 'now especially' after the minute discussion of the whole question.—ἀμελήσει, the fut. indic. in spite of the preceding optative sentence. Inferior mss. read ἀμελήσειε, but cf. Alcib. I. 113 Ε καὶ οὐκέτ' ἄν σὺ αὐτὰ ἀμπίσχοιο, εἰ μή τίς σοι τεκμήριον καθαρὸν καὶ ἄχραντον οἴσει. Lys. Eratosth. p. 435 ἀλλὰ γὰρ, εἰ τὰ χρήματα τὰ φανερὰ δημεύσετε, καλῶς ἂν ἔχοι. 16 ἀπαλλαγή 'a departure from'= ἀποφυγή l. 20; so ἀπαλλαγὴ κακῶν Rep. 10, 610 D. λυπῶν ib. 9, 584 C.—ἕρμαιον: 'τὸ ἀπροσδόκητον κέρδος· ἀπὸ τῶν ἐν ταῖς ὁδοῖς τιθεμένων ἀπαρχῶν, ἃς οἱ ὁδοιπόροι κατεσθίουσι· ταύτας δὲ τῷ Ἑρμῇ ἀφιερούσιν ὡς ὄντι καὶ τούτῳ ἐνὶ τῶν ἐνοδίων θεῶν.' SCHOL. Geddes adds that ἕρμαιον and εὐτύχημα are conjoined Sympos. 217 A. 23 τροφή is explained by Wytt. 'veluti nutrimentum et pabulum cognitionis quo anima alitur.' cf. ψυχὴ ὑπ' ἐκείνου τρεφομένη, above 84 B. 25 λέγεται δὲ οὕτως: here begins the μῦθος on which Olympiodorus observes τὸ τρίτον μέρος τοῦ διαλόγου ἐστὶ μὲν περὶ

τῶν ψυχικῶν λήξεων· οὐ πᾶν δὲ μῦθός ἐστιν ἀλλ᾽ ὅσον συμπεραίνεται
"ὡς ταῦτα ἢ τοιαῦτα χρὴ τὰ ἐν ʺΑιδου ἡγεῖσθαι." τοῦτο γὰρ ἦν καὶ
τὸ εἶδος τῶν Πλατωνικῶν μύθων ἅτε καλῶς τὴν ἀλήθειαν μιμουμένων·
κ.τ.λ. τριῶν μερῶν τοῦ διαλόγου τὸ τρίτον ἐστὶν ἡ νεκυῖα. This name
was no doubt given to this part of the dialogue in imitation of the
rhapsody λ of the Odyssey. Plato has besides the present νεκυῖα
two others, Gorgias 523 foll. and Rep. 10, 614 f.    **26** ὁ ἑκά-
στου δαίμων: according to the common belief of the Greeks every
human being had his δαίμων, whose functions were very much the
same as we attach to a person's 'good' or 'evil' genius. Cf. Me-
nander's lines ἅπαντι δαίμων ἀνδρὶ συμπαραστατεῖ Εὐθὺς γενομένῳ
μυσταγωγὸς τοῦ βίου. Heind. quotes Theocr. Id. 4, 40 αἰαῖ, τῶ σκληρῶ
μάλα δαίμονος, ὅς με λέλογχε. Plato frequently alludes to this
belief: e.g. Cratyl. 397 D foll. Symp. 202 E. Tim. 40 D. Rep. 10,
617 E.    **27** εἰς δή τινα τόπον 'into some kind of place:' δή
added to the indefinite pronoun increases its force. Examples of
δή τις occur 90 c, 108 c, 115 D.    **28** διαδικασαμένους 'after they
have undergone their judgment:' cf. below 113 D.    **30** τοὺς
ἐνθένθε: see above 76 D.    p. 78, 3 Αἰσχύλου Τήλεφος: allusions
to this saying which occurred in Aeschylus' lost tragedy Telephus
are also found in Dionys. Hal. Ars rhet. t. II. p. 40 (ed. Lips.) μία
γὰρ καὶ ἡ αὐτὴ οἶμος, κατὰ τὸν Αἰσχύλον, εἰς ʺΑιδου φέρουσα. Clem.
Al. Strom. 4 p. 583 οὐκ ἔστιν οὖν κατὰ τὸν Αἰσχύλου Τήλεφον νοεῖν
ἁπλῆν οἶμον εἰς ʺΑιδου φέρειν. The fragments of this tragedy are
collected by Nauck trag. Gr. fr. p. 60, but the original form of
this line is lost. Perhaps it was ἁπλῆ γὰρ οἶμος ἄνδρας εἰς ʺΑιδου
φέρει. Cic. Tusc. 1, 43 attributes a similar saying to Anaxagoras.
**8** The words ἀπὸ τῶν ὁσίων τε καὶ νομίμων have been variously
explained by the commentators both ancient and modern. Olym-
piod. renders them by ἀπὸ τῶν ἐν τριόδοις τιμῶν τῆς Ἑκάτης, but
Heindorf is of opinion that they should be understood of the
mysteries in which the descent into Hades was, as he thinks,
acted and represented. But Olympiod. is no doubt right, as ὅσια
καὶ νόμιμα is a common expression of the rites of burial, and
nowhere used to denote mysteries. It was customary to perform
in monthly intervals funeral rites in honour of Hecate and the
infernal gods, for which ceremonies cross-roads were favourite loca-
lities.    **10** καὶ οὐκ ἀγνοεῖ 'does not misjudge' or 'is not unpre-
pared for,' because a soul of that kind has familiarised itself by
meditation with the events which take place after death.    **12** ἐν
τῷ ἔμπροσθεν: above 81 CD.    **16** ὅθιπερ is poetical and as it

seems chosen by Plato on account of the somewhat poetical and
fabulous character of the whole passage; Cobet, however, had
he been able to counsel Plato, would have advised him to write
οἷπερ which is common Attic.　　**18** ἀδελφός as adj. with the
gen. is again poetical: Soph. Antig. 192, καὶ νῦν ἀδελφὰ τῶνδε
κηρύξας ἔχω.　Plato has it besides the present in two other passages:
Phileb. 21 A and Phaedr. 276 D.　See also Jelf § 507.　　**20** ξυν-
έμπορος = ὁ ξύν τινι πορευόμενος : Timaeus explains συνοδοιπό-
ρος.　　**22** χρόνοι = χρόνου περίοδοι above 107 E ; γένωνται should
be translated 'have taken place,' = ἐξέλθωσι.　　**28** ὑπὸ τῶν περὶ
γῆς εἰωθότων λέγειν should most probably be understood of the
Sophists who among other things investigated also this point.
The expression εἰωθότων seems to mean that they make it their
*profession* to investigate this.　Cf. below 109 c.　　**29** ὑπό τινος :
from τί, not τίς, cf. directly afterwards ἅ σὲ πείθει, and as to the
preposition see Gorg. 526 D, ὑπὸ τούτων τῶν λόγων πέπεισμαι.

**LVIII—LXIII.** THE MYTHUS CONTAINING A PHYSICAL THEORY
OF THE WORLD, SUPERNAL AND INFERNAL, AS A VAST ARENA OF
VARIED EXISTENCE.　THE INFERNAL WORLD IN THE INTERIOR OF THE
EARTH.　THE FOUR RIVERS.　THE DIFFERENT GRADES OF PUNISH-
MENT.　THE ETHEREAL DWELLING OF THE PIOUS.　THE FATE AND
THE HOPE OF THE TRUE PHILOSOPHER.

**LVIII.** p. 79, **1** πολλὰ δή = πολλὰ ἤδη : cf. also above 68 A.
**2** ἡ Γλαύκου τέχνη ' ἐπὶ τῶν μὴ ῥᾳδίως κατεργαζομένων, ἢ ἐπὶ τῶν
πάνυ ἐμπείρως καὶ ἐντέχνως εἰργασμένων' SCHOL.　The origin of the
proverb was unknown to the ancients themselves, but the most
probable explanation seems to be the one which identifies Γλαῦ-
κος with the cunning smith of Chios mentioned by Herodotus 1,
25 who says of him μοῦνος πάντων ἀνθρώπων σιδήρου κόλλησιν
ἐξεῦρε.　　**4** χαλεπώτερον sc. ἀποδεῖξαι which is readily supplied
from διηγήσασθαι in the preceding sentence.—ἢ κατὰ τὴν Γλ.
τέχνην : see n. on Apol. p. 1, 13.　　**5** f. ἅμα—ἅμα are often
used as correlatives ; see n. on Apol. p. 23, 24, where I might
have quoted Soph. Antig. 436 (according to Dindorf's happy emen-
dation) ἅμ' ἡδέως ἔμοιγε κἀλγεινῶς ἅμα.　Stallb. compares *simul—
simul* in Livy 3, 50, 12. 31, 46.　　**6** εἰ καὶ ἠπιστάμην,—δοκεῖ
ἐξαρκεῖν : the infinitive = ὅτι οὐκ ἂν ἐξήρκει.　Riddell § 56.　　**12** ὡς
—μηδὲν αὐτῇ δεῖν : for ὡς with the infin. (in reality a case of an-
acoluthia) see Jelf § 804, 7.　　**14** The construction is at first
sight obscure.　Constr.: ἀλλὰ τὴν ὁμοιότητα τοῦ οὐρανοῦ αὐτοῦ

ἑαυτῷ [this dative dependent on the noun, see Don. § 456. hh. Jelf § 594, 2 Obs. 2. and comp. Theaet. 176 B, φυγὴ ὁμοίωσις θεῷ] καὶ τῆς γῆς αὐτῆς τὴν ἰσορροπίαν ἱκανὴν εἶναι ἴσχειν (' to balance ') αὐτήν (sc. τὴν γῆν).      **20** πάμμεγά τι: on the force of τι see above p. 9, 5.—αὐτὸ is this thing, the earth: comp. above 88 A.

**21** τοὺς μέχρι Ἡρακλείων στηλῶν ἀπὸ Φάσιδος describes the whole extent of the globe so far as then known to the Greeks.      **23** Stallb. justly observes that οἰκοῦντας should be referred to ἡμᾶς and not to βατράχους. ἡ θάλαττα means of course the Mediterranean : below 111 A.      **28** αὐτὴν τὴν γῆν = τὴν ὡς ἀληθῶς γῆν below 110 A.

**30** περὶ τὰ τοιαῦτα: for the prep. cf. Gorg. 490 c, περὶ σιτία λέγεις. Jelf § 632, III, 3.      p. 80, **1** ὑποστάθμη ' sediment.'      **11** παρὰ σφίσι stands κατὰ σύνεσιν instead of παρ' οἳ or παρ' ἑαυτῷ, because εἴ τις denotes one chosen by random from a large number. Comp. Rep. 1, 344 B. 5, 468 D.      **15** ὡς with the absolute acc. of part. : Jelf § 703 c and 551 f. Obs.      **16** The mss. read τὸ δὲ εἶναι ταὐτόν which has been changed to τὸ δὲ εἶναι τοιοῦτον by Heindorf, and τὸ δὲ δεινότατον by Hermann in accordance with Baiter's conjecture, nor can it be denied that the reading of the mss. is extremely awkward. I have adopted Heindorf's conj. which seems to yield a satisfactory sense without necessitating a violent change of the ms. reading.      Hirschig proposes τὸ δὲ εἶναι ταὐτιον.      **19** ἀναπτοῖτο is the accentuation justly preferred by Herm. and Stallb. ἀνεπτόμην being a syncopated form = ἀνεπετόμην, the accent cannot travel beyond the root of the verb.      **24** f. ἤδε ἡ γῆ = ἣν ἡμεῖς γῆν καλοῦμεν.      p. 81, **1** ὅπου ἂν καὶ γῆ ᾖ ' where indeed earth may be found in it ' i. e. where the sea has an ascertainable depth and bottom.—πρός expresses relation (Don. p. 524) 'with regard to :' Jelf § 638, III, 3 d.      The expression πρός τι κρίνειν occurs also Polit. 286 c. Prot. 327 D.      **3** ἐκεῖνα, the objects high above us, where Socrates represents the real world to be. This is the sense of the expression directly subjoined, ἡ γῆ ὑπὸ τῷ οὐρανῷ.

**LIX.**      p. 81, **10** ἡ γῆ αὐτὴ (the reading given by Eusebius who quotes this passage) = αὐτὴ ἡ γῆ, for which see above, 109 B. Stallb. keeps the ms. reading αὕτη, but as this would be ambiguous, it seems to have been avoided by Plato.      **11** δωδεκάσκυτοι σφαῖραι : balls made of twelve different stripes of leather. Balls of this kind were often given to boys, one of whose favourite amusements consisted in the σφαιριστική (Guhl and Koner, 'Leben der Gr. und Römer,' 1, 254, first ed.).      See the beautiful passage in Apollon. Rhod. Argon. 3, 135, foll. where Adrastea gives young Jove σφαῖραν

εὐτρόχαλον...χρύσεα μέν οἱ κύκλα τετεύχαται, ἀμφὶ δ' ἑκάστῳ Διπλόαι
ἀψῖδες περιηγέες εἰλίσσονται. Κρυπταὶ δὲ ῥαφαί εἰσιν· ἕλιξ δ' ἐπιδέ-
δρομε πάσαις Κυανέη. In the number twelve we have an allusion to
the idea that the earth had the shape of a dodecahedron: comp.
Plut. de plac. philos. 2, 6, Πυθαγόρας...φησὶ γεγονέναι...ἐκ τοῦ δωδε-
καέδρου τὴν τοῦ παντὸς σφαῖραν. Πλάτων δὲ καὶ ἐν τούτοις Πυθαγορίζει.

15 ἢ τούτων : we might expect ταῦτα, but the preposition no
doubt extends its influence even to the second part of the com-
parison. Comp. Meno 83 c, ἀπὸ μείζονος ἢ τοσαύτης γραμμῆς.
Riddell, § 168, takes a different view of this.        15 f. τὴν μὲν—
τὴν δέ 'one part of it so the other part.'        20 ἔκπλεως is a word
found in Euripides and Xenophon, but only here in Plato who uses
ἔμπλεως in all other passages. ἔκπλεα is the reading of the Bodl.
and the best mss., ἔμπλεα of later mss.        23 ξυνεχὲς ποικίλον = ξ.
καὶ π. or rather we should say that ποικίλον εἶδος is taken as one
idea and thus qualified by ξυνεχές.        28 τὰ ἀγαπώμενα (λιθίδια)
'stones highly prized:' Stallb. quotes τῶν ἀγαπητῶν λιθιδίων from
Themistius (Or. i. p. 19, Dind.), a manifest imitation of the Pla-
tonic expression.        30 οὐδὲν ὅ,τι οὐ is like one word = πᾶν,
comp. the Latin expression *nihil non.* So Thuc. 3, 39, τίνα οἴεσθε
ὄν‧ινα οὐκ ἀποστήσεσθαι; Xen. Cyrop. 1, 4, 25, οὐδένα ἔφασαν ὄντιν'
οὐ δακρύοντ' ἀποστρέφεσθαι. It seems now scarcely necessary to
state expressly why in sentences of this kind we have οὐ, not μή.

p. 82, 3 If we consider the words ὑπὸ σηπεδόνος καὶ ἅλμης as
genuine, we must translate 'putrefaction and brackishness arising
from the things gathered here:' but the whole passage becomes
much smoother by considering (with Cobet and Hirschig) the
words in question as a gloss, added by a reader in reference to the
similar expressions above, A.        5 τοῖς ἄλλοις ζῴοις = καὶ προσέτι
τοῖς ζῴοις. This use of ἄλλος is very idiomatic: for instances
see Gorg. 473 c. Phaedr. 232 E. Rep. 415 A. 521 B.        13 ἡμεῖς
sc. οἰκοῦμεν. If the verb were not understood, we should have
ἡμᾶς. See also Jelf, § 869, 3.    αὐτοῖς and ἐκείνους both denote the
same persons, with a change of the pronouns not unfrequent in
Plato: comp. e.g. Protag. 310 D, ἄν αὐτῷ διδῷς ἀργύριον καὶ πείθῃς
ἐκεῖνον, where both αὐτῷ and ἐκεῖνον denote Protagoras.

20 φρονήσει should not be changed to ὀσφρήσει with Herm. and
others: comp. Rep. 2, 367 c, οἷον ὁρᾶν, ἀκούειν, φρονεῖν.—φρόνησις
means here 'intelligence,' σύνεσις, as Hesychius explains it.

22 πρὸς καθαρότητα 'in regard to purity.'—ἄλση τε καὶ ἱερά, is
aptly illustrated by the expression in Livy, 35, 51, *fanum lucus-*

*que.* Many mss. (but not the Bodl.) have here ἔδη and even
Timaeus (the author of the Glossary) seems to have read so; but
Herm. justly asks 'quorsum simulacra deorum, ubi dei praesentes
sunt?' **24** αἰσθήσεις τῶν θεῶν 'sensible presence of the gods.'
It is to be regretted that the word 'sensible' has become anti-
quated in the notion required here : but for once we may be allowed
to use it so again. **25** ξυνουσίας 'intercourse :' τοιαύτας,
i. e. διὰ φημῶν καὶ μαντείας καὶ αἰσθήσεων.—αὐτοῖς πρὸς αὐτούς is a
somewhat negligent expression instead of ἀλλήλοις; αὐτοῖς means
men, αὐτούς the gods. **26** τόν γε ἥλιον καὶ σελήνην κ.τ.λ. without
repeating the article: see Don. p. 361. Stallb. quotes Phileb. 28 E,
καὶ ἡλίου καὶ σελήνης καὶ ἀστέρων, Polit. 271 c, τῶν ἄστρων τε καὶ
ἡλίου μεταβολήν, Legg. 10, 899 B, ἄστρων πέρι καὶ σελήνης. Rep.
7, 516 A, τὸ τῶν ἄστρων τε καὶ σελήνης φῶς.

LX. p. 83, **6** Owing to an anacoluthia, the construction
changes from the participle to the infinitive; it ought to be βαθυ-
τέρους ὄντας καὶ τὸ χάσμα ἔχοντας κ.τ.λ. See Riddell, § 285. αὐτοὺς
is redundant, but quite in keeping with familiar speech: comp.
Xen. Cyrop. 1, 3, 15, πειράσομαι τῷ πάππῳ ἀγαθῶν ἱππέων κράτιστος
ὢν ἱππεὺς συμμαχεῖν αὐτῷ. **11** στενότερα: see Jelf, § 134, 1,
Obs. 2. **13** ἀενάων: the poetical word is here quite in its
place. But in fact, the whole expression ἀενάων ποταμῶν ἀμήχανα
μεγέθη, is quaint and poetical. **14** μεγέθη means 'objects of
great size :' Phileb. 42 A, Protag. 356 c. **17** ῥύαξ 'the cur-
rent of lava:' so Thuc. 3, 116, ἐρρύη δὲ—ὁ ῥύαξ τοῦ πυρὸς ἐκ τῆς
Αἴτνης, and from Diodor. Sic. 24, 59, ἐφθαρμένων τῶν παρὰ τὴν
θάλατταν τόπων ὑπὸ τοῦ καλουμένου ῥύακος, it would appear that
the word was technically understood of lava. **19** ἑκάστους
τοὺς τόπους, 'the places, taken singly,' or 'one after the other.'
In the next words I feel inclined to adopt Stallb.'s conj. ὡς for ὧν
which is given by the mss. **21** ἄνω καὶ κάτω: comp. above, p. 60,
24. αἰώραν is the subject of the sentence, ταῦτα πάντα the object to
τὸ κινεῖν. Olympiodorus rightly explains τῆς τῶν ὑπογείων ῥευμάτων
ἀντιθέσεως αἰτίων εἶναί φησι τὴν αἰώραν, ἥ ἐστιν ἀντιταλάντωσις.
**25** Ὅμηρος: Il. Θ 14. **30** δι' οἴας κ.τ.λ.=οἴα ἂν καὶ ἡ γῆ ᾖ δι'
ἧς ῥέουσιν. **5** περὶ αὐτό sc. τὸ ὑγρόν. The mss. have αὐτόν,
corrected by Heindorf. **8** ῥέον τὸ πνεῦμα, 'the respiration when
flowing'='the current of respiration.' **10** ὁρμήσαν ὑποχωρήσῃ
is the reading of the mss. of the second class, while the Bodl. m.
pr. and other good mss. omit ὁρμήσαν, which is not indeed neces-
sary for the sense. Ficinus does not express ὁρμήσαν in his trans-

lation.    12 τοῖς κατ’ ἐκεῖνα τὰ ῥεύματα ‘intellegendum de
fluminum inferorum tractibus, in quos aqua cum impetu ex su-
pernis terrae partibus recedens infunditur, ita ut iam illi tantam
aquarum vim recipiant, ut prorsus impleantur. dativus autem
aptus nexusque est ex εἰσρεῖ.’ STALLB.  Translate: ‘when, there-
fore, the water (rushing with violence, ὁρμήσαν) descends into that
place which is called the region underneath, it runs through the
earth into the river-beds there and fills them up in the manner
of those pumping up water.’  To ὥσπερ οἱ ἐπ. we should supply
πληροῦσιν.  This seems to be the most plausible explanation of a
very difficult passage, which is even considered corrupt by many
editors.  Zeune and Wyttenbach write τότε for τοῖς, and Ast omits
τοῖς and διά, taking κατ’ ἐκεῖνα τὰ ῥεύματα τῆς γῆς as ‘the rivers of
that part of the earth.’    17 ὁδοποιεῖται ‘make their way,’ sc. τὰ
ἐνθάδε πληρωθέντα.    22 ἥ ἐπηντλεῖτο is justly explained by Stallb.
= ἥ ὅσον ἐπηντλεῖτο ‘multo inferius quam pro regionum altitudine,
unde effundebantur.’ Heind. conjectures ἐξηντλεῖτο.  23 ὑποκάτω
τῆς ἐκροῆς ‘below the level of the place from whence they are again
discharged,’ owing to the continued state of balancing (αἰώρα) in
which the earth is conceived to be.  25 καταντικρὺ ᾗ εἰσρεῖ ἐξέπεσεν
‘is discharged opposite to the place of its entrance.’  For the aor.
ἐξέπεσε see Don. p. 412, § 427, 66.—κατὰ τὸ αὐτὸ μέρος ‘on the
same side as where they enter.’   Aristotle’s criticism on this
passage, Meteor. 2, 2, p. 356, Bekk., is not fair; it might even seem
that Aristotle did not quite understand the description on which
he pronounced judgment.    27 εἰς τὸ δυνατόν ‘so far as possible.’
καθέντα is used in the sense of an intransitive verb, as is often the
case with the compounds of ἰέναι.  So Protag. 336 A, τούτου δέον
συγκαθεῖναι; cf. ibid. 338 A, Theaet. 168 A, Rep. 8, 563 A.  Former
editors, not understanding this idiom, changed the ms. reading to
καμφθέντα.    29 ἀμφοτέροις τοῖς ῥεύμασι, i.e. the rivers on
the upper and those on the lower part of the earth.  The rivers
may descend as far as the centre of the chasm, but were they to
attempt further progress, the *de*scent would be changed to an
*a*scent: hence progress beyond the centre becomes an impossi-
bility.

LXI.  p. 85.  Proclus on Rep. p. 396, justly observes that in the
following description of the four rivers Plato apparently works out
some Homeric ideas, though it should be added that only the
foundation is Homeric, while the superstruction is entirely Plato’s
own work.  In Homer, Ὠκεανός is conceived as a river flowing

round the earth: comp. Od. κ 506 f. (λ 159).  **4** *ῥέον περὶ κύκλῳ* is the reading of the mss. and modern editions, according to which *περὶ* should be considered as an adverb. Stallb. aptly compares Legg. 12, 964 E, *περὶ ὅλην κύκλῳ τὴν πόλιν ὁρᾶν.*

**5** f. *καταντικρὺ—'Αχέρων*: after Oceanus, Homer mentions Acheron, without however assigning a definite position to it. In Homer Pyriphlegethon and Cocytus flow into Acheron: *ἔνθα μὲν εἰς 'Αχέροντα Πυριφλεγέθων τε ῥέουσιν Κωκυτός θ', ὃς δὴ Στυγὸς ὕδατός ἐστιν ἀπορρώξ.* Od. κ 513 f.  **8** *οὐ ἀφικνοῦνται*: comp. above, 108 B, *ὅθιπερ (ἀφικνοῦνται).*  **11** *εἰς τὰς τῶν ζώων γενέσεις*: the idea of metempsychosis, on which see above, 70 CD.

**15** *ὕδατος καὶ πηλοῦ* should be taken as dependent on the verb (not on *λίμνην*, as Matthiae, § 375, n. 2, takes it), after the analogy of verbs of being full and filling: see Jelf, § 539, 1, and § 540, Obs.  **16** f. *περιελιττόμενος τῇ γῇ* receives a curious explanation from Stallb. 'significatur Pyriphlegethontem subter terram in orbem saepius circumvolvi superficiei ipsius propiorem, unde etiam subinde in terram superam eiaculatur ignea fragmina …fluvius vel sic *ambire terram* intus in ipsa existimandus est.' I confess that I find this explanation too clever for my taste, and I have therefore followed Heindorf, Ast and Hermann, in bracketing the words *τῇ γῇ*, words moreover omitted by Eusebius and Theodoretus who quote the passage.  **19** f. *κατωτέρω τοῦ Ταρτάρου* 'into the lower regions of Tartarus.'  **21** *οὗ* belongs to *ἀποσπάσματα.* The following sentence should be construed: *ὅπου τῆς γῆς ἂν τύχωσιν (ἀναφυσῶντες).*  **25** *κυανὸς* seems here to denote a gem of bluish colour, interpreted by some as a species of jasper, by others as a sapphire, or again as lapis lazuli. A more correct construction would be *τοῦτον δὲ ἐπον. Στύγιον, καὶ τὴν λίμνην κ.τ.λ.*; but in Greek the transition from a relative to a main sentence is often very loose; e.g. Xen. Anab. 1, 1, 2, *Κῦρον μεταπέμπεται ἀπὸ τῆς ἀρχῆς, ἧς αὐτὸν σατράπην ἐποίησε καὶ στρατηγὸν δὲ αὐτὸν ἀπέδειξε πάντων,* where the correct constr. would be *ἅμα καὶ ἀποδείξας αὐτὸν στρατηγόν.*  p. 86, **4** *λέγουσι* is the reading of all mss. except the ms. Ξ at Venice which has *φάσκουσι*: but see Elmsley's note on Eur. Heraclid. 903.

LXII. p. 86, **7** *διεδικάσαντο,* 'undergo judgment:' for the aorist see Don. p. 412, § 427 bb., and for the verb above, 107 E.

**9** *μέσως βεβιωκέναι,* i.e. to have lived so as to be conspicuous neither for virtues nor for vices: comp. Tac. Hist. 1, 49, *ipsi medium erat ingenium, magis extra vitia quam cum virtutibus.*

10 ἀναβαίνειν with the acc. occurs also Rep. 2, 365 B.    12 The participle διδόντες δίκας is subordinate to καθαιρόμενοι: they are purified by suffering punishment for their misdeeds.    18 τούτους δὲ=τούτους δή. So again, 114 A.    19 ὅθεν οὔποτε ἐκβαίνουσιν: eternal punishment is also mentioned in the Gorgias (525) and Rep. 10, 615.    3 κατὰ 'down the Cocytus:' comp. Xen. Cyrop. 7, 5, 16, τὸ ὕδωρ κατὰ τὰς τάφρους ἐχώρει.—φέρονται...εἰς τοὺς ποτα-μούς: the preposition εἰς denotes here progress along or in a certain route, 'down the rivers.' Riddell, § 113.    p. 87, 6 πρὸς τὸ ὁσίως sc. βιῶναι, 'who appear to have lived with distinction as concerns the living holily—sanctity of life.' Other instances in which adverbs are seemingly used as substantives, but where we always find that an infinitive should be supplied, occur Phileb. 61 D, Euthyd. 281 A, Sympos. 181 B.    8 τῶν ἐν τῇ γῇ is unnecessary after τῶνδε, but added for the sake of emphasis and perspicuity. See above, 104 E, 117 E.    10 ἐπὶ τῆς γῆς 'and on yon earth,' the article having a demonstrative force. It is, however, omitted in all our mss., but found in Theodoretus, Eusebius and Stobaeus. 11 οἱ φιλ. ἱκ. καθηράμενοι is explained above, 67 C.—ἄνευ σωμάτων so as to revert to their state before life, see above 76 C, χωρὶς σωμάτων.    15 πᾶν or πάντα ποιεῖν is a common expression for 'trying everything,' 'making all efforts.'

LXIII. p. 87, 22 The constr. is τοῦτο καὶ δοκεῖ μοι πρέπειν οἰομένῳ οὕτως ἔχειν καὶ ἄξιον κινδυνεῦσαι οἰομένῳ οὕτως ἔχειν 'it seems to me to be both becoming in a man who believes it to be so and worth his while to run the risk,' i.e. if the affair is not quite so as I represent it to be, yet my theory seems so probable that one may well venture to accept it. See also Jelf § 691.    24 ἐπᾴδειν 'to use enchantments,' here 'to coax themselves over into the belief.'    26 περὶ with a dative is common after verbs of fearing and the contrary: Don. p. 516. On this Riddell § 127 says beautifully 'The feeling is represented as locally watching over its object.'    29 θάτερον is a euphemistic expression for τὸ κακόν: Valcken. Diatr. Eur. p. 112.    πλέον ἀπεργάζεσθαι is 'to increase, to make more:' comp. such passages as Euthyd. 297 D, πλέον ἂν θάτερον ποιήσειεν 'he would do more evil than good;' ibid. 280 E. p. 88, 5 οὕτω is explained by ὡς πορευσόμενος 'ready to start.' 8 φαίη ἂν ἀνὴρ τραγικὸς 'as a tragedian would express it:' there is no express reference to a passage in a tragic writer, but the phrase εἱμαρμένη με νῦν ἤδη καλεῖ savours of the tragic style.    10 βέλτιον εἶναι 'to be preferable,' i.e. merely 'advisable,' the meaning of the

comparative being completely lost. 12 νεκρὸν λούειν is epexe-
gesis of πράγματα παρέχειν: comp. Meno 76 A, ἀνδρὶ πρεσβύτῃ
πράγματα προστάττεις, ἀποκρίνεσθαι. See also Jelf § 668, 2.

## LXIV. SOCRATES' CONVERSATION WITH CRITO CONCERNING HIS BURIAL.

p. 88, 13 εἶεν: see n. on Apol. p. 3, 25.    14 ἐπι-
στέλλειν is frequently used of the last requests of dying
persons: below 116 B.    17 καινότερον: 'the graceful use of
the vague comparative expresses a modified degree.' Riddell §
178.    18 τοῖς ἐμοῖς is neuter.    23 πλέον ποιεῖν 'to gain,'
a common expression.    25 ff. The whole passage from θάπ-
τωμεν to οἰχήσομαι ἀπιών (D) is translated by Cic. Tusc. 1, 43.
24 προθυμηθησόμεθα is the reading of the best mss. (Bodl. in-
cluded), while προθυμησόμεθα is given by the mss. of the lower
order. The same variety occurs in the mss. above 91 A.    28
ἔφη after the preceding εἶπεν is a common tautology, see e.g. below
118 A, εἶπεν, ὦ Κρίτων, ἔφη. In the same way we often find *inquit*
in Latin, even when *dixit, respondit* and similar verbs precede.
See above 78 A.    p. 89, 1 δὴ has much ironical force: 'and he
actually asks me.'    4 εἰς μακάρων δή τινας εὐδ.: comp. above
107 D, εἰς δή τινα τόπον. The expression is made emphatic both
by δή and τινὰς 'that I shall really depart to the unspeakable
felicity of the blessed.'    5 ἄλλως λέγειν 'to say in vain;' n.
on Crito p. 44, 29.    9 παραμενεῖν: sc. ἐμὲ ἠγγυήσατο.    14 προ-
τίθεται κ.τ.λ. Heindorf justly draws from this passage the conclu-
sion that Crito had undertaken the charge of the funeral rites.
The dead body was washed and anointed (περιστέλλειν, Eur. Alc.
664 f.) and then laid out (προτίθεσθαι) in the house (ἔνδον, De-
mosth. in Macart. p. 1071 R.): the next act was the ἐκφέρειν which
ended either in burning (καιόμενον above) or burying (κατορύττειν).
16 εἰς αὐτὸ τοῦτο 'so far as concerns itself.' In the next sentence
we should rather expect ἀλλὰ καὶ διότι—ἐμποιεῖ or ἄτε ἐμποιοῦν.
But the loose construction is quite in Plato's style.

## LXV. OTHER INCIDENTS OF THE EVENING. THE TESTIMONY OF THE OFFICER OF THE ELEVEN AS TO SOCRATES' CONDUCT IN PRISON.

p. 89, 20 ἀνίστατο εἰς οἴκημα 'got up *and went* into a room.'
Heindorf compares Protag. 311 A, ἐξαναστῶμεν εἰς τὴν αὐλήν.
Theag. 129 B, ἐμὲ δεῖ ποι ἐξαναστῆναι. Eur. Heracl. 59 ἀνίστασθαι σε

χρὴ εἰς Ἄργος, and Stallb. adds Arist. Plut. 683, ἐπὶ τὴν χύτραν τὴν τῆς ἀθάρης ἀνίσταμαι. The elliptical nature of the expression requires no further explanation. **29** οἰκείας γυναῖκας 'the women of his house' or 'family.'—For the sons of Socr. see n. on Apol. p. 27, 24. **p. 90, 6** καταγνώσομαι σοῦ 'I shall not complain of you.' **10** ἐν τούτῳ τῷ χρόνῳ, i.e. during the time of your imprisonment. **14** ἀγγέλλων = ἀγγελίαν φέρων Crito 43 c. The present is given by all mss. and it is not necessary to change it into the future: see Elmsley on Eur. Med. 1024. **19** ἄνθρωπος 'servant.' **28** ὧν is feminine. **p. 91, 1** ἐγχωρεῖ is impersonal; see Phavorinus ἐγχωρεῖ λαμβάνεται ἀντὶ τοῦ οἷόν τε καὶ δυνατόν ἐστιν, οἷον ἐγχωρεῖ γενέσθαι τόδε. But here it means 'it is still time.' **4** οἶμαι κερδανεῖν is the corrected reading of the Bodl., κερδαίνειν that of the first hand and many mss. On varieties of this kind see n. on Crito p. 53, 27. **5** παρ' ἐμαυτῷ 'in my own estimation.' **6** οὐδενὸς ἔτι ἐνόντος 'when nothing is left' viz. of life. Socr. says that it is ridiculous to begin economizing his life when nothing (or scarcely anything) is left. The editors show that this is an allusion to a proverbial saying taken from Hesiod Opp. 367, δειλὴ ἐνὶ πυθμένι φειδώ, translated by Sen. Epist. 1 *sera parsimonia in fundo est* (when you have come to the bottom).

LXVI. THE EXECUTION. SOCRATES' DYING WORDS. EPILOGUE.
**p. 91, 12** εἶεν 'all right.' σὺ γὰρ κ.τ.λ. is a causal sentence for which we have to supply something like ἐρωτῶ σε. **14** ἄν σου —ἐν τοῖς σκέλεσιν: here the gen. of the personal pronoun is not only placed before the subst., but even separated from it by another subst., thus obtaining the force of a dat. comm. or here incomm.: Jelf § 652, 3, Obs. 4. The dat. is used below E in relating the same thing. **15** αὐτὸ ποιήσει 'will take effect.' ποιεῖν as a medical word ('to operate') is found in Dioscorides; but hear Riddell § 99 who says beautifully 'there is delicacy in the vagueness with which both the deadly agent and its effect are designated.' **19** ταυρηδόν, according to his usual manner, comp. Sympos. 221 B, βρενθυόμενος καὶ τὠφθαλμὼ παραβάλλων. **21** πρὸς τὸ ἀποσπεῖσαί τινι 'in regard of its fitness for a libation:' Riddell § 128. **26** ἐπισχόμενος 'having put the cup to *his* lips.' The active is used in a similar sense in Arist. Clouds 1382, εἰ μέν γε βοῦν εἴποις, ἐγὼ γνοὺς ἂν πιεῖν ἐπέσχον. **28** κατέχειν τὸ μὴ δακρύειν: for μὴ see Jelf § 749, 1. **p. 92, 4** οἵου = ὅτι τοιούτου: n. on Crito p. 39, 17. **9** οὐδένα ὅντινα οὔ: Jelf § 824. 1, 2. **10** κατέκλασε is Stephanus' excellent con-

jecture, afterwards found in the best mss. (the Bodl. among the number): the old reading was κατέκλαυσε. **11** οἶα ποιεῖς (ποιεῖτε) is a phrase expressing surprise and anger: see Euthyphro 15 E, Charm. 166 c, Alcib. I. 113 E. **14** "ἐν εὐφημίᾳ χρὴ τελευτᾶν" ἠξίουν οἱ Πυθαγόρειοι ὡς ἀγαθοῦ καὶ ἱεροῦ τοῦ πράγματος ὄντος. Olympiodorus. **19** διαλιπὼν χρόνον: the verb has the same sense used absolutely. But see also p. 93, 3. **23** I have followed Hirschig in adopting πηγνύοιτο, in preference to the ms. reading πήγνυτο (a form contrary to all grammatical analogy), and to the accentuation πηγνῦτο recommended by Don. p. 225. See above, n. on p. 32, 10. **24** αὐτὸς sc. ὁ ἄνθρωπος. The repetition of the subject is awkward, and Forster's conjecture αὖθις would be a preferable reading, if it had the authority of mss. **27** ἐνεκεκάλυπτο, according to the custom of dying persons. The example of Caesar receiving the death-blows of the conspirators with his face covered, is well known. **28** f. ὀφείλομεν ἀλεκτρυόνα: by this Socr. meant to express that he had happily been cured of a great malady (in this instance, of life), and owed Aesculapius a thank-offering for his recovery. p. 93, **4** ὃς τὰ ὄμματα ἔστησεν i.e. his eyes had become fixed. **7** τῶν τότε a common expression for 'of his contemporaries:' cf. Her. 1, 23 Ἀρίονα—κιθαρῳδὸν τῶν τότε ἐόντων οὐδενὸς δεύτερον. Plat. Epist. 7, 324 E Σωκράτη—οὐκ ἂν αἰσχυνοίμην εἰπὼν δικαιότατον εἶναι τῶν τότε. Sympos. 173 B ἐραστὴς ὢν ἐν τοῖς μάλιστα τῶν τότε. Xen. Anab. 2, 2, 20 κήρυκα ἄριστον τῶν τότε. 'The phrase τῶν τότε which may probably have slipped uncon- sciously from Plato, implies that Socrates belonged to the past generation. The beginning of the dialogue undoubtedly shows that Plato intended to place it shortly after the death of Socrates; but the word τότε at the end is inconsistent with this supposition, and comes out unconsciously as a mark of the real time.' GROTE, Plato 2 p. 152. The difficulty of explaining τῶν τότε quite satis- factorily, drives Hirschig to the *salto mortale* of pronouncing the whole conclusion from ἀνδρὸς to δικαιοτάτου the mere addition of a 'Graeculus.' There is a tenderness and pathos in this passage which will no doubt be felt and understood by all readers. **8** ὧν ἐπειράθημεν 'so far as we knew them:' comp. Xen. Anab. 1, 9, 1. 2, 6, 1.——καὶ ἄλλως 'in other respects.'

## EXCURSUS ON 86 в (p. 45, 28).

Animam esse *harmoniam* complures quidem statuerant,......
hanc autem hoc loco declaratam rationem tenuerant Parmenides
et Zeno Eleates. illius sententiam colligimus ex Aristotele Metaph.
iv 5, et Theophrasto citato apud Stephanum in Poesi Philos. p. 46:
ὡς γὰρ ἑκάστῳ ἔχει κρᾶσις μελέων πολυπλάγκτων, Τὼς νόος ἀνθρώ-
ποισι παρέστηκεν· dictione formata ad Homericum exemplum Τοῖος
γὰρ νόος ἐστὶν ἐπιχθονίων ἀνθρώπων, οἷον ἐπ᾽ ἦμαρ ἄγῃσι πατὴρ
ἀνδρῶν τε θεῶν τε.    Zenonis disertum effatum est apud Diogenem
Laërt. ix 29, γεγενῆσθαι δὲ τὴν τῶν πάντων φύσιν ἐκ θερμοῦ καὶ
ψυχροῦ, καὶ ξηροῦ καὶ ὑγροῦ, λαμβανόντων αὐτῶν εἰς ἄλληλα τὴν μετα-
βολήν· γένεσίν τε ἀνθρώπων ἐκ γῆς εἶναι· καὶ ψυχὴν κρᾶμα ὑπάρχειν
ἐκ τῶν προειρημένων κατὰ μηδενὸς τούτων ἐπικράτησιν.  haec est
κρᾶσις temperamentum, quam eandem Plato h.l. appellat ἁρμονίαν,
ut postea in Dicaearchi opinione factum: v.c. apud scriptorem
operis Plutarchei De Placitis Philos. iv 2: Δικαίαρχος (τὴν ψυχὴν
ἀπεφήνατο) ἁρμονίαν τῶν τεττάρων στοιχείων, Nemesium De Natura
Hom. ii p. 41: Δικαίαρχος δὲ ἁρμονίαν τῶν τεττάρων στοιχείων οὐ
γὰρ τὴν ἐκ φθόγγων συνισταμένην, ἀλλὰ τὴν ἐν τῷ σώματι θερμῶν
καὶ ὑγρῶν καὶ ψυχρῶν καὶ ξηρῶν ἐναρμόνιον κρᾶσιν καὶ συμφωνίαν
βούλεται λέγειν.  Lucretius a Forstero citatus nec ideo nobis
omittendus iii 98: (*Quamvis multa quidem sapientum turba
putarunt*) * *Sensum animi certa non esse in parte locatum: Verum
habitum quendam vitalem corporis esse, Harmoniam Grai quam
dicunt, quod faciat nos Vivere cum sensu, nulla cum in parte siet
mens.*  Nam alia fuit Pythagoreorum et Aristoxeni harmonia, de
quibus mox dicemus. wyttenbach.  Besides this, the student
should also consult Munro's note on the passage in Lucretius,
showing, as we think, that Aristoxenus' tenets were identical with
those propounded by Simmias, who is a Pythagorean.

---

* This line is not found in the mss. of Lucretius, but supplied in Ald. 1: see
Munro's crit. note.

# COLLATION OF THE BODLEIAN MS.

For the following collation I am indebted to the very great kindness of my friend Mr I. Bywater, fellow of Exeter College, Oxford. I believe that it is not saying too much when I assert that the readings of the Bodl. ms. are here given with the greatest possible accuracy: for not only had my friend noted even the most minute details, but at my request many doubtful passages were repeatedly inspected in order to convince ourselves whether the fault lay with the present collation or with Gaisford and Bekker. It should also be stated that Gaisford's collation is far more accurate than would appear from Bekker's statements, and again that the German edition of Bekker's Plato has fewer errors than the English reprint in Priestley's Variorum Plato—otherwise a most useful work.

A new and careful collation of the Bodl. ms. is only the first step towards settling the question of the authority of the mss. of Plato. What ought to be done, is a new collation of the Tübingen ms., formerly used by Fischer and Heindorf, and of Bekker's ms. II at Venice, to which may perhaps, but not necessarily, be added the Cod. Augustanus. I believe that an edition founded on accurate collations of these mss., and containing a complete collection of the quotations of Platonic passages in other writers, would actually settle the text of Plato, by proving that the corrections and marginal emendations of these mss. agree throughout with the text of the inferior mss., and that the latter are destitute of all authority. I believe there are instances to prove that the copyist of the Bodl. ms. had before him more than one ms. of Plato from which he formed his own text. These and similar theories may perhaps be developed in a critical edition of several dialogues arranged in the manner previously described.

Before proceeding to the collation itself, I give Mr Bywater's observations on the state and condition of the ms., so far as it concerns the Phaedo.

1.　In the first half of the Phaedo the margin has been shockingly damaged with water: a late hand has retraced the half-effaced letters of the original text, and in one place repaired the page with fresh parchment. The text in this part is not very legible, and it is full of small blunders due to the second scribe: I have not noted these, unless there is a possibility that they arise from his following the traces of the older text.

2.　A great occasion for correction seems to have been this. The scribe seems to have frequently written σπ and στ together, even when they occurred in two distinct words. The σ in these cases has been generally erased, and reinserted in different ways, e. g. προ(τάττοι, ὦ(περ; but there are many instances in which the τ is thus treated: e.g. ὥϛτε. The letter τ again is often super-scribed, thus ὁ͏, and it seems to me that in these cases it is very often due to a late hand.

3.　τί δέ is *invariably* τί δαὶ, in an erasure, but by the *original* hand, which is easily distinguished from that of the correctors.

4.　ἠδ' ὄσ is the original reading in every place that I have noticed. The accentuation in the case of enclitics is eccentric when judged by the modern practice, but I think that I have given you enough instances [they are all reproduced here] to enable you to see this for yourself.

5.　The correctors are numerous, but they have generally left the original accents undisturbed: it is however, always possible to see when they have erased them. I do not pretend to distinguish between the various correctors, but they must be pretty widely separated in point of date. In page 69 B, for instance, ἄλλων (with vestiges of ἀλλήλων in margin), proves that the ἀλλή λων was not written until the marginal correction was already faint. Many of the variations are in a hand which seems almost as old as the text, if one may infer from the shape of the breathings and certain of the letters.

To the last observation, I will add that I have found it perfectly true in collating the Apology and part of the Crito. There is also a very recent corrector, perhaps not earlier than the 16th century.

---

φαίδων ἤ περὶ ψυχῆσ: ἠθικόσ.　　　p. 1, 11 εἶχεν.　　13 ἆρα. p. 2, 2 ἔτυχε, but -ν erased.　　3 πέμπουσι, with -ν erased; in the margin κατ' ἔτοσ is added.　　4 ἐστι, with -ν erased.　　10 ὡσφασὶν.　　13 εἰσῇλόντε (from Bekker it would appear that τε is not in the ms.).    22 τί δαί, corr. by m. 1.    23 τίνα ἦν, but τίνα is a correction in the space which would be filled by τί, and we should, therefore, write τί here as well as we have it p. 1, 5.

καὶ πραχθέντα    27 παρῆσαν τινές.

p. 3, 4 ἥδιον in the margin.    7 διεξελθεῖν (reported by Bekk.
as the reading of ΔΦG).    10 ἀνήρ.    11 ἐφαίνετο ὦ
τοῦ λόγου    14 καὶ ἐκεῖσε.    εἴπέρ τισ.    23 ὅτε.

p. 4, 3 κρίτων in the margin : Hermann is, therefore, right in bracketing the name.    9 φαιδωνίδησ, and φαιδώνδησ in the marg. 14 ἄλλοσδέτίσ : but τ in erasure.

p. 5, 2 συνελέγημεν.    7 ὅστισ in the margin.    11 ἐκέλευεν, not a correction, as Bekker says.    εἰσελθόντεσ corr.    13 γιγνώ-
σκεισ.    19 αὐτήν.    21 εἰσ.    25 τὸ ἅμα.

p. 6, 6 ἐδύνατο.    10 πρότερον added in margin.    16 εὔηνοσ.
17 πρῴην.    20 ἐρωτᾶι : marg. ἔρητι (sic). χρή ; it was χρὴ originally.    23 ὡσότι.    24 ἀποπειρώμενόστιλέγειν, marg.
τί λέγει    25 εἰ πολλάκισ.

p. 7, 8 ἀποθνήισκειν.    10 ἀπιθῆσαι, altered into ἀπειθῆσαι.
11 μὴ ἀπιέναι* πρὶν ἀφοσιώσασθαι, in the margin πρότερον.
16 ἦ′.    17 μύθουσ καὶ ἠπιστάμην τοὺσ.    27 ἔφη added in marg.
28 μέντοι.

p. 8, 1 ἀπὸ τῆς κλίνης om.    8 σαφῶσ. καὶ ἐγώ.    15 οὐφασί.
24 τἆλλά ἐστιν.    26 ὅσιόν αὐτούσ. ἀλλὰ ἄλλον.    28 ἰττιῶζεὺσ

p. 9, 1 ἴσωσγ′.    4 ἐσμὲν* : marg. πάντεσ.    10 φησὶν ὁ
κέβησ.    15 ὁ above.    16 ἡμῖν παροῦσαν.    20 ἔχειῶ (indicating correction).

p. 10, 8 πραγματίαι, altered m. 2 into πραγματείαι.    16 ἀπολ᾽ίπών (sic).

p. 11, 2 εἴπέρτι.    7 αὐτὸσ* ἔχων : marg. οὕτωσ    8 μετα-
δώιησ.    10 ἐστιν (for ἔσται).    13 τί* ὦσώκρατεσ : marg. δε.
ἀλλόγε.    15 φροντίζειν : marg. φράζειν.    16 μᾶλλονδιαλεγομένουσ.
21 μέντοι ἤιδειν.    25 βίον θαρρεῖ* μέλλων (Bekker has "θαρρεῖ Ξ et pr. Γ.").

p. 12, 5 μηδὲν.    9 ἄντουσ.    11 ξυμφᾶναι.    16 ἤτε. ἤ.
20 ἄλλότι ἢ τὴν τησ.    25 ἄλλότι ᾽ἡι θάνατοσ, with a blank before
θάνατοσ.    27 ἅπερ ἐμοί.    30 σίτων original reading, altered into σίτωντε and then in σίτωντε.    marg. σιτίων.

p. 13, 1 ἥκιστά^γε—τί δαῖ [with two accents and in eras.].

4 καὶ διαφερόντων. 6 δοκεῖ σοι. 9 πραγματεία corr. from πραγματία. 15 δοκεῖγεδήπου [from Bekker's note it would seem that the ms. had δοκεῖδήπου]. 16 μετέχειν [given by Bekk. from many other mss.]. 20 τί δαῖ [correction by m. pr. in erasure ; so throughout wherever τί δαὶ occurs]. 27 μηδὲ [-ν erased].

p. 14, 3 εἴπέρπου. 4 πουτοῦτότε. 5 αὐτὴν τούτων μηδὲν.

6 μηδέτισ. 12 τί δὴ οὖν [marginal reading illegible]. 14 According to Bekk. the ms. has οὐ before καλόν; but this is wrong, as the ms. agrees with our text. 18 ὑγείασ. 20 τὸ ἀληθέστατον. 21 ὧιδε ἔχει.^σειε 25 ποιήσηι. 27 μήτέτινα. 30 ἐπιχειροῖ.^η

p. 15, 5 εἴπέρ τισ. 10 ἐκφέρειν ἡμᾶσ. 12 τοῦ is added above the line. 24 ἡμῖν added above the line. 29 παραπίπτον [΄ in eras.].

p. 16, 10 ἡ ψυχὴ^β ἔσται^α χωρίσ.^γ 15 αὐτὸσ added in marg. 17 τοιούτων τὲ. 26 εἴπέρ που. 27 πραγματεία [thus in the ms. in this place]. 28 νὑνμοὶ.^ε

p. 17, 6 ὥσπερ δεσμῶν [without ἐκ, and perhaps we ought to omit it in the text rather than follow Cobet]. 8 ψυχῆσ in marg. [om. pr. Π]. 12 τῆσ ψυχῆσ. 25 ξυνόντοσ, ξ in eras. but by m. pr.

p. 18, 2 μετελθεῖν in marg. 3 ὄψεσθαί τι [τι now stands in the ms., but -ι is in eras. : Mr Bywater attributes the corr. to the first hand, because the τι precisely resembles the uncorrected τι elsewhere]. 4 ἆρά τισ. 8 τῶι ὄντιγε ἦι. 9 in marg. perhaps by m. pr. : γρ. ἄλλοθι δυνατὸν εἶναι καθαρῶσ. 19 ἀνδρία. 26 τήν τὲ. 27 ἀνδρίαν. 29 in the marg. τῶν μεγίστων κακῶν. 30 μάλ΄.

p. 19, 3 ἀλογόν γε, in the marg. ἄτοπον. 6 που above the line [om. Π]. 7 εἶναι above the line [om. Π]. 8 τὸ^ῶ. 12 ξυμβαίνει, ξ in eras. 16 f. αὕτη ἡ ὀρθὴ πρὸσ ἀρετήν· ἀλλὰ ἡδονᾶσ [΄ over ἥν in eras.]. 19 ἀλλ΄ ἤ. 20 ἀντὶ οὖ. 23 ἀνδρία. [24 To this line belongs the note which is wrongly assigned to 28.] 27 καὶ before ἀλλαττόμενα is subsequently inserted in an abbreviation [om. pr. Π].^ἀλλή λων ἄλλων : in the marg. traces of ἀλλήλων. 29 ὑγιὲσ εἶναι.

p. 20, 1 ῃι^β κάθαρσισ.^α 2 καὶ ἀνδρία without ἤ. 3 κινδυνεύωσι [the -ωσι in late hand over the traces of the original reading, whatever that was].^τινεσ 4 φαῦλοι εἶναι. 8 ὥσφασὶν [so that again the ms. agrees with Π]. 13 εἰ δ΄ ὀρθῶσ. 14 ἠνύσαμεν. 15 ἄν. 17 ἀπολιπὼν [with Π].^αι 20 ἑτέροισ.

p. 21, 1 ἀπόλλυται.    2 ἀποθνήισκει, marg. ἀποθάνηι.    13
ἔγωγε.    19 εἴτ' ἄρα.    21 ἐστί τις λόγοσ, marg. ἔστι τισ ὁ λόγοσ
οὗτοσ οὗ μεμνήμεθα.    23 γίνονται.

p. 22, 4 ζώιων.    6 εἰδῶμεν.    16 οὕτω ἔφη [with Π].    18
καὶ ἂν δικ—[so beyond a doubt—Gaisford is wrong here].    22 ἐστί
τι: marg. ἔστιν ἔτι.    25 γὰρ above the line.

p. 23, 3 ἐξ ἑκατέρου [though Bekk. states ἑκατέρων].    4 marg.
πάνυ γε ἤδ' ὅσ.    13 The words ἐγρηγορέναι καὶ ἐκ τοῦ καθεύδειν
are wanting in the text, added in marg. [Bekk.'s note leads me to
the suspicion that Π agrees with this.]    15 αὐτοῖν. (σ)    17 δήμοι (β)
καὶ σύ. (α)    18 φῆσ.    23 ἄρα εἰσίν. (αῖν)    25 τοῖν in both places.

p. 24, 1 εἴπέρ ἐστι.    10 ἴδε.    12 ὥσπερ εἶ.    15 μηδὲ.
18 ἐννοήσασιν, marg. ἐννοῆσαι.    21 πάντα, without ἂν.    22 ἀπο-
δείξειεν τἄλλα [according to Bekk.].    24 διακρίναιτο.

p. 25, 2 οὐχὶ in eras.    10 μέγε.    18 ἡμῖν.    21 ποῖαί εἰ-
σιν is the reading given by Bekk. as found in the ms.: but Mr
Bywater states expressly that εἰσιν is not in the ms.    [26 ποιή-
σειν is also in the Tub.]    29 πείθηι.

p. 26, 1 τῆιδε πῆισοι αν σκοπουμένωι [So also Tub.].    3 μέν σοι
[with Π and Tub.].    4 μαθεῖν.    7 μὲν ἂν, double accent. (`^`)
πῆι σύ. (β α)    8 τῆιδ' ἔγωγε.    9 ἀναμνησθήσεται.    10 γ'.    16
ἀνεμνήισθη.    17 ἔλαβεν m. pr., ν erased.    23 δέ ἐστιν. γε above
the line [om. Π].    25 νὴ δία.    26 τοιοῦτο. (ν)

p. 27, 15 ἀλλό τῶν [Bekk. states that τι is wanting in Π m. pr.: (τι)
it should, therefore, be omitted in the text].    16 αὐτό τε, marg.
reading illegible.    18 αὐτὸ ὅ [sic] ἔστιν. (ἴσον)    24 τῶι μὲν...τῶι δ', (γρ.τότε)
corr. m. 2 into τότε δ'.    27 ἄρα.

p. 28, 4 γὰρ added above the line after ἕως.    8 ἐλέγομεν ἐν
τοῖσ ἴσοισ.    9 f. αὐτό ἐστιν ἢ ἐνδεῖ τῶι, marg. ἴσον in the late (ς)
hand.    10 μὴ omitted [so also in Tub. and pr. Π].    15 marg.
ἀλλ' ἀλλό ἐστιν.    16 marg. τυγχάνειν.    28 ἔκ τε.

p. 29, 12 τούτων. (ου)    19 ἢ om. [so also pr. Π].    24
ἡμῖν τούτωνπάντων [see p. 31, 26: εἶναι, om. Π, which has also (εῖναι α)
πάντων. The reading of these two mss. will have to be followed in
future editions].    26 λαβόντεσ`, marg. μὴ. (ε)    27 εἰδότασ. ἀεὶ
before διὰ βίου om. [so also Tub. pr. Π].    30 παντελῶσ in the
marg.

p. 30, 2 αὐτά, marg. ταῦτα.    3 ἄστοτε, the first τ in eras.
6 τοῦτό γε.    10 τὰ ἔτερα, marg. θάτερον.    12 οὖσ φαμὲν ἀλλ'
ἤ.    18 τόδε om.    26. ἄρα.

p. 31, 3 ἅμα om.    8 ἐν ὧιπερ καὶ λαμβάνομεν.    12 καλον

τέ<sup>τι</sup> καὶ [τι is wanting in Tub. II].    14 αἰσθήσεων αὐτῶν [αὐτῶν
continuously written, in marg. and probably by m, 2].    16 ταῦτά
ἐστιν.    17 μή ἐστι, but the original reading was perhaps μὴ

ἔστι.    19 ἆρ᾽ οὕτωσ, orig. ἆρ.    26 τὸ πάντα τὰ τοιαῦτ᾽.    28
ἐμοὶ ἐδόκει ἱκανῶσ, marg. καὶ ἔμοιγε ἱκανῶσ. [The true reading of this
passage seems to be καὶ ἐμοὶ (or ἔμοιγε) δοκεῖν ἱκανῶς ἀποδέδεικται.]

p. 32, 7 οὐδὲ.    9 ὅπωσ μὴ ἀποθνήισκοντοσ—διασκεδάννύται, in
the marg. ὁρ. ἀν. ὑπ .    12 ἀλλοθέν.    18 According to Bekk.
the ms. reads ὅτι εἰ καὶ, but Mr Bywater states that there is no εἰ in

it.    24 ἀνάγκη δὲ.    26 καὶ τοῦ, without ἐκ.    28 αὖθισ αὐτὴν.
29 λέγεται.

p. 33, 11 μορμολυκεῖα, the accent over ν erased.    13 ἐξιάσηται.

19 ὅτι ἀναγκαιότερον.    22 f. ἔφη ὑπάρξει.    28 τοῦ διασκεδάν-
νυσθαι.    30 οὖ om.

p. 34, 6 ταῦτα [ταῦτα is also in Stobaeus and Tub.].    10 εἶναι
τὰ above the line.    14 καταυτά.    15 μή, marg. ἤ. [Instead of
17 and 20, read 14, 17 and 20.]    24 ἐκείνοισ, and καὶ added
above in a contraction.    25 οὐδέποτε κατὰ ταυτά : οὕτωσ ἔφη ὁ,
marg. ταῦτα.

p. 35, 3 οὖν .    7 αὐτῶν : ἡ added in the marg.    14 ψυχῆσ
ἐλέγομεν· ὁρατὸν ἢ ἀόρατον εἶναι [ἐ inserted before λέγομεν in a
different hand].    22 αἰσθήσεων τό μέν.    23 σώματοσ αὐτὰ
οὐδέποτε.    28 γίνεται.

p. 36, 1 marg. γίγνηται, hardly legible.    5 ἀληθῆ .    6 τῶν.

ἔμπροσθεν.    8 ἀνμοιδοκεῖ, erasure after πᾶσ, and ἂν orig. ἄν.
12 ἄρα δὴ.    15 καταντά.    19 The ν in ἔοικεν is erased.    [In-
stead of 30 read 24.]    25 πολυειδεῖ καὶ ἀνοήτωι.    28 ὡσῆ, in
the marg. ἢ ὡσ.    30 ψυχῆι δὲ αὖτο [ι inserted afterwards].

p. 37, 2 ὅτι above the line.    ἀποθάνοι .    5 καὶ διαπνεῖσθαι
om. in the text and added in the marg.    7 ἐὰν μέν [μέν written
continuously, but by m. 2 and in marg.].
13 ἄρα [orig. ἄρα].    19 ὡσφασιν, orig. ὡσφασὶν.    21 ὧδ᾽
ἔχει.    24 αὐτὴ εἰσ ἑαυτὴν, in marg. by m. 2.    [These words are
also wanting in Tub.]

p. 38, 3 τῶν.    5 νὴ δία.    8 καιγεγοητευομένη.    10 τὸ,    15 εἰλι-
κρινῆ.    16 ἀλλὰ καί.    28 Mr Bywater notes no variation on

οὔτίγε, but according to Bekk. the ms. has οὔτέγε. The cod. Aug. is reported to have οὔτίγε.

p. 39, 1 τροφῆσ [ῦ]. 9 διευλαβουμένουσ [η]. 14 φαμὲν. εἶναι [ιέ]. 15 ῆι[οῖ]. 16 ἕκαστα. 19 τε above the line m. 2. 21 ἔθ8σ, orig. ἔθοσ. 22 ὅτι ὀ̣υ̣.

p. 40, 1 in marg. ἄλλῳ ἤ. 2 ἀπέχονται, but ἀπ in eras. [ἔχονται pr. Π]. 4 ἑαυτούσ 8τι [orig. ὅτι]. 9 μὰ δία. 10 ἔφη is wanting in the text, and added in the marg. 11 ἑαυτῶν. σώματι [α] πλάττοντεσ [Tub. and Π have σώματι πλ.]. 18 γινώσκουσι [γ]. 21 δία εἰργμοῦ.

p. 41, 14 ἠσθῇ, in the marg. ἢ λυπηθῆι. 15 ὧν instead of ὅσον. 18 πάσχοι [ει]. 21 ἐπὶ τῶι. 22 πάσχει [η]. 23 τὰ om. 25 ὑπὸ [τοῦ] σώματοσ. 30 ὁμότροπόσ [β] τε καὶ ὁμότροφοσ [α ο].

p. 42, 1 εἰσ ἅιδου καθαρῶσ. 2 ἀλλά. 9 κόσμιοί[τέ]. 10 ἕνεκα φασίν. 14 ἐγκαταδεῖν : marg. ἐπι. 16 τούτων [Tub. τούτου]. 23 ταῦταδ'. 26 διαπτομένη [α].

p. 43, 1 οἱ, marg. ὡσ. 4 λέγεσθαι : marg. λελέχθαι. 8 διελθεῖν [εξ] [see p. 3, 7. Here both the Aug. and Tub. have διελθεῖν]. ἂν om. 15 ἐγέλασέ [orig. -ν] τε ἠρέμα καὶ φησίν· βαβαῖ. 25 οἱ δ'.

p. 44, 7 ὁμόδουλόσγε. 11 ἂν οἱ om., then ἀθηναίων ἐῶσιν ἄνδρες ἕνδεκα. 13 ἔγωγέ σοι. 26 λόγου : marginal note illegible.

p. 45, 2 marg. ἅμοι ἐδόκει. 8 ἤδη. [The reading of our text is due to Forster's emendation.] 22 ἀνάγκῃ. 23 ξύλα[τε].

p. 46, 5 ὑποταθῆι. 7 ὑπάρχειν. 15 marg. διαβλεψάμενοσ. 24 ἀλλάγε. 25 θράττον. 27 ἔμ in ἔμπροσθεν is perhaps a correction. 29 ἀντιτίθεμαι.

p. 47, 3 ἔσται : marg. ἐστιν. 7 ἐπειδή[γε], originally ἐπειδὴ. 11 ἔοικεν originally. 16 ἠμπείχετο [ισ] 17 ἀπόλωλεν ἀπιστῶν. 19 δήτινοσ. 22 ἀπόλωλεν. 26 ὕστερον m. 1, changed into ὕστεροσ. ἀπόλωλεν, -ν erased. 29 ταύτην om. in the text, and added in the marg.

p. 48, 1 περὶ τῶν αὐτῶν. [3 According to Bekk. the ms. has φαίην.] 5 καὶ εἰ, marg. κἀν. 7 originally ἂν ὑφαίνοι. 15 ξυγχωρήσειεν m. 1. 22 γενέσεσιν m. 1. 25 εἰ [orig. εἶ or ἦ?].

p. 49, 6 πάλαι ἐδόκουν. 9 ἤμεν [εἴη]. αὐτὰ above the line [it is om. in Aug. and Tub.]. 15 καταπέπτωκεν. 24 λόγωι· ἢ καί. 27 ἤ [τό] πότε [sic]. 29 ἀλλά.

p. 50, 3 προύτρεψεν.    4 ξυσκοπεῖν, perhaps originally συνσκο-
πεῖν.    9 the ξ in ξυμπιέσασ is in erasure.    11 ταύτασ wanting
in text, and added in the marg.    12 ἀποκερεῖ.    15 δυνάμεθα.
16 διαφεύγοι.    20 λέγεται οὐδ᾽ ὁ ἡρακλῆσ. [According to Bekk.,
the article is om.]

p. 51, 13 τοῖσ ἀνθρωπείοισ.    14 ἡγήσατο.    19 σφόδραμικρὸν.
26 δὲ instead of γε.    [Instead of 28 read 27.]    28 ἐφεσπoίμην,
marg. σπό.

p. 52, 7 οὔτε τῶν λόγων, and in marg. οὐδὲν τῶν ὄντων struck
through.    πάντα ὄντα.    10 ἔφη.    12 f. τοιουτοισὶ λόγοισ.
17 f. τοὺς λόγους om. in text, added in marg.    18 διατελῶι. τῶν
δεόντων.    19 ὣσ added above the line after ἐγώ: but οἰκτρὸν is
in the text.    21 εὐλαβηθῶμεν, marg. εὐλαβητέον παρίωμεν.

p. 53, 1 παροῦσιν originally.    3 δόξηι.    5 δόξηι.    6
ἑταῖρε θέασαι.    7 γὰρ added (in abbrev.) above the line after εἰ
μὲν.    9 τοῦτόν γε [γ in eras., orig.-ἐ: i. e. the ms. had originally
δὲ, the same reading as Π].    11 διάνοια, marg. ἄνοια.    13 πά-
ρεσκευασμένοσ δή.    18 εὐλαβούμενοι om. in text, added in marg.
ἐμαυτόν [so also Aug. Tub. and I should suppose Π. Heindorf justly
says ᾽hic ubi subicitur oppositum ὑμᾶς, praefero ἐμαυτόν᾽].

p. 54, 3 σωμάγε.    παύεται ἄρα· ἀλλ᾽ ἢ ταῦτ᾽, marg. παύετ᾽·
ἆρ᾽ ἄλλ᾽ ἤ.    5 ξυνομολογείτην.    6 ἔμπροσθεν, but ν added by a
late hand.    11 λέγεται [so ms. without the least sign of its
being a correction].    11 ἄλλότι πρότερον.    13 θαυμαστῶσ ὢσ.
16 δόξειε, but a final ν is erased.    17 ἀλλὰ. δοξάσαι.    19 ξ
in ξύνθετον in eras.    20 ξ in ξυγκεῖσθαι in eras.    21 ἀπο-
δέξει γε(αυτοῦ [σ a corr.].    22 ξ in ξυγκειμένη in eras., so also in
ξυντεθῆναι.    23 ἀποδέξει.    24 αἰσθάνει.    ξ in ξυμβαίνει in eras.
26 εἰδόσγε καί.    εἶναι δὲ.    ξ in eras.    28 ὃ ἀπεικάζεισ.

p. 55, 1 γίνονται.    ξυνίσταται here m. 1.    3 ξυνέσεται.    5
ξυνοιδῶι m. 1.    6 ἔφησι οὐ, perhaps orig. ἔφη οι οὐ.    7 αἱρεῖ.
8 ψυχὴν, orig. ψυχὴ or ψυχὴι.    11 ισ in τοῖσ is a corr.    12 ξύν-
οιδα m. 1.    13 ἀλαξόσιν.    17 ἐρρήθη    19 τοῦ ὅ ἐστιν.
24 τί δαὶ, a correction. τῇδε δοκεῖ σοι ἁρμονία, ἢ ἄλληι τινὶ
ξυνθέσει [ξ in eras.].    28 συνέφη.    30 ξ in ξυντεθεῖ in eras.

p. 56, 1 ἁρμονία in eras., perhaps orig. ἁρμονίαι.    2 αὐτῆσ.
3 τί δαὶ, a correction.    8 ἥττωντε. εἰοῦν, marg. ἤ.    10 see

crit. note    16 οὖν θεμένων. εἶναιτιτίσ, marg. τίτισ.    20 ἄλλην, marg. καλὴν.    22 ἔγωγ'.    δῆλον δ'.    26 μηδ' ἧττον.

p. 57, 1 μηδὲ μᾶλλον μηδ' ἧττον.    2 εἰ δὲ μήτε.    3 μήτε ἧττον.    6 οὐδ' ἧττον.    7 οὕτω.    28 ζώιων.    19 τοῦτο τὸ ψυχαί.    21 ἂν om. [added by the editors from Stobaeus].    22 ἡ wanting.    23 δαὶ corr.    26 ξυγχωροῦσαν, ξ corr.    27 πα-ηκαι
θεσιν ἐναντιουμένην παθήμασι· λέγω.    28 ὡσεὶ καύματοσ, marg. ωσεί.

p. 58, 2 τοῖσ πρόσθεν μήποτε ταύτην, marg. μήποτ' ἂν αὐτήν.    10 After ἐναντιουμένη an eras. of one letter.    διαπαντὸσ.    18 ἡνείπαπε.    23 παθῶν, marg. παθημάτων.    26 φάναι, perhaps originally φάναι.    28 ἔχειν.

p. 59, 2 τί δαὶ corr.    5 ὡσπαραδόξαν sic, in marg. ὡσ.    7 πάνυ μὲν οὖν.    9 ταῦτα.    12 μέλλοντα ἔσεσθαι, marg. λέγεσθαι.    14 ἄρα τι λέγεισ.    19 f. θάρσοσ θαρρήσει.    21 καὶ ἦν.    22 φησ, orig. φησ, marg. φησ ἂν.    23 ἐστιν.    25 ἔπραττεν.

p. 60, 2 φησ.    4 προσήκει.    5 μηδὲ.    7 διαφύγοι.    15 τάγε.    17 ὧν ἂν λέγηισ χρήσει.    18 f. κέβησ᾿, marg. βού-ως
λομαί γε—ὦ κέβησ, by m. 1.    19 ὡσ.    21 εἰδέναι τὰσ in eras. and partly in marg. in the same line with what precedes.    23 δι-ατί ἐστι [the accent over δια has been erased in the previous lines].    24 πρῶτον τὰ partly in eras., partly in marg. in the same τὸ
line with what precedes [πρῶτον om. pr. II].    25 καὶ ψυχρὸν.    26 ζῶια. ξ in ξυντρέφεται in eras.    28 ὁ δ' ἐγκέφαλόσ.

p. 61, 1 The ms. has ταῦτα.    3 οὐρανόν (orig. -ὸν).    8 f. ὥστε ἄποτ' ἔμαθον καὶ ἃ πρὸ τοῦ ὤιμην εἰδέναι, in marg. οὕτω δεῖ·ξε
ὥστε ἀπέμαθον ἃ πρὸ τοῦ ὤιμην εἰδέναι.    10 αὔξανεται.    13 προσ-οῖς
γεννῶνται, marg. προσγένωνται. ὀστέοισ.    17 οὕτω(τότε in eras., ἔγωγε      ω      ει
orig. οὕτωστότε.    19 γὰρ ἱκανῶσ.    21 ἵππου.    23 πλέονα. σεῖ      ει
προσθεῖναι.    24 ἥμισυ.    26 νηδία.    27 τοῦτην αἰτίαν.    28 in marg. ὡσ.

p. 62, 3 ἐν ἄρα.    5 ξύνοδοσ m. 1.    ὦ τοῦ πλησίον.    7 αὐτὴ.    9 ἡ τότε.    10 ξ in ξυνήγετο a corr.    13 ἄλλο οὐδὲν—διότι m. 1, γ
in the previous line it is a correction.    18 ἀναγινώσκοντοσ. ι.                                     τ·
26 αὐτῶν.    28 προσήκειν, -ν added by m. 2.    29 περὶ ἄλλων.

p. 63, 10 ἐπεκδιηγήσεσθαι.    11 ἀποφαίνοιτο.    12 ὑποθέμενοσ.
19 αὐτοῖσ αἰτίαν.    25 ἦ [see p. 7, 16].    26 ἠιδείην.

p. 64, 8 ξ in ξύγκειται a corr.    9 ὀστέων. ἐστιν.    12 ξ in
ξυνέχει a corr. ἑωρουμένων.    13 ἰστέων.    ξυμβολαῖσ m. 1.
14 ξ in ξυντείνοντα a corr.    16 ξ in ξυγκαμφθεὶς a corr.    24
ἐγῶιμαι [ι subsequently inserted; in the other places the ms. has
ἐγῶμαι, unless other readings are expressly stated].

p. 65, 2 ποιῶᾶ [orig. ποιῶν].    4 ἂν om.    6 ἄλλο δὲ ἐκεῖνο,
marg. ἄλλο δὲ ἐκεῖνο ὃ ἄνευ οὗ τὸ αἴτιον.    9 ὀνόματι is in the
marg. of the Tub., ὄμματι the Bodl. with most mss.    13
βέλτιστον αὐτὰ τεθῆναι [βέλτιστον αὐτοῦ Tub.].    18 ξυνδοκεῖν, so
here m. 1.    18 f. τῆσ τοιαύτησ is the reading of the ms.    21
Bekk. states that the ms. has αὐτὸ.    22 ἦ [orig. ἦ], in marg.
ἐν ἄλλω ἦ πεπραγμάτευται.    23 ποιήσομαι.    25 ἠδ᾽ ὅσ, so ap-
parently m. 1.    28 σκοπούμενοι, marg. πάσχουσι. ἔνιοι τὰ,
marg. ἐνίοτε.    29 τοιούτωι, ι subsequently inserted after το-.

p. 66, 6 ὥσ, marg. ὦι.    10 ὃν added in same line in marg. by
an old hand [om. pr. Π].    13 περὶ τῶν ἄλλων ἀπάντων ὄντων.
16 ᾧδε.    17 ἀεὶ * καὶ, marg. τε.    24 τὴν αἰτίαν [without τε].
29 καλὸν, marg. πλὴν αὐτὸ τὸ καλὸν.    30 οὕτωσ.

p. 67, 1 γινώσκειν.    2 ἦ χρῶμα.    6 ἦ ἐκείνου [without ἡ].
7 εἴτε add. before ὅπη in the text.    9 καλῶτὰ, marg. πάντα in
late hand.    14 τὰ καλὰ καλά.    15 ἆρα.    16 ἆρα ἀποδέχοιο
[without ἀν, which is also om. in Π and Tub.].    20 μὲν before
μεῖζον is om. [so also Π m. 1].

p. 68, 6 πάννγ᾽ ἔφη. τί δαὶ. (an eras. in the last word).    9
μεγάλα ἂν. οἰόμεθα instead of οἶσθα.    11 μετάσχοι.    17
τοῖσ ἑαυτοῦ.    17 f. σὐδεδιὼσ, marg. σὺ δὲ.    18 τὴν ἑαυτοῦ.

p. 69, 9 ἔδοξε, orig. ἔδοξεν.    13 ξ in ξυνεχωρήθη a corr.
16 οὕτωσ, corr. perhaps by m. 1.    21 οὕτω, so here.

p. 70, 3 ξυγγραφικῶσ m. 1.    4 ξυνέφη corr. m. 1.  δὲ.
9 προσείη [the · may be an ι subscript, or the · which is intended to
cancel the ε in ει].    13 f. ὅσπέρ εἰμι.    14 ἐκεῖνοσδὸ · τετόλμηκεν,
marg. ἐκεῖνο δὲ οὐ τετόλμηκεν.    16 δκ [perhaps orig. simply ὁ].
17 οὐδὲ εἶναι οὐδ᾽. αἴτιον ὅπερ.    23 ὑμῖν.    29 ἀπομνημόνευκασ
[orig. ἀπεμνημ.].

p. 71, 8 φαμὲν, marg. ὁριστικ· ἀντὶ ὑποτακτικ́.  9 πρὸσ, marg.
εἰσ.    9 f. ἄρα μήπου ὦ κέβησ ἔφη.    11 ὅδ' αὖ ἔφη.    11 f.
κἀιτοιτοιοῦτότι [eras. over καὶ and acc. misplaced; marg. καίτοι
οὗτι λ.].    13 ἄρα.    14 ἑαυτῶι τὸ ἐναντίον ἔσεσθαι.    20 χιόνα
οὖσαν.    23 αὐτὸ · ἦ.    25 τολμήσειε, orig. τολμήσειεν, marg.
τολμήσειν.    27 ἄρα.    29 αντοῦ, breathing ambiguous, thus : +

p. 72, 5 ἄλλότϊ·ὅ, marg. καὶ ἄλλό τι.    9 δὲ᾽⁷.    11 orig.
τότοῦπερ—    12 ὅπερ.    13 πεμπτὰσ, marg. πεντὰσ.    19 orig.
ἔστιν.    21 ὄντ'.    22 τῆι ἐν αὐτῆι οὔσηι.    25 πρὶν ἢ ὑπομεῖναι.
27 οὐδὲ (-ε in eras.).    31 οἰοίτ'.

p. 73, 1 ἄν · ὅτι [corr. by late hand].    2 ἀναγκάζειν̈ αὐτὸ
σχεῖν.    3 ἀεί.    7 ἦι.    13 ὁρίσασθαι ποῖα [the dots denote
an eras.].    20 ἐφ'ὅτι, marg. ὅτωι ἦι.    22 ἀναμιμνήισκου.
25 αὐτῶι.    26 οὐδὲ̈ τὸ ἡμιόλιον, marg. δή.    27 τοιαῦτα τὸ
[eras.].

p. 74, 1 f. ἔπηι τε καὶ ξυνδοκεῖσοι : οὗτωσπ—, in marg. the same
with amended punctuation.    ξ in ξυνδοκεῖ a correction.    6 δὲ᾽⁷.
7 ὁρῶ̄ⁿ, corr. in a late hand.    8 ὃ ἂν τί.    10 ὃ ἂν (so again 11
and 12).    3 τί ἐγγένηταϊ περιττὸσ, marg. νοσήσει · οὐκ ἐρῶ ὅτι ὃ
ἂν νόσοσ ἀλλ' ὧι ἂν πυρετόσ. οὐδ' ὧι ἂν ἀριθμῶι τί ἐγγένηται.    14 ὧι
ἂν here and in next three places: a correction, but perhaps by
m. 1.    22 ἡ wanting.    27 δὴ ταῦτα ὠνομάζομεν.

p. 75, 2 ἄρα.    7 : θερμὸν, at beginning of a line : marg. in
late hand μὴ ἠθελⁿ̈ ψυχρ̊.    11 ἐδέξατο.    12 ὡσαύτωσ.    13 ἐπήιει.
15 ὦιδε.    21 δὴ πῦρ.

p. 76, 5 πρὸσ τῶι, but originally πρὸστὸ, marg. τὸ, marg. τὸ.
7 σχολή.    8· εἴγε τὸ, marg. εἰ τό γε.    10 ἐστι with an
eras.    12 νηδί'.    14 ἐστιν, -ν subsequently inserted.    17
ἀποθνήισκει.    24 σιμμίασ .    28 ἔχω ὅπηι.

p. 77, 1 ἀτιμάζων, marg. οὐκ ἀτιμάζων.    4 ταῦτά γε, γ- a corr.
in erasure, τ changed to γ.    6 διέλητε [-ε in eras. but apparently
by m. 1].    7 ἐγῶμαι ἀκολουθήσετε [final -ε a corr. by m. 1].
9 ζητήσετε [final -ε in eras.].    12 ἀθάνατόσ ἐπιμελείασ.    15 ἀμελή-
σειέν [-εν added by an old hand].    17 ἄμ'.    19 δ'.    οὐδεμία
originally οὐδὲμία.    28 ξ in ξυλλεγέντας in eras.    30 δὲ ἐκείνων.

p. 78, 6 after ἔδει a slight eras.    οὐ γάρπουαισ [orig. πού τίσ?].

# 190 . *PHAEDO.*

9 ἡ μὲν κοσμία.    11 δ .    20 ξυνέμποροσ, so here by m. 1.

23 ὧν ἐλθόντων.    25 ξ here by m. 1.    26 ὅσων, marg. θεῶν, τῆσ
almost effaced. ᾤκησεν.    27 prob. originally εἰσὶν.    31 τοιγῆσ.

p. 79, 1 οὖν ἀν.    3 ἀδέγε.    7 ὃκ / ☉ ἐξαρκεῖ, originally
οἱ / ☉ κέξαρκεῖ [/ denotes the end of one line and the beginning of
another].    12 originally μηδὲμιᾶσ.    14 ἱκανήν εἶναι αὐτήν .
[originally -ην -ην].    18 μένει.    27 ξ here m. 1.

p. 80, 1 ξ here m. 1.    5 οἴοιτόγε, but originally οἴοιτότε.
8 μηδέπώποτε, marg. οὐ.    12 μηδὲ.    16 τὸ δὲ ·εἶναι ταυτόν.    17
οἴου τε original reading.    19 ἀνάπτοῖτο (^ added by late hand).
24 τὸ ἀληθῶσ φῶσ, marg. ἀληθινὸν. ἤδη.    29 ἄμμοσ.

p. 81, 1 ἡ γῆ ἦι.    3 πολλοῦ [for πολύ].    4 λέγειν·ἄξιον,
marg.·καλὸν καί.    5 ὧσ: ιμ: μία [-ιμ- in eras.].    10 αὕτη—ἤτισ
[ει in late hand].    10 f. θεώιτο ἀ:υτ·:· ὥσπερ [υτ in eras.  The
mark ·· superscribed = ην, see Bast. Ep. crit. p. 765].    12 χρώ-
μασιν.    18 ξυγκ., ξ corr. ἔτι seems to have been ἐπὶ originally.
21 χρώματ τι. παρέχεται, marg. παρέχεσθαι, in old hand.    23 ξ
in ξυνεχὲσ corr.    24 ἀνάλογον. δένδράτε καὶ ἄνθη, marg. ἄλση.
30 ὅτι οὐ, marg. μή.

p. 82, 4 ξυνερρυηκότων, so here m. 1. καὶ·λίθοισ καὶ γῆι, marg.
·τοῖσ.    5 ζώιοισ.    7 χρυσῶι .    10 ζῶια.    ἀλλάτε.
11 See crit. note.    15 τὸ ὕδωρ τε καί.    17 αὐτῆσ.    21 ἤιπερ
[ἦι in eras., but apparently m. 1].    ἀφέστηκεν.    25 ξ in ξυνουσίας
corr.    γίνεσθαι.    26 ὁρᾶσθαι, marg. θεωρεῖσθαι.

p. 83, 11 στενώτερα, orig. στενότερα.    12 ἦι (corr.).    13 ἐξ
ἀενάων, ἐξ a correction, written compendiously.    16 πολλοὺσδὲ,
marg. τε. καθαρωτέρου, marg. καθαρωδεστέρου in old hand.    19
ἑκάστουσ.    30 ἐκρέουσιν διασ.

p. 84, 1 ἠδὲ. ἐστὶ, originally ἐστὶν.    4 αὐτὸν.    5 ξυνέπε-
ται, so here m. 1.    8 ξυναιωροίμενον, so here m. 1.    10 οὖν·,
marg. ὁρμῆσαν.    15 αὖθισ [ι in eras.].    22 ᾖι [ι in eras.;
corr. by old hand].    24 καταντικρὺ ἦι.    25 παντάπασιν.

original reading. 29 ἄναντεσγὰρπρόσἀμφ-, marg. προσγὰρ ᾳμ-
φοτέροισ.

p. 85, 3 ἄττα, marg. ὄντα. 5 ἐστιν. 5 f. ἐναντίοσ.
7 δή κ<sup>αὶ</sup>. 11 ζώιων. 18 ξ in ξυμμιγ. corr. 20 ὃν ἔτι ὀνομα-
ζουσιν. 22 τούτου δὲ / : : αὖ καταντικρὺ [eras. at beginning of
a line. ᵃ added by late hand]. 26 ἦν om. 29 λίμνη.

p. 86, 4 orig. λέγουσιν. 11 οἰκοῦσί ⊙ γε [eras., orig. οἰκοῦσίν
τε]. 13 ἠδίκησεν. 15 ἦ added above the line.

p. 87, 1 ἐκ
ἀποβαίνουσι. 3 καὶ ἐκεῖθεν. 10 ἐπὶ γῆσ. 18
τ : : αὖτα [the eras. shows that the orig. reading was τοιαῦτα].
22 πρέπειν μοι.

p. 88, 10 η̄ γαρδὴ. 14 τίδαὶ (corr.). ἐπιτέλλει. 16 η̄ ποιῶμεν,
but originally ποιοῖμεν. 18 αὐτῶν, but the breathing is in an
eras. 19 αὐτοῖσ. 20 αὐτῶν. 22 οὐδὲ. 25 δέσε [-έ in
eras.]. 28 οὐ πείθω ἔφη ὦ ἄνδρεσ. 29 οὗτοσ σωκράτησ.

p. 89, 8 ἠγγυᾶτο, marg. ἠγγυήσατο. 9 παραμενεῖν, but orig.
παραμένειν. 9 παραμένεῖν [sic]. 11 ῥᾴδιον. 13 μηδὲ.
18 φάναι, perhaps orig. φᾶναι. 19 ἠγεῖ. 22 ἐκέλευε, the final
ε in erasure. 23 αὐτοὺσ. 24 τοτέ [sic, but orig. τότε]. ξυμ-
φορᾶσ, so here m. 1. 29 ἀφίκοντο : : ἐναντίον ἐκεῖναι [the σ, if σ
really σ, by a very late hand].

p. 90, 2 ἦκεπρ᾽ ᾱ ἡμᾶσ [π in eras.]. 4 πολλὰμετὰ. 6 κατα-
γνώσομαί σου. 9 σὲ δὲ. 13 γινώσκεισ [but 7 καταγιγνώσκω].
13 f. αἰτίουσ· ἀλλὰ ἐκείνοισνῦν· οἶσθα γὰρ [in marg. the same in late
hand, with amended punctuation]. 15 ὡσάριστα, marg. ὡσρά-
ιστα. 16 ἀπήιει, the ι after η subsequently inserted, and so also
below 20. 20 λώϊστοσ, marg. λῶστοσ in late hand. 21
ἀλλ᾽ἄγε, orig. ἀλλάγε. 25 ὄρεσιν originally. 28 ξ here m. 1.
ὦν τύχωσιν, without ἂν. 29 μηδὲν, so m. 1 in this place.

p. 91, 1 γε. 4 κερδαίνειν. 5 π ◯ <sup>α</sup> ι ῶν (eras.) 10 διδόναι,
marg. δώσειν. 23 'ἦ δ' ὄσ. 26 ἄμ' 27 ἐξέπιεν.

p. 92, 1 πεπτοκότα or πεπωκότα, erased from πεπτοκότα. 2
ἀλλ᾽ ἐμοῦγε <sup>α</sup> βίαι <sup>γ</sup> καὶ <sup>β</sup> αὐτοῦ <sup>δ</sup> ἄστακτεῖ. <sup>ν</sup> 5 πρότεροσ [ν in late hand].

10 κατέκλα : ·.· : σε [eras. between α and σ].     12 οὐχήκιστα [orig. οὐχ ἥκιστα].     22 ἐπανιὼν, marg. καὶ ἐπανιὼν ἡμῖν αὐτοῖσἐπεδεί- κνυτο.     23 αὐτοῖσ om. in text.     πηγνυτο [sic, nothing in marg.].

p. 93, 5  ξ in ξυνέλαβε a corr.     στόμα καὶ [without τε].

# INDEX.

[The numbers denote the pages and lines of the present edition.]

## 194　INDEX.

ἁπλῶς 70, 13.

ἀποδέχομαί τινος 54, 21. 61, 28.

ἀπολαμβάνω (nautical term), 12, 15.

ἀπόρρητα of philosophers, 9, 2.

ἄρα in indirect questions, 22, 6.

ἄρα corrects a preconceived opinion, 18, 15. shews presumption of truth, 21, 19.

Ἀρμονία ἡ Θηβαϊκή 59, 1.

Article not repeated 1, 7. 82, 26. 44, 1.

Article with participles, 8, 5.

ἄρχοντες = ἔνδεκα 2, 25.

Asyndeton, 53, 21.

ἀσχολίαν ἄγειν περί τινος 15, 25.

ἀτέχνως and ἀτεχνῶς, 67, 5.

ἀτεχνῶς with proverbial expressions, 52, 7. 3, 19.

ἀτιμάζω 77, 1.

ἀτραπός, metaphorical use of, 15, 10.

Attraction, 12, 1. 16, 5. 72, 12.

αὐτὸ in reference to a feminine, 48, 19. 79, 20.

αὐτός 'abstract,' 27, 16. αὐτὰ τὰ ἴσα 27, 15.

αὐτός 'redundant,' 83, 6.

αὐτός = μόνος 11, 7. 83, 6.

αὐτοῦ ἐκείνου = ἑαυτοῦ 62, 29.

αὐτῷ ἐμοί 53, 4.


βασκανία 59, 11.

βέλτιον εἶναι 88, 10.

βούλεσθαι of an inanimate object, 28, 12.

βούλεσθαι constr. with a simple subjunctive, 35, 3. 65, 23.

Burial, rites of, 89, 14.


γάρ in an opening clause, 19, 15.

γέ emphasizes, 30, 10.

Genitive of time, 1, 9.—of cause, 3, 11.

Gen. absol. : subj. omitted, 33, 7.

Genit. without περί 34, 20.


δαίμων ἑκάστου 77, 26.

Dative governed by a noun, 49, 7.

Dative of reference, 6, 6. 9, 9.

δέ repeated, 37, 17. 38, 12.

δέ in an apodosis, 34, 10.

δέ = δή 86, 18.

δή 'ergo,' 5, 16.

δή = ἤδη 79, 1.

δή τις 77, 27. 89, 4.

διαβάλλομαι 17, 20.

διαγράμματα 25, 27.

διαδικάζομαι 77, 28. 86, 7.

διάκειμαι not possible in the subjunctive, 43, 19.

διαλείπειν χρόνον, 92, 19.

διαμάχομαι 75, 25.

διαμυθολογῶ 21, 13.

διαπραγματεύομαι 33, 2.

διαπτάμενος and -όμενος 42, 26.

διασκεδάννυσιν not possible as a subj. 33, 5. So also διασκεδάννυται 32, 10.

διαφερόντως ἤ 44, 6.

Dictative force of verbs, 42, 10.

Double prepositions, 17, 6.


ἑαυτόν = ἐμαυτόν 53, 18. ἑαυτούς = ἡμᾶς αὐτούς 33, 27.

ἐθέλειν of inanimate objects, 5, 26. 70, 6.

εἰ repeated, 17, 22.

εἰ δὲ μή 'otherwise,' 11, 17.

εἶεν 88, 13.

εἶναι = παρεῖναι 4, 4.

εἶναι after expressions of naming, 69, 30.

εἰργμός 40, 21.

εἰς καλόν 31, 23.

εἰσιέναι τινὰ 3, 9. with a dative, 3, 16.—εἰσῆμεν 4, 24.

εἴτε ἄρα 21, 19.

ἐκεῖ for ἐκεῖσε 8, 12.

ἐκεῖνος replaces other pronouns, 6, 19. 75, 24.

ἔκπλεως 81, 20.

ἑκὼν εἶναι 7, 25. 37, 23.

ἐλλείπει τί τινος 27, 11.

ἐν ᾧ 'while,' 16, 11.

ἐν φιλοσοφίᾳ ζῆν 18, 25. εἶναι 3, 17.

ἐνδεῖ τί τινος 28, 10.

ἐνδέχεται 'it is possible,' 56, 6.

ἐνὶ λόγῳ 14, 19.

ἐνίστασθαι 32, 8.

## THE END.

CAMBRIDGE: PRINTED BY C. J. CLAY, M.A. AT THE UNIVERSITY PRESS.

30, Franklin Street, Boston,
*August*, 1881.

# PRICE LIST

### AND

# DESCRIPTIVE CATALOGUE

#### OF THE

## EDUCATIONAL BOOKS

##### PUBLISHED AND IMPORTED

## BY JOHN ALLYN.

# DE TOCQUEVILLE'S
# DEMOCRACY IN AMERICA.

### *TRANSLATED BY REEVE.*

Revised and Edited, with Notes, by FRANCIS BOWEN, Professor of Moral Philosophy in Harvard University. Sixth Edition. 2 vols. 8vo. Cloth. $5.00.

A cheaper edition of Vol. I., with especial reference to its use as a Text-Book, is also issued, under the title of AMERICAN INSTITUTIONS, in 12mo, cloth. Price $1.60.

---

### *From the Washington Globe.*

By the common consent of all critics, this is the best work on Democracy in ancient or modern literature. It has had the universal good fortune to please men of all shades of political opinion, for the simple reason that, being the work of a man who strove to attain the just medium in all his opinions, who was a sincere seeker after truth, and whose chief aim in life was the good of mankind, it bears throughout strong marks of impartiality, sincerity, and honesty.

### *From the N. Y. Tribune.*

The more it is studied, the more reason one will find to admire the philosophical spirit which pervades every part, without being anywhere offensively obtruded; its luminous method; the accurate knowledge of our institutions which it reveals alike in their spirit and in their details; and the accuracy, clearness, and grace of the style. . . . Professor Bowen has subjected Reeve's version to a careful supervision, and has almost rewritten it. He has made it more correct and more compact by lopping off its redundancy and tightening its structure, so that it not only better represents De Tocqueville, but it is better English.

### *From the National Quarterly Review.*

De Tocqueville has become a classic in every literature in Christendom. His "Democracy in America" is everywhere recognized as a standard authority. True, he wrote this work thirty years ago: at least a score have been written on the same subject since; but his is worth five score. Yet it is a remarkable fact that the one now before us is the only edition in English of "Democracy in America" which is at all worthy of the author, or of the subject which he handles with such masterly skill.

## JOHN ALLYN, PUBLISHER, BOSTON, MASS.

# XENOPHON'S MEMORABILIA.

With Introduction and notes by Professor SAMUEL ROSS WINANS, College of New Jersey. 16mo, 289 pages. $1.50.

The text of this edition follows in the main that of Breitenbach (Berlin, 1878), and every effort has been made to give the results of recent scholarship. The text is separated into convenient divisions by English summaries, which take the place of the customary argument prefixed to the chapters, and put a logical analysis of the text where it cannot escape the attention of the student. The notes are designedly compact, yet are believed to contain all that is practically useful to the student. The references to Goodwin's Grammar, his Moods and Tenses, to Hadley's Grammar, and occasionally to others have been made very full, especially on the earlier portions of the text. The editor has also endeavored to supply brief sketches of every thing of biographical, historical, or philosophical interest.

" It supplies a want long felt, and I have no doubt will be largely used, as it deserves. The introduction of the summaries into the text adds greatly to its value, while the notes are succinct, with good references and apt illustrations." — *Prof. A. C. Merriam, Columbia College, New York.*

" The notes are excellent, the paragraphing of the text is a great and valuable help to students, and the book itself is a model of neatness. It is one of the few unexceptionably well edited school-books in my library. I shall use it in my classes exclusively when we read the 'Memorabilia.' " — *Prof. C. M. Moss, Wesleyan University, Illinois.*

" I have used it with my Freshman Class during the past year with much satisfaction. I particularly approve of the subdivisions of the chapters and the head-notes to each of them, and have found the explanatory notes and grammatical references to be of great benefit to the pupils." — *Prof. H. Whitehorne, Union College, Schenectady, N. Y.*

" Winans's 'Memorabilia' has met the needs of our students excellently well. The page is neat, the notes happy; translations are sparse and discreet, and the general references accurate and suggestive. We shall certainly continue its use." — *Prof. Jas. A. Towle, Ripon College, Wisconsin.*

---

# XENOPHON'S SYMPOSIUM.

Edited, with notes, by Professor S. R. WINANS. 18mo, cloth, 96 pages. 50 cts.

The " Symposium," according to its original design, makes a delightful afterpiece to the " Memorabilia." In itself it has great value. As a source of information on Attic morals and manners its value is not easily overestimated; and its lively conversational style enables the student to appreciate Greek idiom and enjoy the spirit of the language.

---

**JOHN ALLYN, Publisher, 30, Franklin Street, Boston.**

# THE MOSTELLARIA OF PLAUTUS.

With explanatory notes by Professor E. P. MORRIS, Drury College, Mo.

16mo, 180 pages.    $1.25.

———•◇•———

The text of this edition follows generally that of Ramsay.  The substance of the general Introduction on Plautus and the Comedy is from Mommsen, and the remarks on the " Mostellaria " from Lorenz and other sources.  In the preparation of the notes the older as well as the later editions of Plautus have been consulted.

"It is the best American edition of any play of Plautus." — *Prof. J. E. Goodrich, University of Vermont.*

"I have just finished reading it, and am much struck with its excellences as a school edition.   The editor seems to have spared no pains in fitting the book for its intended use, and has made most judicious selections from the very best sources." — *Prof. C. J. Harris, Washington and Lee University, Va.*

"Morris's ' Mostellaria ' is a handsome edition of one of the best plays of Plautus, admirably adapted to the use of college students.   The characteristics of the great Roman author, and the connection between Greek comedy and Roman are clearly pointed out in the Introduction.   The notes are scholarly and to the point, meeting the exact needs of students." — *Pres. Thomas Chase, Haverford College, Pa.*

"It seems to me to be an excellent edition in every respect.   The introduction and notes are scholarly and well suited to the wants of the students of Plautus." — *Prof. E. P. Crowell, Amherst College, Mass.*

"Your edition of the ' Mostellaria ' by Morris is elegant in appearance, and has a scholarly finish to it which no American edition of Plautus has hitherto shown. The Introduction is full and interesting; the text is a model of typographical beauty; and the notes explain to the young student all the difficulties and peculiarities of the text." — *Prof. A. G. Hopkins, Hamilton College, New York.*

"I think the notes judicious, correct, and well digested, giving the right kind of information in the right way." — *Prof. John K. Lord, Dartmouth College, N. H.*

———————

**JOHN ALLYN, Publisher, 30, Franklin Street, Boston.**

# LIST OF BOOKS

# PUBLISHED BY JOHN ALLYN,

## 30, FRANKLIN STREET, BOSTON.

**Abbott.** Latin Prose through English Idiom. Rules and Exercises on Latin Prose Composition. By Rev. E. A. Abbott, D.D. 18mo, 205 pages . . . . . . . . . . . . . . . . . . $1.00

**Aristophanes.** The Acharnians and Knights. Edited by W. C. Green. (*Catena Classicorum.*) 12mo, 210 pages . . . . . . 1.35

—— The Birds. Edited by C. C. Felton, LL.D. New Edition, revised by Prof. W. W. Goodwin. 16mo, 250 pages . . . . 1.25

—— The Clouds. Edited by C. C. Felton, LL.D. New Edition, revised by Prof. W. W. Goodwin. 16mo, 250 pages . . . . 1.25

**Bennett.** Easy Latin Stories for Beginners, with Vocabulary and Notes. 16mo . . . . . . . . . . . . . . . . . . . . .90

—— First Latin Writer, with Accidence, Syntax Rules, Progressive Exercises, and Vocabularies. 16mo . . . . . . . . . 1.25

—— First Latin Exercises, being the Exercises with Rules and Vocabularies from his " FIRST LATIN WRITER." 16mo . . . .90

—— Second Latin Writer, containing Hints on writing Latin Prose, with 300 Graduated Exercises. 16mo . . . . . . . . . . 1.25

**Bowen.** A Treatise on Logic, or the Laws of Pure Thought. By Francis Bowen, Professor of Moral Philosophy in Harvard University. 12mo, 460 pages . . . . . . . . . . . . . . 1.75

—— Hamilton's Metaphysics, arranged and abridged for the use of Colleges and Students. By Prof. F. Bowen. 12mo, 570 pages . 1.75

**Champlin.** Constitution of the United States, with Brief Comments. By J. T. Champlin, LL.D. 16mo, 205 pages . . . . 1.00

**Chardenal.** First French Course, or Rules and Exercises for Beginners. By C. A. Chardenal. 16mo, 220 pages . . . . . . .75

—— Second French Course, or French Syntax and Reader. 16mo, 250 pages . . . . . . . . . . . . . . . . . . . . .90

—— French Exercises for Advanced Pupils, containing Rules of French Syntax, Exercises on Rules and Idioms, and a Dictionary of Idiomatical Verbs, Sentences, Phrases, and Proverbs. 16mo, 332 pages . . . . . . . . . . . . . . . . . . . . . 1.25

**Cicero.** Oratio pro Cluentio. Edited by Austin Stickney, Professor in Trinity College. 16mo, 155 pages . . . . . . . . . $0.90

**Cooke.** First Principles of Chemical Philosophy. By J. P. Cooke, Jr., Professor of Chemistry and Mineralogy in Harvard University. 8vo, 600 pages . . . . . . . . . . . . . . . . . . . 3.50

———— Elements of Chemical Physics. By Professor J. P. Cooke, Jr. 8vo, 750 pages . . . . . . . . . . . . . . . . . . 5.00

———— Elementary Chemistry.

**Demosthenes.** Olynthiacs and Philippics. Edited by W. S. Tyler, Professor of Greek in Amherst College. 16mo, 253 pages. 1.25
Separately. The Olynthiacs. 98 pages . . . . . . . . . .75
⠀⠀⠀⠀⠀⠀⠀⠀⠀The Philippics. 155 pages . . . . . . . . . .90

———— On the Crown. Edited by Arthur Holmes. New Edition, revised by Prof. W. S. Tyler. 16mo, 304 pages . . . . . . 1.50

**De Tocqueville.** Democracy in America. Translated by Reeve. Revised and edited, with Notes, by Francis Bowen, Professor of Moral Philosophy in Harvard University. Sixth Edition. 2 vols. 8vo . . . . . . . . . . . . . . . . . . . . . . . . . 5.00

———— American Institutions. Being a cheaper edition of Vol. I. of the preceding work, and designed for use as a College Text-Book. 12mo, 560 pages . . . . . . . . . . . . . . . . . . . . 1.60

**Felton.** Selections from Modern Greek Writers. Edited by C. C. Felton, LL.D. 12mo, 230 pages . . . . . . . . . . . . 1.25

**Fernald's** Selections from Greek Historians. Edited, with maps, by O. M. Fernald, Professor of Greek in Williams College. 12mo 1.75

**Herodotus and Thucydides.** Selections. Edited by R. M. Mather, Professor of Greek and German in Amherst College. 16mo 1.00

**Homer's Iliad.** Books I. to III. Edited by Arthur Sidgwick, M.A., Assistant Master at Rugby, and Robt. P. Keep, Ph.D., Williston Seminary, Easthampton. 16mo . . . . . . . . . 1.00

**Horace.** With Notes by Macleane, revised and edited by R. H. Chase. 12mo, 580 pages . . . . . . . . . . . . . . . 1.60

**Humphreys.** Elementary Latin Prose Compostition. By E. R. Humphreys, LL.D.

———— Advanced Latin Prose Composition.

**Isocrates.** The Panegyricus. Edited by C. C. Felton, LL.D.; new Edition, revised by Prof. W. W. Goodwin. 16mo, 155 pp. . .90

**Juvenal.** Thirteen Satires. With Notes by Macleane, revised and edited by Samuel Hart, Professor in Trinity College. 16mo, 262 pages . . . . . . . . . . . . . . . . . . . . . . . . . . $1.25

———— Edited by G. A. Simcox, Queen's College, Oxford. (*Catena Classicorum.*) 12mo, 225 pages . . . . . . . . . . . . . 1.50

**Kampen.** Fifteen maps illustrating Cæsar's Gallic War. Oblong 4to, cloth. $2.00. In wrappers, unmounted . . . . . . . . .75

**Pennell.** History of Ancient Greece to 146 B.C. With Map and Plans. By R. F. Pennell, Professor in Phillips Exeter Academy. 16mo, 130 pages . . . . . . . . . . . . . . . . . . . . . .75

———— History of Ancient Rome to 476 A.D. 16mo, 206 pages . . .75

———— The Latin Subjunctive. A Manual for Preparatory Schools. 16mo, sewed, 56 pages . . . . . . . . . . . . . . . .30

**Persius.** Edited by Samuel Hart, Professor in Trinity College. 16mo, 91 pages . . . . . . . . . . . . . . . . . . . . .90

**Plato.** The Apology and Crito. Edited by W. Wagner, Ph.D. Revised. 16mo, 145 pages . . . . . . . . . . . . . 1.00

———— The Phædo. Edited by W. Wagner, Ph.D. 16mo, 200 pages 1.35

**Plautus.** The Mostellaria, edited by Prof. E. P. Morris, Drury College, Springfield, Mo. . . . . . . . . . . . . . . 1.25

**Sharples.** Chemical Tables, arranged for Laboratory Use, by S. P. Sharples, S.B. 12mo, 200 pages . . . . . . . . . . 2.25

**Sophocles.** The Ajax. Edited by R. C. Jebb, Trinity College, Cambridge. 12mo, 200 pages . . . . . . . . . . . . . 1.25

———— The Electra. Edited by R. C. Jebb. New Edition, revised by Prof. R. H. Mather. 16mo, 230 pages . . . . . . . . 1.25

**Tacitus.** Selections. Edited by Dr. J. T. Champlin. 16mo, 272 pages . . . . . . . . . . . . . . . . . . . . . . . . 1.25

**Thucydides.** Books I., II. Edited by Charles Bigg, Christ Church, Oxford. (*Catena Classicorum.*) 12mo, 360 pages . . . 2.00

**Timayenis.** The Language of the Greeks, by T. T. Timayenis, Ph.D. 12mo . . . . . . . . . . . . . . . . . . . . . 1.50

———— Æsop's Fables, with Notes and Vocabulary. 16mo . . . . 1.50

**Xenophon.** The Memorabilia. Edited by S. R. Winans, College of New Jersey. 16mo. . . . . . . . . . . . . . . . . . 1.50

———— The Symposium. Edited by Prof. S. R. Winans, College of New Jersey. 18mo, 96 pages . . . . . . . . . . . . . . .50

# WEALE'S CLASSICAL SERIES.

*16mo.   Uniformly bound in Flexible Cloth.   Any volume sold separately.*

# BENNETT'S LATIN BOOKS.

By George L. Bennett, M.A., Head Master of the High School, Plymouth, England; formerly Assistant Master at Rugby School; and Scholar of St. John's College, Cambridge.

---

## I.

**Bennett's Easy Latin Stories** for Beginners. With Vocabulary and Notes. 16mo. Cloth. 90 cts.

The aim of this book is to supply easy stories illustrating the elementary principles of the Simple and compound Sentence. It is intended to be used either as a First Reader, introductory to Cæsar, or for READING AT SIGHT, for both of which purposes it is admirably adapted. The stories are arranged in four Parts under the heads of Simple Sentences, Compound Sentences, Adverbial Clauses, and Substantival Clauses. Short rules of syntax are printed at the head of the notes to each Part; explanation of these rules is left to the instructor. The stories are various and amusing, and it is hoped the notes will be found careful and judicious.

## II.

**Bennett's First Latin Writer.** Comprising Accidence, the easier Rules of Syntax illustrated by copious Examples, and progressive Exercises in Elementary Latin Prose, with Vocabularies. 16mo. Cloth. $1.25.

"The book is a perfect model of what a Latin Writer should be, and is so graduated that from the beginning of a boy's classical course it will serve him throughout as a text-book for Latin prose composition."

## III.

**Bennett's First Latin Exercises.** Containing all the Rules, Exercises, and Vocabularies of the FIRST LATIN WRITER, but omitting the Accidence. 16mo. Cloth. 90 cts.

One or more of these books are now in use at Phillips Exeter Academy, Exeter, N. H.; Roxbury Latin School, Boston, Mass.; Adams Academy, Quincy, Mass.; St. Johnsbury Academy, Vermont; Wm. Penn Charter School, Philadelphia, Pa.; Indiana University, Greencastle, Indiana; and many other institutions of similar standing.

## IV.

**Bennett's Second Latin Writer,** containing Hints on Writing Latin Prose, with Graduated Continuous Exercises. 16mo. $1.25.

Intended for those who have already mastered the elementary rules of Latin Prose, this book contains hints on the difference between English and Latin in idiom and in style, some notes on the commoner difficulties, and a table of differences of idiom. The Three Hundred Exercises are fresh and interesting, and give ample room for selection.

---

**JOHN ALLYN, Publisher, 30, Franklin Street, Boston.**

# SELECTIONS FROM GREEK HISTORIANS,

## BASED UPON FELTON'S SELECTIONS.

With notes by O. M. Fernald, Professor of Greek in Williams College

With three Maps.

Second Edition, revised.  12mo, 412 pages.  $1.75.

This book includes extracts from DIODORUS SICULUS, Book IV (The Muses, Hercules, Orpheus, the Argonauts, &c., &c.) ; HERODOTUS, Books VI., VII., VIII., and IX. (Capture of Miletos, Expeditions of Mardonios, Datis and Artaphernes, Succession of Xerxes, Battles of Marathon, Thermopylai, Salamis, Plataia, and Mykale, &c., &c.) ; THUCYDIDES, Books I., II., VI., VII., and VIII. (Growth of the Athenian Empire, Funeral Oration by Perikles, Defence of Perikles, the Sicilian Expedition, &c., &c.) ; XENOPHON, Hellen. Books I., II. (Return of Alkibiades, Battle of Aigospotamoi, &c., &c.).

"I examined it at once and was so much pleased with it, that I recommended it to the Freshman Class in Brown University.  They are now using it with profit in their daily work." — *Prof. Albert Harkness, Brown University, Providence.*

"I am glad you have published a new edition of Felton's Selections.  This book has been used by me for more than ten years with great satisfaction.  The references and notes of Professor Fernald add greatly to its value, and will make it still more deservedly popular than before." — *Prof. Jacob Cooper, Rutgers College, New Brunswick, N. J.*

"I am using Fernald's Selections from Greek Historians with a class this term, and regard it as a most excellent text-book, its notes being always careful and accurate, and not so full or numerous as to make the students' work too easy." — *Prof. H. Z. McLain, Wabash College, Crawfordsville, Ind.*

"It is by far the best selection I have seen, and should, I think, be extensively used.  I shall use it with some class during the coming year." — *Prof. E. Alexander, Tennessee University, Knoxville, Tenn.*

"Such a book is especially needed to follow Xenophon's Anabasis.  The excellence of the notes lies in just enough judicious help, with frequent reference to the Grammars and to the best authorities on interpretation and Greek literature.  A student who will patiently study this book, guided by the helpful directions in the notes, will gain an extensive and accurate knowledge of history." — *Prof. J. F. Griggs, Western University, Pittsburg, Penn.*

**JOHN ALLYN, Publisher, 30, Franklin Street, Boston.**

# HOMER'S ILIAD. — BOOKS I. TO III.

With an Introduction, an Essay on the Language of Homer, and Notes. Edited by Arthur Sidgwick, M.A., Assistant Master at Rugby, and Robert P. Keep, Ph.D., Williston Seminary, Easthampton. 16mo. Cloth. $1.00.

**This edition contains the following new and valuable features: —**

I.  A Chapter on the Language of Homer, with full explanation of Epic forms.

II.  An interesting and concise introduction, giving a summary of the Literary History of the Homeric Poems, an outline of the Story of the Iliad, and a descriptive list of the Homeric Deities.

III.  The division of the text into paragraphs, preceded by a summary of the argument.

———

" Admirably edited and made most attractive to the eye." — *W. C. Collar, Roxbury Latin School.*

" Sidgwick and Keep's Homer is admirable in every way. Especially will both instructors and pupils prize the introduction on Homer and the Homeric Poems, and the sketch of Homeric Grammar. It very conveniently supplies what every pupil must have, and every teacher somehow provide I shall certainly use this edition." — *Prof. J. B. Sewall, Thayer Acad., South Braintree, Mass.*

"The notes have been prepared expressly for the use of students with a wisdom and skill which could be the result only of actual experience in teaching. They are concise, clear, judicious, and sensible, and very rarely fail to give the rendering, the construction, or the explanation which is approved by the best authorities." — *Prof. W. S. Tyler, Amherst, Mass.*

" The chapter on the Language of Homer is an admirable feature, and the Notes meet my idea of annotation better than those of any other edition I have seen." — *Prof. James A. Towle, Ripon College, Wisconsin.*

"I think it is the best edition of the Iliad now in the hands of teachers. It says just what the student ought to hear, and conveys its information with system and clearness. Its Homeric Accidence and Syntax are very valuable." — *Prof. B. C. Hagermann, Bethany Coll., W. Va.*

———

**JOHN ALLYN, Publisher, 30, Franklin Street, Boston.**

# GREEK AND LATIN TEXT BOOKS.

**A**BBOTT'S LATIN PROSE. Latin Prose through English Idiom. Rules and Exercises on Latin Prose Composition. By the Rev. EDWIN A. ABBOTT, D.D., Head Master of the City of London School. With Additions by E. R. HUMPHREYS, A.M., LL.D. 18mo, cloth, 205 pages. $1.00.

The author's object is to prepare students for the study and composition of Latin Prose, by calling their attention first to the peculiarities of English idiom, and then to the methods of representing the English in the corresponding Latin idiom. A good deal of space has been given to the Prepositions. The Exercises are purposely unarranged, as connected examples are useless to test a pupil's knowledge.

Abbott's Latin Prose is the best book of the kind with which I am acquainted. It teaches the student to compose Latin, instead of translating stock sentences. — *Prof. Geo. O. Holbrooke, Trinity College, Hartford.*

Any book by the author of "English Lessons" and the "Shaksperian Grammar" I should expect to be good. This seems to me simply admirable, and is quite as valuable for the study of English as for the study of Latin. — *Prof. E. H. Griffin, Williams College, Williamstown.*

I feel sure the book will be widely used, as it deals with Latin Composition in the only right way. — *Prof. C. L. Smith, Harvard College.*

## ARISTOPHANES' ACHARNIANS AND KNIGHTS.

The Acharnians and Knights of Aristophanes. Edited by W. C. GREEN, M.A., late Fellow of King's College, Cambridge. (*Catena Classicorum.*) 12mo, 210 pages. $1.35.

The text of this edition is mainly that of Dindorf. In the notes brevity has been studied, as short notes are more likely to be read, and, therefore, to be useful. Each play is preceded by an Introduction and an Argument.

I am exceedingly pleased with the Acharnians and Knights of Aristophanes, the new part in your *Catena Classicorum*. It is an excellent text-book. — *Prof. E. Jones, University of Michigan.*

5

# ARISTOPHANES' BIRDS AND CLOUDS.

**THE BIRDS OF ARISTOPHANES.** With Notes and a Metrical Table, by C. C. FELTON, LL.D., President of Harvard University. New Edition, revised by W. W. GOODWIN, Elict Professor of Greek Literature in Harvard University. 12mo, 250 pages. $1.25.

**THE CLOUDS OF ARISTOPHANES.** With Notes and a Metrical Table, by C. C. FELTON, LL.D. New Edition, revised by Professor W. W. GOODWIN. 12mo, 250 pages. $1.25.

President Felton, by his tastes and his studies, was especially fitted for the difficult task of editing Aristophanes, and the notes of these two books show with what skill and thoroughness the congenial labor has been performed. Great care has been taken to explain the judicial expressions and the frequent allusions to the political and social life of Athens. In the new editions, revised by Professor Goodwin, the commentary has been enlarged by references to his Moods and Tenses of the Greek Verb.

**CICERO PRO CLUENTIO.** M. T. Ciceronis pro A. Cluentio Habito Oratio ad Judices. With English Notes, by AUSTIN STICKNEY, A.M., Professor of Latin in Trinity College, Hartford. Fourth Edition. 16mo, 155 pages. 90 cents.

The Notes are designed to supply the student with such information, in respect to the facts of the case and the scope of the argument, as is necessary to the proper understanding of the oration.

**DEMOSTHENES' OLYNTHIACS AND PHILIPPICS.** The Olynthiacs and Philippics of Demosthenes. With Introduction and Notes, for the use of Schools and Colleges, by W. S. TYLER, Williston Professor of Greek in Amherst College. 16mo, 256 pages. $1.25.

Separately. THE OLYNTHIACS. 98 pages. 75 cents.
THE PHILIPPICS. 158 pages. 90 cents.

The aim of the editor has been to help the student only where help was needed, to dispense with all *useless* comment, which includes all notes that are *certain not to be used*, and to condense the entire book within the smallest possible compass. The references are to the grammars of Hadley, Curtius, Goodwin, and Crosby. A notable feature of this edition are the general and special introductions, the analyses of the argument, and the summaries prefixed to each division.

We have just finished reading Professor Tyler's Olynthiacs and Philippics, and find the book very serviceable. The annotations are clear and scholarly, and the text is very correct. — *Professor D'Ooge, University of Michigan, Ann Arbor.*

The notes are compact and scholarly, the translations are concise and idiomatic, the difficulties are well explained; in short, the book seems to me, in every way, adapted to the young men and women who read these orations in our American colleges. — *Professor Kerr, University of Wisconsin, Madison.*

**DEMOSTHENES ON THE CROWN.** The De Corona of Demosthenes. With English Notes by the Rev. ARTHUR HOLMES, M.A., Senior Fellow of Clare College, Cambridge. Revised Edition, by W. S. TYLER, Williston Professor of Greek in Amherst College. 16mo, 304 pages. $1.50.

The text is preceded by an introduction, containing a concise statement of the history of the oration and an analysis of the argument. In the notes the American editor has omitted not a few of the English editor's citations from Greek authors, and whatever else seemed to be superfluous or sure to be neglected by college students and filled their place by references to American grammars and exact, yet idiomatic, translations of difficult passages.

I have already expressed to Professor Tyler my high appreciation of his *De Corona* of Demosthenes, and shall take pleasure in recommending it as the best edition for college use. — *Professor Harkness, Brown University, Providence.*

Professor Tyler's edition of Demosthenes' Oration on the Crown is a great improvement on the English one, both in its additions and its omissions. I know of nothing so well adapted to giving a student the fullest and clearest knowledge of this masterpiece of Greek literature. — *Professor Taylor Lewis, Union College Schenectady.*

**FELTON'S GREEK HISTORIANS.** Felton's Selections from Greek Historians, arranged in the Order of Events. New Edition, with Notes, by O. M. FERNALD, Professor of Greek in Williams College. With three maps. 12mo. $1.75.

In the new edition, some passages of the old "Selections" have been omitted in order to bring the work within a reasonable compass, though enough has been left for the historical reading of the freshman year in college. The extracts are taken from Diodorus Siculus, Herodotus, Thucydides, and Xenophon. The text has been thoroughly revised. The notes are entirely new, and include nothing of Prof. Felton's, except with acknowledgment. To the notes upon Herodotus has been prefixed a table of the peculiarities of the Ionic Dialect. The references are to Goodwin's and Hadley's grammars, and to Goodwin's Moods and Tenses.

**FELTON'S MODERN GREEK.** Selections from Modern Greek Writers in Prose and Poetry. With Notes by C. C. FELTON, LL.D., Eliot Professor of Greek Literature in Harvard University 12mo, 230 pages. $1.25.

The object of this volume is to exhibit the present state of the Greek language, as spoken and written by cultivated men, and as it appears in popular poems and ballads. The selections have been limited to a few authors, and to passages which refer to the history and condition of Greece, and which have an interest and value of themselves.

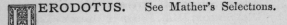

**ERODOTUS.**   See Mather's Selections.

**HORACE.**   The Works of Horace, with English Notes, by the Rev. A. J. MACLEANE, M.A.  Revised and edited by R. H. CHASE, A.M.  12mo, 580 pages.  $1.60.

This edition of Horace is substantially the same with Mr. Macleane's abridgment of his larger edition in the Bibliotheca Classica.  The text is unaltered.  Only such changes have been made in the notes as seemed necessary to adapt the book to the class room.  Discussions respecting the various readings and disputed points have been omitted; the arguments of the Odes have been introduced from the larger work; and Dr. Beck's Introduction to the Metres has been appended to the notes.

**SOCRATES' PANEGYRICUS.**   The Panegyricus of Isocrates, from the text of Bremi, with English Notes by C. C. FELTON, LL.D.  Third Edition, revised by Professor C. C. GOODWIN.  12mo, 155 pp.  90 cents.

The Panegyricus has been selected for publication, partly because it is an excellent specimen of the best manner of Isocrates, and partly because, by its plan, it presents a review of the history of Athens from the mythical ages down to the period following the treaty of Antalcidas, and is a convenient work to make the text-book for lessons in Greek history.  The present edition is by Prof. Goodwin, who has added grammatical and other notes.

**JUVENAL.**   Thirteen Satires of Juvenal.  With English Notes by the Rev. A. J. MACLEANE, M.A., Trinity College, Cambridge.  Abridged, with Additions, by the Rev. SAMUEL HART, M.A., Professor in Trinity College, Hartford.  16mo, 262 pages.  $1.25.

Macleane's Commentary is highly valued among scholars, but its price has, for the most part, kept it out of the reach of our undergraduates.  Professor Hart's abridgment has now put into their hands all that would be of use to them in the larger book.  In addition, the editor has incorporated much that is useful from the notes of Heinrich, of Mayor, and of other commentators; and has inserted notes and comments of his own, including many explanations of peculiar construction, and a considerable body of grammatical references.

The work of the American editor is done with excellent judgment, and his additions to the notes will greatly increase their value for our students. — *Professor E. P. Crowell, Amherst College.*

I am happy to say that I have in use Professor Hart's edition of Juvenal, and find it a very useful, judicious, and scholarly manual, admirably adapted to the wants of the class. — *Professor L. Coleman, Lafayette College, Easton.*

8

**JUVENAL.** Thirteen Satires of Juvenal, with Notes and Introduction by G. A. SIMCOX, M.A., Fellow of Queen's College, Oxford. Second Edition, revised and enlarged. (*Catena Classicorum.*) 16mo, 225 pages. $1.50.

The text of this edition is mainly that of Jahn; variations are noticed when they occur, and the editor's reasons for the choice are given. The notes are original and scholarly, and are marked by a real desire to place in the hands of the learner all that is most effective to throw light upon the author. The introduction is calculated to give the student much insight into the writings of Juvenal and their relation to his age.

The charm of Mr. Simcox's work lies in the very scholarly character of his notes and their freshness. It will be of great value to those who are glad to avail themselves of a clear and terse annotation. — *Professor F. P. Nash, Hobart College, New York.*

**M**ATHER'S SELECTIONS. Selections from Herodotus and Thucydides. With Notes by R. H. MATHER, Professor of Greek and German in Amherst College. 16mo, 150 pages. $1.00.

The extracts from Herodotus are from the 6th, 7th, and 8th Books, and contain about the amount of that author usually read in a college course. To these is added from Thucydides the Funeral Oration of Pericles. In the notes, the aim has been to supply the wants of the pupil rather than of the teacher, to explain the text, and to give such collateral information as the limited space of a text-book would allow.

Mather's Selections is a most admirable text-book. The notes, both grammatical and historical, are eminently lucid, pertinent, and judicious. I need hardly say I shall use it with my classes. — *Professor N. L. Andrews, Madison University, New York.*

I am pleased with the Selections themselves, because of their exceedingly interesting nature; pleased with the amount selected, because it is just what will be read in a term; pleased with the notes, because of their brevity, pertinence, and comprehensiveness; and now, after using it for the past two years with college classes, I find myself liking it better still. — *Professor W. F. Swahlen, McKendree College, Ohio.*

**P**ERSIUS. The Satires of Persius, with English Notes, based on those of Macleane and Conington, by the Rev. SAMUEL HART, M.A., Professor in Trinity College, Hartford. 16mo, 91 pages. 90 cents.

The text of this edition agrees in most places with that of Jahn. In the arguments prefixed to each satire, the editor has endeavored to give a suggestive outline of the poet's thoughts, and also to point out as clearly as possible, in the notes the connection of one idea, or one part of the poem, with another.

9

# PLATO'S APOLOGY AND CRITO. Plato's Apology of Socrates and Crito, with Notes, critical and exegetical, and a logical Analysis of the Apology, by W. WAGNER, Ph.D. Revised Edition. 16mo, 145 pages. $1.00.

The text of this edition is based on that of the Bodleian MS., and is claimed to be the most correct text extant. Throughout the work, the editor's aim has been to be as brief and concise as possible, not attempting originality, but carefully using and arranging the materials amassed by preceding commentators. In the revised edition, some references to parallel passages have been omitted, and extended references to American grammars have been added.

The text has been prepared with great care, and the print is excellent. . . . The notes show much thought and discrimination. They are apt and terse, and just such as a student needs; the grammatical references to Hadley and Goodwin give this edition a preference over others. — *Prof. F. W. Tustin, University at Lewisburg, Pa.*

I am glad you have republished the book, which, I think, will be useful in this country. The work, like others of Wagner, abounds in original and sensible remarks; the notes are to the point, and tersely expressed. — *Prof. F. D. Allen, University of Cincinnati, Ohio.*

I confidently recommend it to the favorable consideration of all students. It is eminently scholarly without any parade of scholarship, and gives all the requisite information without removing from the student the necessity for using his own brains. — *Prof. H. Whitehouse, Union College, Schenectady.*

# PLATO'S PHÆDO. Plato's Phædo, with Notes, Critical and Exegetical, and an Analysis. By WILHELM WAGNER, Ph.D. 16mo, 206 pages. $1.35.

This edition enters especially into the critical and grammatical explanation of the Phædo, and does not profess to exhaust the philosophical thought of the work, least of all to collect the doctrines and tenets of later philosophers and thinkers on the subjects treated by Plato.

I have now in use, with my higher classes, your edition of the Phædo of Plato, and find it altogether satisfactory. It shows much greater care and scholarship than are usually found in college text-books. —*Professor Ch. Morris, Randolph Macon College, Virginia.*

The edition of Plato's Phædo, by Wagner, is one of rare excellence. Seldom, if ever, has there been so much of value in a text-book compressed in so small a space. — *Professor J. Cooper, Rutgers College, New Jersey.*

# SOPHOCLES, — THE AJAX. The Ajax of Sophocles. Edited by R. C. JEBB, M.A., Fellow of Trinity College, Cambridge. (*Catena Classicorum.*) 12mo, 206 pages. $1.25.

Mr. Jebb has produced a work which will be read with interest and profit, as it contains, in a compact form, not only a careful summary of the labors of preceding editors, but also many acute and ingenious original remarks. All questions of grammar, construction, and philology, are handled, as they arise, with a helpful and sufficient precision. An exhaustive introduction precedes the play.

## SOPHOCLES, — THE ELECTRA. The Electra of Sophocles. With Notes by R. C. Jebb. Revised and edited, with additional Notes, by R. H. Mather, Professor of Greek and German in Amherst College. 16mo, 232 pages. $1.25.

The editor has retained all in Mr. Jebb's notes that seemed most valuable to teachers and more advanced collegiate scholars, and has added references to several of the best American grammars, and explanations of difficult passages, when the notes of the English edition seemed too meagre.

It is rare to find an edition of a classic author so admirably adapted to the wants of students as Mr. Jebb's *Electra.* I hope this new edition will aid in making it better known in our colleges; and I am glad to see how much Prof. Mather has done to that good end. — *Professor W. W. Goodwin, Harvard College.*

It is a handsome volume and a good text-book. I am sure teachers and pupils will find it to be what they want in the study of the favorite play of the prince of tragic poets. — *Professor W. S. Tyler, Amherst College.*

## TACITUS. Selections from Tacitus, embracing the more striking portions of his different works. With Notes, Introduction, and a Collection of his Aphorisms. By J. T. Champlin. 16mo, 272 pages. $1.25.

The design of this book is to give a comprehensive view of the writings of Tacitus in a comparatively small space. For this purpose, portions have been taken from all his works, except the Germania, but not without due regard to unity in the main parts. All biographical and historical information, which seemed to be required, has been introduced into the notes. The introduction contains a translation of Dr. Draeger's excellent essay on the peculiarities of the language and style of Tacitus.

A very interesting and useful text-book has been made up by these admirable selections. The notes are able and judicious, and supply just the information needed by students. Dr. Draeger's exhaustive essay on the language and style of Tacitus is of the greatest value to scholars. — *Thomas Chase, President Haverford College, Pa.*

## THUCYDIDES. The History of the War between the Peloponnesians and the Athenians, by Thucydides. Books I. and II. Edited, with Notes and Introduction, by Chas. Bigg, M.A., Christ Church, Oxford. (*Catena Classicorum.*) 12mo, 360 pages. $2.00.

Mr. Bigg prefixes an Analysis to each book, and an admirable introduction to the whole work, containing full information as to all that is known or related of Thucydides, and the date at which he wrote, followed by a very masterly critique on some of his characteristics as a writer. — *London Athenæum.*

This is certainly the best edition for school and college use which I have seen. — *Professor A. S. Wheeler, Cornell University.*

11

# ENGLISH TEXT BOOKS.

**B**OWEN'S HAMILTON'S METAPHYSICS. The Metaphysics of Sir William Hamilton, collected, arranged, and abridged by FRANCIS BOWEN, Alford Professor of Moral Philosophy in Harvard College. 12mo, 570 pages. $1.75.

The editor has endeavored to prepare a text-book which should contain, in Hamilton's own language, the substance of all that he wrote upon the subject of metaphysics.

I cannot refrain from congratulating you on your success. You have given the Metaphysics of Sir Wm. Hamilton in his own words, and yet in a form admirably adapted to the recitation room, and also to private students. — *James Walker, D.D., LL.D, late President of Harvard University.*

The students of our colleges are to be congratulated that the labors of the great master of metaphysical science are now rendered much more availing for their benefit, than they were made, perhaps than they could have been made, by his own hand. — *North American Review.*

## BOWEN'S LOGIC. A Treatise on Logic, or the Laws of Pure Thought; comprising both the Aristotelic and Hamiltonian Analyses of Logical Forms, and some chapters on Applied Logic. By Prof. F. BOWEN. 12mo, 476 pages. $1.75.

Throughout the work the author has kept constantly in view the wants of learners, much of it having been first suggested by the experience of his own class room.

I have found it the most thorough and systematic text-book on the subject with which I am acquainted. It fully supplies the purpose for which it was written, and, in the hands of a good teacher, it furnishes all the aid that he or his class will need. — *E. O. Haven, LL.D., late President of University of Michigan.*

As an English text-book in this department of philosophy, I have seen nothing to be compared with it. — *James Walker, D.D., LL.D., late President of Harvard University.*

**C**OOKE'S CHEMICAL PHILOSOPHY. Principles of Chemical Philosophy, by JOSIAH P. COOKE, Jr., Erving Professor of Chemistry and Mineralogy in Harvard College. Fourth Edition, revised and corrected. 8vo, 600 pages. $3.50.

The object of this book is to present the philosophy of chemistry in such a form that it can be made with profit the subject of college recitations. The author has found, by long experience, that a recitation on mere descriptions of apparatus and experiments is all but worthless, while the study of the philosophy of chemistry may be made highly profitable both for instruction and discipline. Part I. of the book contains a statement of the general laws and theories of chemistry, together with so much of the principles of molecular physics as are constantly applied to chemical investigations. It might be called a Grammar of the science.

Part II. presents the scheme of the chemical elements, and should only be studied in connection with experimental lectures or laboratory work. In the new edition, the text has been altered wherever corrections have been made necessary by the recent progress of the science.

I consider it one of the very best works on the subject in the English language. It is concise, compact, philosophical, capital. — *Professor J. S. Schanck, College of New Jersey, Princeton.*

As far as our recollection goes, we do not think there exists in any language a book on so difficult a subject as this so carefully, clearly, and lucidly written. — *London Chemical News.*

## COOKE'S CHEMICAL PHYSICS. Elements of Chemical Physics. By Professor JOSIAH P. COOKE, Jr. Third Edition. 8vo, 750 pages. $5.00.

This volume is intended to furnish a full development of the principles involved in the investigation of chemical phenomena. In order to adapt it to the purposes of instruction, it has been prepared on a strictly inductive method throughout; and any student with an elementary knowledge of mathematics will be able to follow the course of reasoning without difficulty. Each chapter is followed by a large number of problems, which are calculated, not only to test the knowledge of the student, but also to extend and apply the principles discussed in the work.

## PENNELL'S ANCIENT HISTORIES.

ANCIENT GREECE, from the Earliest Times down to 146 B. C. By R. F. PENNELL, Professor of Latin in Phillips Exeter Academy. With Map and Plans. 16mo, 130 pages. 75 cents.

ROME, from the Earliest Times down to 476 A.D. 16mo, 206 pages. 75 cents.

These books are compiled respectively from the works of Curtius and Rawlinson, and from Mommsen and Niebuhr. They contain amply sufficient matter to prepare a pupil for any of our colleges. All minor details are, however, omitted, thus avoiding a confused mass of matter so perplexing to every beginner. Important events, names, and dates are printed in **heavy type,** strongly impressing them upon the student's memory.

I know of no other compend of Roman Geography and History so well fitted for students in the early stages of a classical education. In addition to its worth as a school book, it is of no little value as a reference book for the leading names, dates, and facts of Roman history. — *A. P. Peabody, D.D., Harvard University.*

It is a most judicious epitome of Greek history, containing just those salient points about which all the minor events naturally group themselves. Teachers and pupils will rejoice to be free from Smith's maze of petty names and events. — *Professor W. M. Jefferis, Delaware College.*

I am very much pleased with the Greek history, and believe it will meet the wants of classes fitting for college, better than any thing of the kind that has been published. — *Professor Charles Dole, Northfield, Vermont.*

## PENNELL'S LATIN SUBJUNCTIVE. The Latin Subjunctive, a Manual for Preparatory Schools. By Professor R. F PENNELL 16mo, sewed, 56 pages. 30 cents.

# BIBLIOTHECA CLASSICA.

A series of Greek and Latin authors, with English commentaries; edited by various scholars under the direction of George Long and Rev. A. J. Macleane. 8vo. Cloth.

"A credit to the classical learning of England." — *London Athenæum.*

## Reduced net Prices.

Aeschylus, by F. A. Paley, M.A. 4th edition . . . . . . . . $5.60
Cicero's Orations, by George Long, M.A. 4 vols. . . . . . . . 20.00
    Separately, Vol. I., $5 25; Vol. II., $4.50; Vol. III., $5.25; Vol. IV., $5.75.
Demosthenes, by R. Whiston, M.A. 2 vols. . . . . . . . . . 10.00
    Either vol. separately . . . . . . . . . . . . . . . 5.25
Euripides, by F. A. Paley, M.A. 3 vols. . . . . . . . . . 15.00
    Any vol. separately . . . . . . . . . . . . . . . 5.25
Herodotus, by Rev. J. W. Blakesley, B.D. 2 vols. . . . . . . 10.00
Hesiod, by F. A. Paley, M.A. . . . . . . . . . . . . . . 3.25
Homer's Iliad, by F. A. Paley, M.A. 2 vols. . . . . . . . . 8.00
    Separately, Vol. I., $4.00; Vol. II., $4.50.
Horace, by Rev. A. J. Macleane, M.A.; new edition, revised by George Long . . . . . . . . . . . . . . . . . . . 5.60
Juvenal and Persius, by Rev. A. J. Macleane, M.A.; new edition, revised by George Long . . . . . . . . . . . : . . . 3.75
Plato's Phædrus and Gorgias, by W. H. Thompson, D.D. 2 vols. . 4.75
    Either vol. separately . . . . . . . . . . . . . . 2.50
Sophocles, by Rev. F. H. Blaydes, M.A. Vol. I., Oed. Tyr., Oed. Col., Antig. . . . . . . . . . . . . . . . . . . . . 5.60
—— Vol. II., by F. A. Paley, M.A.; Philoct., Elect., Trach., Ajax. **3.75**
Tacitus, The Annals, by Rev. P. Frost . . . . . . . . . . . 4.75
Terence, by E. St. J. Parry, M.A. . . . . . . . . . . . . 5.60
Virgil, by J. Conington, M.A. 3 vols. . . . . . . . . . . 12.50
    Separately, Vol. I., Bucol. and Georg., $4.00; Vol. II., Æneid, Bks. 1–6, $4.50; Vol. III., Æneid, Bks. 7–12, $4.50.

☞ *Any volume sent post-paid on receipt of the price. Any 10 volumes, 10 per cent discount from above prices. Any 15 volumes, 15 per cent discount from above prices. A complete set, 26 volumes, for* $93.00.

---

**JOHN ALLYN,** Importer and Publisher, 30, Franklin Street, Boston.

# GRAMMAR SCHOOL CLASSICS.

*With English notes by eminent scholars.* 18mo. *Cloth.*

| | |
|---|---:|
| Cæsar de Bello Gallico, notes by George Long. New ed. | $1.80 |
| ——— Books I.–III., notes by George Long | .90 |
| Catullus, Tibullus, and Propertius; selected poems; notes by A. H. Wratislaw and F. N. Sutton | 1.25 |
| Cicero, De Senectute, De Amicitia, and Select Epistles, notes by George Long | 1.60 |
| Cornelius Nepos, notes by J. F. Macmichael | .90 |
| Homer's Iliad, Books I.–XII., notes by F. A. Paley | 2.25 |
| Juvenal, Sixteen Satires (expurgated), notes by H. Prior | 1.60 |
| Martial, Select Epigrams, notes by Paley and Stone | 2.25 |
| Ovid, the Fasti, notes by F. A. Paley. New edition | 1.75 |
| Sallust, Catiline and Jugurtha, notes by George Long | 1.75 |
| Tacitus, Germania and Agricola, notes by P. Frost | 1.25 |
| Virgil, Bucolics, Georgics, and Æneid, Books I.–IV. Abridged from Conington, by J. G. Sheppard | 1.80 |
| ——— Æneid, Books V.–XII. Abridged from Conington by H. Nettleship and W. Wagner | 1.80 |
| Xenophon, Anabasis, with maps, notes by J. F. Macmichael | 1.75 |
| ——— Cyropædia, notes by G. M. Gorham | 2.00 |
| ——— Memorabilia, notes by P. Frost | 1.60 |

---

# BOHN'S CLASSICAL LIBRARY.

*A series of literal translations into English prose.* 12mo.

| | | | |
|---|---:|---|---:|
| Aeschylus | $1.00 | Homer's Odyssey, Hymns, &c. | $1.50 |
| Aristophanes, by Hickie. 2 vols., | | Horace | 1.00 |
| *each* | 1.50 | Justin, Nepos, and Eutropius | 1.50 |
| Aristotle's Ethics, Politics and | | Juvenal, Persius, &c. | 1.50 |
| Economics, Metaphysics, History of Animals, Rhetoric and | | Livy. 4 vols., *each* | 1.50 |
| | | Lucan's Pharsalia | 1.50 |
| Poetics. 5 vols., *each* | 1.50 | Lucretius | 1.50 |
| Organon. 2 vols., *each* | 1.00 | Martial's Epigrams | 2.50 |
| Cæsar | 1.50 | Ovid. 3 vols., *each* | 1.50 |
| Catullus, Tibullus, &c. | 1.50 | Pindar | 1.50 |
| Cicero's Orations. 4 vols., *each* | 1.50 | Plato. 6 vols., *each* | 1.50 |
| — De Natura Deorum, &c. | 1.50 | Plautus. 2 vols., *each* | 1.50 |
| — Academics, De Finibus, and | | Propertius, Petronius, &c. | 1.50 |
| Tusculan Questions | 1.50 | Quintilian's Institutes. 2 vols., *each* | 1.50 |
| — Oratory and Orators | 1.50 | Sallust, Florus, &c. | 1.50 |
| — Offices, Old Age, Friendship, &c. | 1.00 | Sophocles | 1.50 |
| Demosthenes's Orations. 5 vols. | | Strabo's Geography. 3 vols., *each* | 1.50 |
| Vol. 1., $1.00; Vols. II. to V.; | | Suetonius, Lives of the Cæsars | 1.50 |
| *each* | 1.50 | Tacitus. 2 vols., *each* | 1.50 |
| Epictetus | 1.50 | Terence and Phædrus | 1.50 |
| Euripides. 2 vols., *each* | 1.50 | Theocritus, Bion, and Moschus | 1.50 |
| Herodotus | 1.50 | Thucydides. 2 vols., *each* | 1.00 |
| Hesiod, Callimachus, and Theognis | 1.50 | Virgil | 1.00 |
| Homer's Iliad | 1.50 | Xenophon. 3 vols., *each* | 1.50 |

---

JOHN ALLYN, Importer and Publisher, 30, Franklin Street, Boston.

# CLASSICAL HELPS AND WORKS OF REFERENCE.

*☞ Any book mailed post-paid on receipt of the price.*

## Antiquities and Archæology.

| | |
|---|---|
| Boeck. Public Economy of Athens, trans. by Lewis. 8vo | $6.00 |
| ——— Translated by Lamb. 8vo | 6.00 |
| Guhl and Koner. Life of the Greeks and Romans. 8vo | 4.00 |
| Donaldson (J. W.). Theatre of the Greeks. 8th ed. 12mo | 1.50 |
| Mahaffy (J. P.). Social Life in Greece. 3d ed. 12mo | 2.50 |
| Müller (K. O.). Handbook of archæol., translated by Leitch. 12mo | 4.00 |
| Ramsay (W.) Manual of Roman antiquities. 10th ed. 12mo | 3.00 |
| ——— Elementary Manual of Roman antiq. 6th ed. 16mo | 1.50 |
| Rich (A.). Dict. of Roman and Greek antiq. 8vo. Fully illust. | 2.75 |
| Schoemann. Antiq. of Greece; the State; translated. 8vo | 6.00 |
| Smith (W.). Dict. of Greek and Roman antiq. 8vo. Half calf | 8.00 |
| Westropp (H. M.). Handbook of archæology. 12mo | 2.50 |

### Dictionary. — GREEK.

| | |
|---|---|
| Hamilton's Grk.-Engl. and Engl.-Grk. dictionary. 2 vols., *each* | .80 |
| Liddell and Scott. Greek-English dict. 6th ed. 4to | 11.00 |
| ——— Abridged. 12mo | 2.25 |
| Pillon. Grk. synonymes, trans. by T. K. Arnold. 16mo | 2.25 |
| Stephens (H.). Thesaurus Græcæ Linguæ. 5 vols. Folio | 30.00 |
| Veitch (W.). Greek verbs, irregular and defective. 12mo | 2.75 |

#### LATIN.

| | |
|---|---|
| Goodwin's Lat.-Engl. dict., 80c.; English-Latin dict. | .60 |
| Smith (W.). Lat.-Engl. and Engl.-Latin dict. 2 vols. 8vo, *each* | 7.50 |
| White and Riddle. Latin-Engl. dictionary. 4to. Cloth | 7.00 |

#### MISCELLANEOUS.

| | |
|---|---|
| Rich (A.). Dict. of Roman and Grk. antiq. Fully illust. 8vo | 2.75 |
| Smith (W.). New classical dictionary. 750 illust. 8vo | 6.00 |
| ——— Dict. of Grk and Roman antiq. 500 illust. 8vo. Half calf | 8.00 |
| ——— Biog. and mythol. 564 illust. 3 vols. 8vo. Half calf | 24.00 |
| ——— Geography. 530 illust. 2 vols. Half calf | 16.00 |

### Grammar. — GREEK.

| | |
|---|---|
| Clyde (J.). Greek syntax, new ed., by J. S. Blackie. 16mo | 1.60 |
| Curtius (G.). Students' Greek grammar, trans. 12mo | 1.50 |
| ——— Elucidations to the Grk. grammar, trans. by E. Abbott. 12mo | 2.75 |
| Donaldson (J. W.). Complete Greek grammar. 3d ed. 8vo | 5.75 |
| Farrar (F. W.). Brief Greek syntax, and hints on accidence | 1.60 |
| Jelf (W. E.). Greek grammar, based on Kühner. 4th ed. 2 vols. 8vo | 10.50 |
| Madvig's Greek syntax, translated by T. K. Arnold. 12mo | 3.00 |
| *Verbs.* | |
| Baird (J. S.). Irregular Greek verbs. 8vo | .90 |
| Buttmann's Greek verbs, translated by Fishlake. 12mo | 2.25 |
| Curtius (G.). The verb, its structure and development | 6.00 |
| Storr (F.). Table of irregular Greek verbs. 8vo | .40 |
| Veitch (W.). Irregular and defective Greek verbs. 12mo | 2.75 |
| LATIN. | |
| Donaldson (J. W.). Complete Latin grammar. 3d ed. 8vo | 5.00 |

JOHN ALLYN, Importer and Publisher, 30, Franklin Street, Boston.

Kennedy (B. H.).   Public School Latin grammar.   12mo . . . .   $2.75
Key (T. H.).   Latin grammar.   12mo . . . . . . . . . .   2.80
Roby (H. J.).   Grammar of Latin from Plautus to Suetonius.  2 vols.
   12mo . . . . . . . . . . . . . . . . . . . . .   5.00
Smith (J. Hamblin).   Elementary Latin grammar.   16mo . . . .   1.25
   *Pronunciation.*
Ellis (A. J.).   Practical Hints on quantitative pronunciation.  16mo   1.25
Holmes (A.).   Rules of Latin pronunciation.   12mo . . . . . .   .35
Munro (H. A. J.).   Pronunciation of Latin.   8vo . . . . . . .   .40
———— and Palmer (E.).   Syllabus of Latin pronunciation . . .   .12

## Literature. — GREEK.

Browne (R. W.).   History of Greek literature.   8vo . . . . .   3.00
Donaldson (J. W.).   Theatre of the Greeks.   12mo . . . . .   1.50
Jebb (R. C.).   Attic orators from Antiphon to Isæos.  2 vols.   8vo   7.00
———— Primer of Greek literature.   18mo . . . . . . . .   .45
Müller (K. O.).   History of Greek literature to the period of Isocrates.
   8vo . . . . . . . . . . . . . . . . . . . . .   2.50
———— and Donaldson (J. W.).   Hist. of Grk. literature.  3 vols.  8vo   15.00
Mure (W.)   Critical History of the language and literature of an-
   cient Greece.  5 vols.   8vo . . . . . . . . . . . .   28.00
Symonds (J. A.).   Studies of Greek poets.  2 vols.   12mo . . .   5.00
   ROMAN.
Browne (R. W.).   History of Roman classical literature.   8vo . .   4.25
Cruttwell (C. T.).   History of Roman literature.   12mo . . .   2.50
Farrar (F. W).   Primer of Latin literature . . . . . . . . .   .45
Mayor (J. E. B.).   Bibliographical clew to Latin literature.  12mo .   2.75
Sellar (W. Y.).   Roman poets of the Augustan age.   Virgil.  8vo   4.00 •
———— Republic.   (New edit. in press.)
Teuffel (W. S.).   History of Roman literature, trans. by Wagner.
   2 vols.  8vo . . . . . . . . . . . . . . . . . .   7.00

Mayor (J. B.).   Guide to the choice of classical books.   16mo . .   1.00

## Philology.

Baur (F.).   Philological introd. to Greek and Latin.   16mo . .   2.10
Bopp.  Compar. gram. of Sanskrit, Zend, Greek, Latin, Lithuanian,
   Gothic, German, and Slavonic ; trans. by Eastwick.  3 vols. 8vo   11.00
Curtius (G ).   Greek etymology ; translated by Wilkins and Eng-
   land.  2 vols.  8vo . . . . . . . . . . . . . . . .   10.50
———— The Greek verb ; trans. by Wilkins and England . . .   6.00
———— Elucidations of his Grk. gram. ; trans. by E. Abbott.  16mo   2.75
Donaldson (J. W.).   The new Cratylus.   8vo . . . . . . .   7.75
———— Varronianus . . . . . . . . . . . . . . . . .   5.75
Key (T. H.).   Language, its origin and development.   12mo . . .   4.75
———— Philological essays.   8vo . . . . . . . . . . .   3.50
Papillon (T. L.).   Comparative philology, as applied to Greek and
   Latin inflections.   12mo . . . . . . . . . . . . .   1.65
Peile (J.).   Introduction to Greek and Latin etymology.   12mo .   2.75
Sayce (A. H.)   Principles of comparative philology.   12mo . . .   3.75
Schleicher (A.).   Compar. gram. of the Indo-European Sanskrit,
   Greek, and Latin languages ; trans. by H. Bendall.  2 vols. 8vo   4.75

☞ *Any book mailed post-paid on receipt of the price.*

---

JOHN ALLYN, Importer and Publisher, 30, Franklin Street, Boston.